KB184847

중학생 독후감 따라잡기 107

중학생이 보는
젊은 예술가의 초상

서울대 · 고려대 · 연세대 추천도서

제임스 조이스 지음 | **신현규**(전 인하대 교수) 옮김
성낙수(한국교원대 교수) · **오은주**(서울여고 교사) · **김선화**(홍천여고 교사) 엮음

좋은 책 좋은 독자를 만드는 —
㈜신원문화사

책 머리에

더 이상 언급할 필요도 없지만 요즘은 독서의 중요성이 더욱 강조되는 시대입니다. 첨단과학으로 이루어진 대중매체 덕분에 눈으로 읽는 것보다는 말초신경을 자극하는 동영상 쪽으로 관심이 모아지는데 대한 우려 때문일 것입니다. 꿈과 희망을 가지고 자라나는 학생들에게는 올바른 사고력과 분별력을 키워 주어야 합니다. 그런 점에서 다른 사람들의 생각과 철학, 인생관과 세계관이 들어 있는 명작들을 많이 읽는 것이야말로 바람직한 학습 효과를 거둘 수 있는 지름길이라 생각합니다.

명작은 오랜 세월에 걸쳐 많은 사람들이 읽고 크게 감동을 받은 인정된 작품들로서, 청소년들의 삶에 지침이 되어 주고 인생관에 변화를 주게 될 것입니다.

이번에 중학생들에게 꼭 읽히고 싶은 명작들을 선정하여, 작품을 바르게 감상하고 독후감을 쓰는 데 도움을 주고자 이 시리즈를 기획하게 되었습니다. 작품들은 동서고금에 걸쳐 객관적으로 인정받은, 훌륭한 대상만을 선정하였습니다. 그리고 책의 구성을 다음과 같이 하여, 읽고 쓰는 데 도움이 되도록 하였습니다.

하나, 삶에 대한 지혜와 용기를 주고 중학생이라면 꼭 읽어야 할 명작만을 골랐습니다.

둘, 명작을 읽고 난 후의 솔직한 느낌을 논리적 · 체계적으로 쓸 수 있도록 중학생들의 독후감 작성에 따르는 부담을 덜어 주도록 구성하였습니다.

셋, 작품 알고 들어가기, 내용 훑어보기, 작품 분석하기, 등장인물 알기를 통해 작품을 분석하는 힘을 기를 수 있도록 하였습니다.

넷, 작가 들여다보기, 시대와 연관 짓기, 작품 토론하기 등을 통해 작가의 일생을 알고 시대의 흐름을 파악하여 상상력과 창의력을 키워 주도록 하였습니다.

다섯, 독후감 예시하기와 독후감 제대로 쓰기에서는 책을 읽는 방법과 독후감 모범답안 실례를 제시함으로써 문장력을 길러 주는 한편 독후감 쓰기의 충실한 길라잡이가 되도록 했습니다.

아무쪼록 이 책들이 중학생들의 학습 능력 향상에 큰 도움이 되길 빌어 마지 않습니다.

엮은이 성 낙 수

차 례

작품 알고 들어가기

제임스 조이스는 20세기 대표적인 모더니즘 작가입니다. 흔히들 그의 대표적 작품으로 《율리시스》를 꼽곤 하지요. 《율리시스》는 호메로스의 작품 《오디세이아》 구성을 모방하는 형식을 취하는 한편, 의식의 흐름과 내면의 독백을 적극 활용하여 써낸 장편 소설입니다.

방대한 분량에 비해 줄거리는 지극히 단순합니다. 작자의 고향인 아일랜드 더블린을 무대로 1904년 6월 16일 아침 8시부터 다음 날 오전 2시까지 일어난 일을 734면에 서술하고 있습니다. 《율리시스》에 나타난 솔직하고 대담한 묘사를 외설, 부도덕이라 하여 영국과 미국에서는 오랫동안 발행 금지 조치를 취했습니다. 하지만 금지하는 서적일수록 사람들의 흥미를 끌기 쉽지요. 학계에서는 세상에서 가장 많은 논문이 쓰인 소설로 《율리시스》를 꼽고 있으며, 《율리시스》가 만들어 낸 문학박사가 《율리시스》를 읽은 독자보다 많을 것이란 농담까지 있을 정도입니다.

또 《율리시스》의 배경이 되었던 제임스 조이스의 고향, 더블린에는 '조이스 산업'이라는 말이 나올 정도로 조이스에 대한 관광 상품이 다양하게 개발되어 있으며, '제임스 조이스 센터'는 조이스 문학 연구에서 중심 역할을 하고 있습니다.

그런데 이 《율리시스》를 창작하는 데 하나의 발판이 되었던 것이 바로 《젊은 예술가의 초상》입니다. 제임스 조이스는 《젊은 예술가의 초상》을 집필하면서 여러 가지 기법들을 확립하였으며, 완성된 형태가 《율리시스》에 나타난 것입니다. 또 《젊은 예술가의 초상》에서 창조해 낸 제임스 조이스의 자전적인 주인공 스티븐 디달러스는 《율리시스》에서 또 한 번 등장하게 됩니다.

《젊은 예술가의 초상》은 《율리시스》, 《더블린 사람들》과 더불어 제임스 조이스의 더블린 3부작으로 일컬어지는 소설입니다. 이 세 소설은 조이스가 겪었던 더블린 사람들의 실제 삶을 소재로 하고 있지요. 조이스 문학은 19세기 영국의 사실주의 소설과 20세기 유럽의 실험주의 소설의 경계 선상에 있고, 내용적으로는 자서전과 소설의 경계를 허물고 있다는 평가를 받고 있습니다. 더블린 사람들의 내밀한 삶을 구체적으로 기록하고 있기 때문에 그의 소설은 연재하는 내내 연재 중단과 소송 위협을 받았다고 합니다. 이런 불화 때문에 조이스는 1915년 아일랜드를 떠나 취리히로 옮긴 뒤 죽을 때까지 한 번도 아일랜드로 돌아가지 않았습니다.

더블린이 자신의 문학 전체를 지배하는 터전임과 동시에 끊임없는 비난과 위협의 진원지이기도 했다는 사실은 조이스 삶의 아이러니이기도 합니다. 조국에서의 외면과 영어권 국가 전체의 매도와는 대조적으로 조이스 문학이 비영어권인 유럽 대륙에서 먼저 인정받고 공인되기 시작했다는 사실 또한 조이스의 삶이 순탄치 않았음을 보여주는 부분입니다.

많은 사람들이 제임스 조이스의 소설은 잘 읽히지 않는다고, 어렵다고 말하곤 합니다. 실제로 그렇습니다. 기법적인 면도 그렇거니와, 내용도 단층적이지 않습니다. 그의 소설에는 그리스 신화가 노래의 한 조각처럼, 혹은 파이 속에 숨겨진 잼처럼 군데군데 모습을 감추고 있습니다. 처음 읽을 때는 잘 알아차리지 못하다가 두 번, 세 번 읽을 때에야 그 사실을 알게 됩니다. 당시 시대적 상황이나 종교적 배경도 꼼꼼하게 기술되어 있지요. 이런 모습을 보면 제임스 조이스는 무척이나 치열하게 연구하고 집필하는 성격을 가지고 있었다는 것을 알 수 있습니다. 그럼 이 치열한 작가가 무엇을 이야기하고자 했는지 소설을 탐구해 볼까요?

젊은 예술가의 초상

제 1 장

아주 먼 옛날, 무척 살기 좋은 시절에 음매 소 한 마리가 길을 따라 내려왔지. 그 음매 소는 먹보 아기라는 작고 귀여운 사내아이를 만났지…….

그 아이에게 아버지는 이런 이야기를 들려주었다. 아버지는 외알 안경을 끼고 그를 보았다. 아버지는 부숭부숭 털이 난 털보였다.

'먹보 아기' 란 바로 자신. 음매 소가 걸어오는 길은 베티 번이 사는 거리. 베티 번은 레몬 향기가 나는 엿가락을 팔았어.

오오, 들장미가 피었네
푸른 들녘에.

그는 애창곡을 불렀다.

오오, 들장미가 피었네.

잠자리에 오줌을 싸면 처음에는 따뜻하다가 점점 차가워진다. 어머니가 시트 위에 기름종이를 깔아 주었다. 그것에서 고약한 냄새가 풍겼다. 어머니에게는 아버지보다 좋은 냄새가 났다. 어머니는 피아노로 호른파이프 무도곡을 치면서 그에게 춤을 추라고 했다. 그는 춤을 추었다.

트랄랄라 랄라
트랄랄라 랄라
트랄랄라 트랄랄라디
트랄랄라 랄라

찰스 아저씨와 댄티 아줌마가 손뼉을 쳤다. 이 두 분은 그의 아버지와 어머니보다 나이가 많고, 찰스 아저씨는 댄티 아줌마보다 나이가 많았다.

댄티의 옷장 속에는 옷솔 두 개가 있었다. 밤색 벨벳이 달린 솔은 마이클 대빗(아일랜드의 정치가, 독립투사)을 위해, 초록색 벨벳은 파넬(19세기 후반의 아일랜드 정치가. 간통 사건으로 실각)을 위한 것이다. 그가 화장지를 가져다 주면 댄티 아줌마는 항상 은단 한 알을 주었다.

밴스네 아이들은 7번지에 살았다. 그들은 다른 아버지, 어머니를 모시고 있었다. 아일린의 아버지와 어머니였다. 어른이 되면 그는 아일린과 결혼할 생각이었다. 테이블 밑에 숨으면 어머니는 늘 말씀하셨다.

"스티븐, 잘못했다고 사과해야지."

댄티 아줌마가 말했다.

"사과해야지. 안 그러면 독수리가 날아와 눈알을 빼간다."

눈을 뽑는다
용서를 빌어라
용서를 빌어라
눈을 뽑는다

용서를 빌어라
눈을 뽑는다
눈을 뽑는다
용서를 빌어라

넓은 운동장에 학생들이 떼를 지어 큰소리로 외쳤다. 선생님이 학생을 향해 소리 질렀다. 저녁 무렵, 공기는 창백하고 차가웠다. 축구를 하는 중이었다. 빼앗은 공을 힘껏 차올리면 끈적거리는 공은 묵직한 새처럼 회색 하늘을 날아갔다. 스티븐은 선생님의 눈길이 닿지 않고, 친구들의 난폭한 발길에 채일 염려도 없는 자기 반 귀퉁이에서 얼쩡거리며 이따금 달리는 시늉을 했다. 축구하는 무리 속에서 자신의 몸집이 작고 허약하게만 느껴진 그는 게슴츠레한 눈으로 자꾸 눈물을 흘렸다.

로디 키컴은 점잖은 애였지만 내스티 로취는 싫은 녀석이었다. 그가 하급반의 주장이 될 것이라고 다들 말했다.

로시는 자기 사물함에 정강이 보호대를 넣어 두었고 휴게실에는 도시락을 넣어 온 바구니가 있었다. 로시는 손이 컸다. 그놈은 금요일에 배급 주는 푸딩을 '바구니 속에 든 개죽'이라고 했다. 언젠가 그는 이렇게 물었다.

"네 이름이 뭐냐?"

스티븐은 대답했다.

"스티븐 디달러스."

그러자 더러운 로시가 말했다.

"무슨 그 따위 이름이 있어?"

스티븐이 대답을 못하자 로시가 다시 물었다.

"아버지는 뭐 하는 사람이야?"

스티븐은 대답했다.

"신사야."

그러자 로시가 물었다.

"치안 판사야?"

로시는 자기 반의 한 모퉁이에서 어슬렁거리다가 이따금 쫄래쫄래 달리기도 했다. 그러나 그의 손은 추위로 퍼렇게 질려 있었다. 그는 허리띠가 달린 회색 양복 주머니에 두 손을 꽂고 있었다. 그것은 주머니 둘레에 매는 허리띠였다. 이 허리띠는 사람을 때릴 때도 쓰였다. 언젠가 켄트웰에게 이렇게 말했다.

"때려 줄 테다."

그러자 켄트웰은 대답했다.

"그럴 만한 상대를 골라 때려 줘. 세실 선더나 허리띠로 갈겨 주라구. 난 구경이나 할게. 그가 네 엉덩일 한 대 탁 차 줄 거야."

그건 고운 말씨가 아니었다. 어머니는 학교에서 난폭한 학생과는 말도 하지 말라고 주의를 주었다. 착한 어머니는 입학식 날 학교 현관에서 그가 "안녕!" 하고 인사를 하자 베일을 콧잔등까지 걷어 올리고 키스를 해 주셨다. 코와 눈시울이 불그스름했다. 그러나 그는 어머니가 울먹이는 것을 모르는 척했다. 착한 어머니였지만 울먹일 때는 그다지 멋지진 않았다. 아버지는 용돈에 쓰라면서 5실링짜리 은전을 두 닢 주시면서 뭔가 필요한 것이 있을 때는 편지하라고 말씀하셨다. 그리고 무슨 일이 있더라도 고자질을 해서는 못 쓴다고 하셨다. 바깥 현관에서 교장 선생님이 부모님과 악수할 때 검고 긴 가운이 산들바람에 펄럭였다. 부모님을 태운 마차가 달리기 시작하자 두 분은 마차에서 손을 흔들며 외쳤다.

"잘 있거라, 스티븐, 안녕!"

"잘 있거라, 스티븐, 안녕!"

그는 소용돌이 속에 엉켜든 이글거리는 눈과 흙투성이 구두를 무서워하면서 몸을 움츠리고 많은 사람의 다리 사이로 건너편을 내다보았다. 아이들은 마구 덤비며 소리치고, 서로 다리를 밀치고 차고 짓밟았다. 그때 잭 로튼의 노란색 구두가 멋지게 공을 가로채자 모든 구두와 다리들이 그 공을 따라 달렸다. 스티븐도 얼마간 그들의 뒤를 쫓아갔으나 곧 멈췄다. 따라가 봐야 별수 없었다. 얼마 안 있어 주말이 되면 그들은 집으로 돌아갈 거야. 자습실 책상 안쪽에 붙여 둔 숫자—크리스마스 휴가와 겨울방학이 되어 집으로 돌아갈 때까지 남은 일수—를 저녁 식사가 끝나면 77에서 76으로 고치자.

이런 추운 데보다 자습실에 가 있는 편이 훨씬 낫지. 하늘은 푸르고 차갑지만 성안에는 불이 켜져 있었다. 해밀턴 로언(18세기에서 19세기에 걸쳐 생존한 아일랜드의 애국자)은 어느 창문에서 자신의 모자를 담장으로 내던졌을까? 그 무렵 창 밑에는 화단이 있었을까? 언젠가 그가 성으로 불려갔을 때 집사가 문짝에 박힌 총알을 보여 주면서 수도사들이 먹는 과자를 한 개 준 일이 있었다. 성안에 켜 있는 불은 아름답고 따스했다. 마치 책 속에서 보는 풍경 같았다. 아마 레스터 사원도 저와 같겠지. 콘웰 박사의 철자법 책에는 아름다운 문구가 들어 있었다. 철자를 익히기 위한 문구지만 시와 비슷했다.

월지 추기경이 죽은 것은 레스터 사원
정중히 묻어 준 것은 수도원장
근류병은 식물의 병
암은 동물의 병

난로 앞에 양탄자를 깔고 누워 머리 밑에 두 손을 괴고 이런 문구를 떠올리면 얼마나 멋질까? 그는 끈끈하고 차가운 그 무엇이 살갗에 와 닿는 듯 몸을 으스스 떨었다. 그의 조그만 코담배갑을 자기가 가지고 있는 여문 알밤하고 바꾸지 않는다고 네모난 웅덩이에 밀어 넣던 웰즈가 밉다. 밤치기 놀이에서 마흔 개나 되는 상대의 밤을 깬 웰즈가 그런 짓을 한 것은 너무 심했다. 그때 그 물이 얼마나 차갑고 끈끈했던가. 언젠가 커다란 쥐 한 마리가 시궁창에 뛰어드는 것을 보았다는 아이도 있었지. 어머니가 댄티 아줌마와 난로 앞에 앉아 하녀 브리짓이 차를 내오는 것을 기다리고 있었지. 어머니가 두 발을 난로 가장자리에 얹다가 반짝반짝 빛나는 슬리퍼 바닥을 불에 그을려서 구수한 냄새가 났었지. 댄티 아줌마는 만물박사다. 모잠비크 해협(아프리카 동남부에 있는 수로—역주)이 어디에 있는가, 아메리카의 가장 긴 강과 달에서 가장 높은 산의 이름도 가르쳐 주었다. 아날 신부는 신부이니만큼 댄티 아줌마보다도 더 박식하지만 아버지도 찰스 아저씨도 댄티 아줌마를 영리하고 박식한 여자라고 했다. 식사가 끝나 댄티 아줌마가 하품을 하면서 손으로 입을 가린 것은 졸음 탓이었다.

운동장 저쪽에서 멀리 고함 소리가 들려왔다.

"집합!"

그러자 중급반(제2 문법 학급과 그 위에 제3 문법 학급을 통틀어 중급반이라 부른다), 하급반에서도 호령 소리가 들려왔다.

"집합! 집합!"

축구를 하던 학생들이 상기된 얼굴로 흙투성이가 되어 몰려 왔다.

그도 함께 어울릴 수 있는 게 반가워 끼어들었다. 로디 키컴은 때 묻은 공의 끈적한 끈을 잡고 있었다. 한 학생이 마지막으로 공을 한번 차 보자고 부탁했으나 그는 대답도 하지 않고 걸어갔다. 사이몬 무난이 그 학생에게 선생님께서 보고 계시니까 그만두라고 타일렀다. 상대는 사이몬 무난을 돌아보면서 말했다.

"네가 왜 그런 소릴 하는지 다 알고 있어. 넌 맥글레이드의 썩(suck, 귀염둥이나 아첨꾼을 뜻하는 은어)이기 때문이지."

썩이란 괴상한 말이다. 그 아이가 사이몬 무난을 그와 같이 부르는 것은, 그가 늘 선생님의 검은 가운 등받이에 있는 장식깃을 뒤로 묶어 주곤 했는데 그때마다 선생님이 화난 척했기 때문이다. 그러나 '썩'이란 말은 역겨운 소리였다. 언젠가 그가 위클로 호텔 화장실에 갔을 때 아버지가 사슬을 당기자 더러운 물이 변기 안에서 흘러내렸다. 물이 서서히 다 흘러내리자 변기 구멍이 똑같은 '썩' 소리를 냈다. 다만 소리가 좀 더 컸을 뿐이다.

그 소리와 하얀 세면기를 생각하니 소름이 끼치듯 한기를 느꼈고 이내 열기를 느꼈다. 꼭지가 두 개 있는데 틀면 찬물과 더운 물이 나온다. 그는 싸늘하게 느끼다가도 금세 뜨거운 느낌이 들었다. 꼭지에 적힌 문구가 눈에 완연히 떠오른다. 정말 묘한 느낌이었다.

복도의 공기도 싸늘하다. 축축하여 기분이 나쁘다. 하지만 곧 가스 등불이 켜질 것이며, 가스가 타는 소리는 나직이 부르는 노랫소리와도 같다. 언제나 한결 같은 소리였다. 오락실에서 놀고 있는 학생들의 말소리가 그치면 그 소리가 들리기 시작한다.

수학 시간이었다. 아날 신부가 흑판에 어려운 문제를 써 놓고는 말했다.

"자, 어느 쪽이 이기지? 힘을 내, 요크! 힘을 내, 랭카스터!"

스티븐은 갖은 애를 썼지만 문제가 너무 어려워 생각이 나지 않았다. 웃옷 가슴에 핀으로 꽂은 흰 장미—15세기, 장미 전쟁 당시, 랭카스터 가문은 붉은 장미, 요크 가문은 흰 장미를 그 문중의 휘장으로 사용했다—휘장이 떨리기 시작했다. 수학은 잘하는 편이 아니었으나 요크 쪽이 질세라 갖은 힘을 다했다. 아날 신부는 시무룩한 표정이었으나 화를 내는 것은 아니었다. 이윽고 웃음을 터뜨렸다. 그때 잭 로튼이 손가락으로 짝 하고 소리를 냈다. 아날 신부는 연습장을 들여다보며 말했다.

"맞았다. 랭카스터! 붉은 장미의 승리다. 요크! 힘을 내!"

그의 옆에서 잭 로튼이 넘겨다보았다. 푸른 세일러복을 입고 있어서 조그마한 붉은 명주 휘장의 장미가 무척이나 선명하게 보였다. 잭 로튼이냐 아니면 스티븐이냐, 어느 쪽이 초등급에서 수석이 되느냐에 다들 내기를 걸었다고 생각하니 얼굴이 붉어지는 것을 느낄 수 있었다. 잭 로튼이 우등 카드를 몇 주일간 탄 적이 있고, 그가 몇 주일 차지한 적이 있다. 그가 흰 명주 휘장을 펄럭이며 다음 수학 문제를 푸는데, 아날 신부의 소리가 들렸다. 그러자 스티븐은 모든 열의가 사그라지고 얼굴에 싸늘한 기운이 도는 것을 느꼈다. 그는 얼굴이 이렇게 싸늘하니 얼굴이 새파랗게 질려 있을 거라고 생각했다. 산수 문제는 풀 수 없었지만 이제 그것은 문제가 아니었다. 흰 장미와 붉은 장미. 우등과 2, 3등의 카드도 고운 색이다. 복숭아색, 크림색, 연보라색이었다. 연보라색과 크림색 장미는 상상만 해도 아름답기 그지없는 색깔이다. 아마 들장미도 그와 같은 색깔일지도 모른다. 푸른 들녘에 피는 들장미의 추억이 되살아난다. 하지만 푸른 장미란 없다. 그러나 이 세상 어딘가는 그런 색의 장미가 있을지도 모를 일이 아닌가.

종이 울리자 각 반에서 학생들이 쏟아져 나와 복도를 지나 식당으로 몰려갔다. 스티븐은 자리에 앉아 접시에 담긴 버터 덩어리 두 개를 보았으나 눅눅한 빵은 먹고 싶지 않았다. 식탁보까지 축축하고 구겨져 있었다. 그러나 그는 흰 앞치마를 두른, 서투른 급사가 따라 주는 연한 홍차는 남김없이 다 마셨다. 급사의 앞치마도 젖어 있겠지. 흰 것은 뭐나 다 차갑고 축축할까? 더러운 로시와 소린은 집에서 보내온 깡통에 담긴 코코아를 마셨다. 그들은 차마 홍차를 마실 수 없다고 했다. 그것은 돼지가 마시는 것이라고 했다. 그 두 아이의 아버지는 치안 판사였다.

그에게는 모든 아이들이 다 이상하게 보였다. 그들에게도 다 아버지, 어머니가 있고 각자 다른 옷을 걸치고 내는 소리도 다르다. 스티븐은 집으로 돌아가 어머니 무릎을 베고 싶은 생각만 자꾸 들었다. 그러나 그것은 안 될 말이다. 그래서 그는 노는 것, 공부, 기도니 하는 것들이 어서 끝나서 잠자리에나 들어가고 싶었다.

따끈한 홍차를 한 잔 더 마시고 있는데 그때 플레밍이 물었다.

"왜 그래? 어디 아프냐?"

"모르겠어."

"배가 아픈 게로군. 얼굴이 새파래. 그러나 곧 나을 거야."

"응."

스티븐은 대답했다.

그러나 그는 배가 아픈 것이 아니었다. 만약에 마음이란 곳이 아플 수 있다면 지금 그곳이 아픈 것이라는 생각이 들었다. 걱정해 주는 플레밍이 그지없이 고마웠다. 울고 싶은 심정이었다. 그는 두 팔꿈치를 책상 위에 짚고 손으로 귀를 가렸다 뗐다 했다. 뗄 때마다 식당의 왁자지껄한 소리가 들렸다. 그리고 가릴 때마다 여러 사람의 높은 말소리가 뚝 그치는 것은 기차가 터널 속으로 들어갈 때와 같았다. 그날 밤 돌키(더블린 부근에 있는 해안 피서지)에서도 기차는 이와 같이 으르렁거렸는데, 터널 속으로 들어가자 소리는 뚝 끊어졌다. 눈을 감자 기차는 계속 달리면서 기적을 그쳤다간 또 울리고 또 그친다. 기차가 다시 기적을 울리다간 그치고 터널을 벗어나 또 울렸다가 그치는 소리를 듣고 있자니 즐겁다.

그때 상급반—시(詩) 학급과 그 위의 최상급인 수사 학급을 합친 반—학생들이 식당 한가운데 있는 카펫을 밟으며 걸어왔다. 패디 래드와 지미 마기 그리고 궐련을 피워도 좋다는 허가를 얻은 스페인 녀석과 양털 모자를 쓴 조그마한 포르투갈 녀석 등이다. 그리고 이번에는 중급반과 하급반 식탁에 앉아 있던 아이들 차례였다. 모두 다른 걸음걸이로 걸어갔다.

스티븐은 오락실 한쪽 구석에 자리 잡고 도미노 게임을 구경하는 척했다. 한두 번 잠시 가스등이 타면서 내는 나직한 노랫소리가 들렸다. 선생님은 몇몇 아이들과 입구에 서 있고, 사이몬 무난은 선생님의 장식 끈을 매주고 있었다. 선생님은 아이들과 툴라벡(1886년 폐교된 예수회 계통의 학교) 이야기를 나누었다.

그때 그가 문을 나서자 웰즈가 스티븐에게로 다가와서 말을 걸었다.

"얘, 디달러스, 너 자기 전에 어머니께 키스하니?"

"하고말고."

웰즈는 되돌아서서 다른 아이들에게 말했다.

"야, 이놈은 저녁마다 자기 전에 엄마에게 키스를 한대."

다른 아이들은 놀이를 중단하고 돌아보면서 큰소리로 웃었다. 스티븐은 다들 자기를 바라보자 얼굴이 빨개졌다. 그는 다시 말했다.

"하지 않는대두."

웰즈가 말했다.

"이놈은 자기 전에 키스를 안 한대."

다들 또 와르르 웃었다. 스티븐도 따라 웃으려 했으나 갑자기 온몸이 달아오르면서 갈팡질팡했다. 어떻게 대답하면 되지? 두 가지 대답을 했는데도 웰즈는 웃었다. 그러나 웰즈는 2학년 문법을 배우고 있으니까 옳은 대답을 알고 있음에 틀림없다. 그는 웰즈 어머니에 대해 생각해 보려고 했으나 고개를 들고 그의 얼굴을 쳐다볼 용기가 나질 않았다. 웰즈의 얼굴은 보기도 싫다. 자신의 조그만 입담배통과 밤치기 놀이에서 마흔 개나 되는 상대의 밤을 깬 자신의 길이 잘 든

밤을 바꾸지 않는다고 어제 네모난 웅덩이에 밀어 넣은 것도 바로 웰즈다. 그런 짓을 하다니 지독하다. 다들 야비하다고 말했다. 그 오줌은 얼마나 차갑고 끈적끈적했던가! 게다가 표면에 깔려 있는 엷은 거죽 위로 커다란 쥐가 뛰어드는 것을 누군가 보았다고 하더군.

네모난 웅덩이의 끈적거리는 액체가 그의 온몸을 뒤덮는 듯했다. 종이 울리고 세 반이 오락실에서 열을 지어 밖으로 나가자 옷 사이로 복도와 계단의 싸늘한 공기가 와 닿았다. 그는 아직도 옳은 답이 무엇일까를 생각했다. 어머니께 키스하는 것이 옳은가, 아니면 잘못일까? 키스한다는 것에는 어떤 뜻이 있을까?

안녕히 주무세요, 하고 얼굴을 돌리면 어머니는 내려다본다. 그게 키스야. 어머니는 그의 볼에 입술을 갖다 댄다. 어머니의 부드러운 입술이 볼을 적신다. 그리고 입술은 아련한 소리를 낸다……. 키스, 왜 사람은 두 얼굴로써 그와 같은 짓을 하는 걸까?

스티븐은 자습실 의자에 가 앉자 책상 뚜껑을 열고 안쪽에 붙어 있는 수를 77에서 76으로 고쳤다. 하지만 크리스마스 휴가는 아직도 멀었다. 그러나 지구는 쉬지 않고 빙글빙글 돌고 있으니까. 언젠가는 올 것이다.

지리책 첫 페이지에는 지구 그림이 있다. 구름 속에 있는 큰 공. 케이스에 든 크레용을 가지고 있는 플레밍이 어느 날 밤 자습시간에 지구의 초록색 구름을 고동색으로 칠했다. 댄티의 옷장에 있는 두 가지 옷솔과 비슷했다. 초록색 벨벳이 달린 파넬의 옷솔과 밤색 벨벳이 달린 마이클 대빗의 솔. 하지만 이 두 가지 색으로 칠해 달라고 플레밍에게 부탁한 것은 아니다. 플레밍은 자진해서 그렇게 한 거다.

그는 공부를 하려고 지리책을 펼쳤으나 미국의 여러 지명은 머리에 들어오지 않았다. 하긴 이것들은 다 별개의 지방이기 때문에 이름도 다 다르게 붙여져 있다. 이 지방들은 다 다른 나라에 속해 있으며, 각 나라는 여러 대륙 속에 있고, 각 나라는 세계 안에 있으며, 세계는 우주 안에 있다.

그는 지리책 면지(面紙)를 열고 언젠가 자기가 거기에 써 두었던 내용을 읽어 보았다. 자기 이름, 자기 주소.

스티븐 디달러스
기초반
클론고스 우드 학교
샐린즈(더블린 근처의 읍)
킬데어 군
아일랜드
유럽
세계
우주

이것은 그가 쓴 것이지만 플레밍이 어느 날 밤 장난으로 반대 페이지에 이렇게 썼다.

스티븐 디달러스는 내 이름
아일랜드는 내 나라
클론고스는 현주소
그리고 천국이야말로 나의 목적지

그런데 이 넉 줄을 거꾸로 읽어 보았더니 시가 되지 않았다. 이윽고 면지를 거꾸로 읽어 자기 이름에까지 왔다. 그 이름은 바로 그 자신이었다. 그래서 스티븐은 다시 그 페이지를 읽어 보았다. 우주 다음은 무엇일까? 아무것도 없다. 하지만 우주 주위에는 그 아무것도 없는 장소가 시작되기 전에 우주는 여기서 끝난다는 것을 표시하는 무언가가 있을지도 모른다. 벽 같은 것이 있을 리는 없다. 그러나 무슨 물건이거나 그 둘레에는 꼭 미세한 선이 있는 법이다. 모든 것, 모든 지방을 상상한다는 것은 대견한 노릇이다. 하느님만이 그것을 할 수 있다. 그는 그것이 얼마나 엄청난 일일까 하고 생각해 보려 했으나 하느님밖에 생각할 수 없었다. 하느님이라는 것은 하느님의 이름으로, 이것은 마치 그의 이름이 스티븐이라는 것과 마찬가지다. '뒤이(Dieu)'라는 것은 프랑스말로 하느님이고 따라서 이것은 하느님의 이름이다. 그러므로 하느님께 기도를 하면서 뒤이라고 부르면 하느님은 곧 기도를 하고 있는 사람이 프랑스 사람이란 것을 알게 된다. 그러나 세계의 각 나라 말에는 모두 하느님이란 명칭이 따로 있어 기도를 드릴 때 각기 자기 나라 말을 쓰는 것을 하느님은 알고 있다. 그러나 하느님은 언제나 같은 하느님이며 하느님의 진짜 이름은 하느님이다.

이와 같은 생각을 하자 스티븐은 몹시 피로를 느꼈다. 그리고 자기의 머리가 매우 커진 것같이 생각되었다. 그는 면지를 넘기고 밤색 구름 한가운데 있는 초록색 지구를 멍청히 바라보고 있었다. 초록색과 밤색은 어느 것이 옳을까? 언젠가 댄티가 파넬을 표시하는 옷솔의 잔등에서 초록색 벨벳을 가위로 잘라내고는 파넬은 나쁜 놈이라고 설명했다. 아직도 집 식구들이 여기에 대해 토론을 하는지 궁금했다. 그게 정치라는 것이다. 정치란 항상 두 편으로 나뉜다. 댄티는 이쪽 편이고 아버지와 카시 씨는 다른 한 쪽이다. 어머니와 찰스는 어느 쪽도 아니었다. 신문에서는 연일 이것에 대한 큰 기사가 실렸다.

정치가 무엇인지 잘 모르는 것과 우주의 끝이 어딘지 잘 모른다는 사실이 스티븐을 괴롭혔다. 그는 자신이 매우 연약한 아이라는 걸 느꼈다. 자신은 언제나 시학급이나 수사학급 학생처럼 될 수 있을까? 그들은 큰소리로 터놓고 이야기하며 커다란 구두를 신고 삼각법을 공부했다. 하지만 그런 것은 먼 장래의 일이다. 우선 휴가가 있고 다음에 다음 학기가 있고 또 휴가가 있은 뒤 학기가 있고 또 휴가가 있다. 기차가 굴속으로 들어갔다 나왔다 하는 것처럼, 귀를 가렸다 떼었다 할 때 식당에서 학생들의 소리가 들렸다 끊겼다 하는 것처럼. 학기, 휴가, 터널, 나온다, 왁자지껄, 고요, 먼 장래의 일! 자는 게 좋다. 예배당에서 기도를 드리고 잠잘 뿐.

그는 몸을 떨며 하품을 했다. 시트가 좀 따스해지면 침대 속은 기분이 좋을 거야. 처음 들어갈 때는 아주 차다. 처음 시트가 얼마나 차가울지 생각만 해도 몸이 으스스 떨린다. 하지만 곧 따스해지고 이윽고 잠들 수가 있다. 피로하다는 것은 대견한 일이다. 그는 또 하품을 했다. 밤 기도와 침대. 몸이 떨리고 하품이 나오려 한다. 5분, 아니면 6분 뒤에는 황홀한 경지에 이른다. 그는 떨리도록 차가운 시트에서 따스한 빛이 서서히 피어올라 점점 몸이 따뜻해지며 훈훈해짐을 느꼈다. 그래도 약간은 으스스 떨며 또 하품이 나오려 했다.

밤 기도 종이 울리자 스티븐은 다른 학생들을 따라서 자습실을 나와 계단을 내려서 복도를 지나 예배실로 갔다. 복도는 어두침침하고 예배실도 컴컴하다. 얼마 후에는 모든 것이 어둠에 싸여 깊은 잠에 빠질 것이다. 예배실의 밤공기는 차갑고 대리석은 밤바다 빛이다. 바다는 낮이나 밤이나 차갑지만 밤이 더 차다. 우리 집 곁에 있는 방파제 밑은 차고도 따스하다. 집에서는 펀치—포도주, 레몬즙, 설탕 등의 혼합 음료수—를 만들 주전자를 난로에 올려놓고 있을 것이다.

그는 머리 위에서 선생님의 기도를 따라하지만 건성으로 암송할 뿐이었다.

오, 주여! 저희들의 입술을

열게 하시어

우리의 입으로 당신을

기리게 하옵소서!

손을 뻗쳐 주옵소서!

오오, 주님이시여!

오오, 주여! 어서 우리를

구해 주소서!

예배당은 싸늘한 냄새가 감돌았다. 하지만 이것은 신성한 냄새다. 일요 미사 때 예배당 저 구석에 꿇어앉은 늙은 농부들의 냄새와는 다르다. 그것은 공기와 비와 토탄(土炭)과 코르덴 천 냄새다. 하지만 그들은 지극히 신앙심이 두터운 백성들이었다. 그리고 기도를 하면서 그의 뒷덜미에 입김을 끼얹으며 한숨을 쉬었다. 클레인 농부들이라고 누군가가 말했다. 그 부근 농촌 집들은 크기가 작다. 언젠가 샐린즈에 갔다 오는 길에 마차로 그곳을 지나온 적이 있는데, 애를 안은 농부의 아내가 문 앞에 서 있는 것을 본 적이 있었다. 저런 농가에서 하룻밤쯤 토탄불을 피우고 불꽃이 깜박이는 훈훈한 어둠 속에서 잠들면 얼마나 멋질까. 농부와 공기와 비와 토탄과 코르덴 천 냄새를 맡으면서. 하지만 수목 사이의 도로는 그 얼마나 깜깜한가! 저런 어둠 속에서는 길을 잃고 말겠지. 생각만 해도 무시무시했다.

예배실에서 선생님이 올리는 마지막 기도 소리가 들렸다. 그도 집 밖 나무숲에 깔린 어둠을 향해 기도를 올렸다.

오오, 주여! 원하건대 저희들이 사는 이곳에 임하셔서 원수의 모든 간계를 거두어 주소서. 성스러운 천사를 여기에 머무르게 하사, 우리들을 편안히 지켜 주시고, 당신의 축복이 항상 우리를 위해, 주 예수 그리스도에 의해 내려지게 하소서, 아멘.

기숙사 침실에서 옷을 벗으며 스티븐은 떨리는 손가락을 재촉했다. 가스불이 꺼지기 전에 옷을 벗고 꿇어앉아 기도를 끝내지 않으면 죽어서 지옥에 떨어질지도 모른다. 그는 양말을 벗고 재빨리 잠옷으로 갈아입은 후 침대 곁에 꿇어앉아 가스불이 꺼질세라 마음을 졸이면서 빠른 소리로 기도를 올렸다. 중얼거리는 동안 떨리는 것을 알 수 있었다.

하느님, 저의 아버지 어머니께 은혜를 베푸시고 지켜 주옵소서.

하느님, 제 아우와 누이동생들에게 은혜를 베푸시고 보살펴 주옵소서.

하느님, 댄티와 찰스 아저씨께 은혜를 베푸시고 보살피소서.

스티븐은 가슴에 성호를 긋고 날쌔게 침대 위로 올라갔다. 그리고 잠옷자락으로 발을 감싸고 부들부들 떨리는 몸을 싸늘한 흰 시트 속으로 웅크려 넣었다. 그러나 죽어서 지옥에 떨어지지 않을 것이라는 생각에 떨리던 몸이 멈췄다. 침실에 있는 학생들에게 잘 사라고 이르는 소리가 들렸다. 그는 잠깐 이불 너머로 앞을 바라보았다. 침대 둘레에도 앞머리에도 누런 커튼이 둘러쳐져 있었다. 불빛이 저절로 흐려졌다.

선생님의 발자국 소리가 멀어져 갔다. 어디로 가는 걸까? 계단을 내려 복도로, 아니면 저 끝에 있는 자기 방으로? 그는 깜깜한 어둠 속을 바라보았다. 사람을 잡아먹는 유령이라고 사람들이 말하는 마차의 등불만큼 큰 눈을 가진 검둥개가 밤이 되면 어슬렁거리고 다닌다는 건 정말인가? 무서운 나머지 그는 온몸이 전율하는 것을 느꼈다.

성안 학교의 따스한 현관이 눈앞에 떠올랐다. 낡은 옷을 걸친 하녀들이 계단 위에 있는 다리미질 방에 있었다. 오랜 옛날이었다. 늙은 하녀들은 조용했다.

난롯불은 붙어 있었으나 현관은 어둡다. 사람의 그림자 하나가 현관에서 계단을 올라왔다. 그는 원수(元帥)의 흰 제복을 걸치고 파리하고 흉한 얼굴을 하였다. 한쪽 손으로 옆구리를 짚으며 기분 나쁜 눈초리로 하녀들을 쳐다보았다. 하녀들도 그를 쳐다본 후 그가 다름 아닌 주인의 얼굴과 망토를 하고 있음을 알아차렸고, 치명적인 상처를 입은 것도 알았다. 그러나 하녀들이 보고 있는 것은 다만 어둠과 깜깜하고 호젓한 밤기운뿐. 주인은 바다 건너 저 멀리 프라하의 싸움터에서 치명적인 부상을 당했다. 그는 전장(戰場)에 있었으며 손으로 옆구리를 짚고 있다. 그리고 파리하고 사나운 얼굴로 흰 원수의 망토를 걸치고 있다.

이런 생각을 하니 한기가 들고 기분이 나빴다! 어둠은 사방에 깔려 있고 싸늘하고 괴상하다. 마차의 등불 같은 눈을 부라리며 파리하고 사나운 얼굴들이 여기저기 가득 차 있다. 그것은 모두 사람 잡아먹는 유령이다. 바다 건너 저 먼 싸움터에서 상처를 입은 원수들. 무엇을 호소하고 싶어 저런 기분 나쁜 표정들일까?

오오, 주여! 원컨대 저희들 집으로 찾아와 원수의 올가미를 죄다 몰아내 주소서…….

방학을 맞아 집으로 돌아간다! 참 좋은 일이다. 다들 그렇게 말하고 있었다. 성문 밖에서 이른 겨울 아침에 마차를 탄다. 마차가 자갈길을 달린다. 선생님 만세!

만세! 만세! 만세!

마차가 예배실 앞을 지나칠 때는 다들 모자를 벗는다. 시골길을 경쾌하게 달려간다. 마부가 보덴스타운 쪽을 채찍으로 가리키며 알려준다. 다들 소리를 지른다. '즐거운 농부'라는 농가를 지나친다. 몇 번이나 계속되는 환호성!

클레인 거리를 빠져나온다. 환호하며 환호를 받으며, 사립문 밖에서 있는 농촌 아낙네들, 여기저기 서 있는 사내들. 겨울 공기 속에 떠도는 싱그러운 냄새, 클레인의 냄새, 비와 겨울철 공기, 연기를 피우는 토탄(土炭)과 코듀로이의 냄새.

열차는 학생들로 만원을 이루고 있다. 벽을 크림색으로 칠한 기다란 초콜릿색의 열차. 차장은 이리 갔다 저리 갔다, 문을 열었다 자물쇠를 채웠다 또 열었다 한다. 진한 감색과 은색 제복을 입은 승무원들! 은색 호각과 열쇠를 가지고 있고, 열쇠는 찰깍찰깍 잰소리로 리듬을 탄다.

이윽고 기차는 벌판을 가로질러 알렌의 언덕을 넘는다. 전신주가 뒤로 뒤로 지나간다. 무엇이나 다 알아챘다는 듯이 기차는 계속 달린다.

고향집 현관에는 등(燈)과 초록색 나뭇가지 장식이, 거울 둘레에는 사철나무와 칡덩굴이, 빨간 열매의 사철나무와 칡덩굴이 샹들리에에도 얽혀 있다. 벽에 붙은 낡은 초상화 둘레에도 빨간 열매가 있는 사철나무와 초록색 칡덩굴, 그와 크리스마스를 위한, 사철나무와 칡덩굴.

멋지다…….

모든 가족들…… 어서 와요, 스티븐! 분주하게 맞아들이는 소리들. 어머니가 키스를 해 준다.

정말? 아버지가 원수(元帥)가 됐어? 관리보다 더 높다. 잘 왔다, 스티븐!

왁자지껄한 소리…….

커튼 고리가 쇠줄 위를 스쳐가는 소리, 세면대에서 세수하는 물소리, 잠자리에서 일어나는 소리, 옷을 입는 소리, 손을 씻는 소리가 침실을 가득 메우고 있다. 선생님이 돌아다니면서 정신을 차리라며 손뼉을 치는 소리, 쳐 놓은 누런 커튼과 흩어져 있는 침대 위를 엷은 햇살이 비치고 있다. 그의 침대는 몹시 덥고 얼굴과 몸이 달아올라 있었다.

그는 일어나 침대 위에 앉았다. 기운이 없었다. 양말을 신으려 했으나 꺼칠꺼칠하여 살을 대기가 무서웠다. 햇빛이 차고 불쾌했다.

플레밍이 말했다.

"어디 아프니?"

"나도 모르겠어."

그러자 플레밍이 다시 말했다.

"누워 있어. 몸이 아프다고 맥글레이드 선생님에게는 내가 말할 테니."

"얘가 아프대."

"누가?"

"맥글레이드 선생님께 얘기 좀 해 줘."

"누워 있어."

"아파?"

스티븐이 다리에 엉겨 붙은 양말을 벗고 뜨거운 침대로 돌아오자 누군가가 두 팔을 눌러 주었다. 시트 속에서 몸을 움츠리고 누우니 미적지근한 열이 시원하게 느껴졌다. 다들 미사에 가느라고 옷을 주워 입으면서 자기에 관한 말을 하는 소리가 들렸다. 웰즈가 너무했어. '네모진' 웅덩이 속에 떠밀어 넣다니……,

하고 다들 한마디씩 했다.

말소리가 그치더니 모두 사라져 버렸다. 침대 곁에서 누군가가 말을 걸어왔다.

"디달러스, 일러바치지는 않겠지?"

웰즈의 얼굴이었다. 그의 표정을 보니 겁먹은 얼굴임을 알 수 있었다.

"그럴 작정은 아니었어. 얘, 일러바치지는 않겠지?"

어떤 변을 당하더라도 고자질은 말라던 아버지의 말이 생각났다. 그는 고개를 흔들어 이르지 않겠다고 대답했다. 속이 후련했다.

웰즈가 말했다.

"일부러 그런 건 정말 아니야. 장난으로 그랬어. 미안하다."

그 얼굴과 말소리가 멀어져 갔다. 무슨 나쁜 병에 걸렸나 싶어 걱정이 되었나 보다. 캔커는 식물의 병이고 캔서는 동물의 병이다. 아니, 그 반대인지도 몰라. 지금 생각하니 운동장에서 석양을 받으면서 우리 반 맨 꽁무니에서 어슬렁어슬렁 달리던 추억은 지난 옛날 얘기. 묵직한 새가 잿빛 햇빛 속으로 나직이 날고 있었지. 레스터 사원에 불이 켜진다. 월지가 죽은 곳도 그곳이었다. 묻어 준 것은 수도원장.

그런데 웰즈의 얼굴이 아니고 선생님의 얼굴이었다. 꾀병이 아닙니다. 절대로, 절대로. 진짜 병이에요. 꾀병이 아녜요. 이윽고 스티븐은 이마 위로 선생님의 손이 와 있는 걸 깨달았다. 선생님의 차갑고 축축한 손에 비해 자신의 이마는 뜨겁고 축축했다. 쥐를 만졌을 때처럼 미끈미끈하고 축축하고 차다. 어느 쥐도 눈이 두 개가 있어 그걸로 본다. 반들반들하고 미끈미끈한 털가죽, 뛸 때 오그려 붙이는 조그만 발, 무엇을 볼 때의 그 미끈미끈한 눈망울, 쥐는 뛰는 법을 알지만 삼각법은 모른다. 죽으면 옆으로 넘어진다. 그러면 털가죽이 마른다. 쥐는 오직 주검에 지나지 않는다.

선생님은 아직도 곁에 있었다. 일어나라고 한 것은 선생님의 소리였다. 일어나 옷을 입고 위생실로 가 보라고 교감 선생님이 말했다는 것이다. 재빨리 준비를 하고 있는데 선생님이 말했다.

"배가 꼴꼴거리니까 마이클 씨한테 가야겠군."

이런 말투는 상냥한 마음씨에서 오는 것이다. 웃겨 보려는 심사에서. 그러나 그는 볼과 입술을 발발 떨 뿐 웃을 수가 없었다. 그러자 선생님은 혼자 웃었다.

선생님이 큰소리로 외쳤다.

"뛰어! 하나 둘! 하나 둘!"

두 사람은 함께 계단을 내려가서 복도를 따라 욕실 곁을 지나갔다. 문을 빠져나가던 그는 아련히 떨면서, 미지근하고 축축한 공기, 물속에 뛰어드는 소리, 약 냄새 비슷한 타월 냄새를 머리에 떠올렸다.

마이클은 위생실 입구에 서 있었고, 약장 문에서는 약 냄새 비슷한 것이 풍기고 있었다. 약장 속에 있는 약병에서 나는 냄새였다. 선생님이 마이클에게 말을 걸자 마이클은 존댓말로 대답했다. 그가 언제까지나 평신도의 수도사로 있는 것이 이상했다. 수사인데도 얼굴 모습이 조금 이상하다 해서 다들 존댓말을 쓰지 않는 이유는 무얼까? 신심에 대한 믿음이 두텁지 못해서일까, 아니면 다른 사람보다 못한 것이 있어서 그럴까?

위생실에는 침대가 두 개였다. 그중 한 침대에는 학생이 자고 있었다. 그들이 들어서자 그 학생이 반갑게 소리쳤다.

"여어! 디달러스 아니야! 어떻게 된 거야?"

"어떻게 된 거고 뭐고 없어."

마이클이 말했다.

침대에 있던 학생은 문법과 3학년이었다. 그는 스티븐이 옷을 벗는 동안 버터를 바른 토스트를 한 조각 가져다 달라고 마이클에게 졸랐다.

"예? 하나 줘요!"

"너무 조르지 마라. 내일 아침 의사 선생님이 오시면 퇴원하게 될 거야."

하고 마이클이 말했다.

"제가요? 아직도 다 낫지 않았어요."

"퇴원할 수 있다니까."

마이클이 다시 말했다.

그는 몸을 구부리고 난롯불을 뒤적였는데 그의 등이 마치 마차 끄는 말처럼 길었다. 부젓가락을 위엄 있게 저으며 문법과 3학년 학생을 보고 그는 고개를 끄덕였다.

마이클은 가 버리고 이윽고 문법과 3학년 학생도 벽 쪽으로 돌아눕더니 곧 잠이 들고 말았다.

여기는 병실. 결국 병에 걸린 것이다. 아버지 어머니께 알려 드렸는지? 하긴 누군가 수도사가 가서 알려 주면 그게 빠르겠는데. 아니면 편지를 써서 수도사 편에 보내도 좋겠고.

어머니

전 앓고 있어요. 부디 오셔서 데려가 주세요.

병실에 누워 있어요. 안녕!

당신의 사랑하는 아들 스티븐

집은 멀다! 창밖엔 차가운 햇살이 비치고 있었다. 그는 자기가 죽지는 않을까 하고 생각했다. 날씨가 좋다고 죽지 않는 법은 없다. 어머니가 오시기 전에 죽을지도 모른다. 그러면 꼬마가 죽었을 때 그랬던 것처럼 이 예배실에서 영결 미사가 행해지겠지. 학생들은 다 검은 예복을 입고 슬픈 표정으로 미사에 참석할 것이다. 웰즈도 나와 있겠지만 다들 그놈을 외면하겠지. 교장 선생님은 검은 금실이 달린 법의(法衣)를 입고 참가할 것이고, 제단 위와 관 둘레에는 길고 노란 초가 줄줄이 세워질 것이다. 관은 예배당에서 서서히 들어내어 이읏고 보리수 가로수가 늘어선 동구 밖 수도회(修道會)의 작은 묘지에 묻히게 될 것이다. 그러면 웰즈는 자기가 저지른 일에 대해 마음깊이 뉘우칠 것이다. 종은 서서히 울려 퍼질 것이다.

종소리가 들리는 듯하다. 그는 브리짓에게 배운 노래를 웅얼거렸다.

딩동! 성곽의 종소리가 울린다!
어머니여, 안녕!
저를 묻어 주세요, 저 묘지
맏형님의 묘 바로 곁에.
관을 뒤덮은 검은 피륙
6인조 천사가 지켜 준다.
둘은 노래, 둘은 기도
나머지 둘은 내 혼을 나른다.

이 얼마나 아름답고 애련한 시란 말인가! '저를 묻어 주세요, 저 묘지'란 구절은 얼마나 아름다운가! 스티븐은 은근히 울고 싶은 생각이 들었으나 자기 자신의 신세가 슬퍼서가 아니었다. 음악처럼 아름다운 말 때문이었다.

종! 종! 안녕! 아아, 안녕!

차가운 햇살이 스러지고 마이클이 쇠고기수프 한 그릇을 들고 침대 곁에 서 있었다. 입이 달고 말라 있었으므로 반갑기 그지없었다. 다들 운동장에서 놀고 있는 소리가 들렸다. 그리고 마치 자신도 그 속에 어울려 있는 듯 학교생활의 하루가 지나간다.

이윽고 마이클이 나가려 하자 문법과 학생이 꼭 다시 돌아와 신문에 씌어 있는 뉴스를 모두 알려 달라고 말했다. 이 학생은 스티븐에게 자기 이름을 아사이라고 소개하며, 자기 아버지는 굉장히 잘 뛰는 경주마를 엄청나게 많이 가지고 있고, 마이클이 원하면 언제든지 팁을 두둑이 주므로 그가 자기에게는 잘 대해 주며, 성내에서 받는 신문 뉴스를 늘 알려 준다고 말했다. 신문에는 각종 기사가 실려 있었다. 죽은 사람, 침몰, 스포츠, 정치 등등.

"요새 신문은 정치에 관한 것뿐이야. 네 가족들도 역시 정치 얘길 하니?"

아사이는 말했다.

"하고말고."

스티븐은 대답했다.

그는 잠시 생각한 끝에 말했다.

"네 이름은 참 이상하다, 디달러스라니. 아사이라는 내 이름도 괴짜기는 하지만. 내 이름은 지명이야. 그런데 네 이름은 라틴어와 비슷하구나."

그리고 그는 물어보았다.

"수수께끼 좋아하니?"

스티븐은 대답했다.

"그다지 좋아하지 않아."

그러자 그가 말했다.

"이런 건 어때? 킬데어 주(州)가 학생의 반바지와 닮은 것은 무슨 까닭이지?"

스티븐은 답이 무엇일까 생각하다가 말했다.

"모르겠어."

"허벅지가 하나 들어 있기 때문이야. 이 비유 알아듣겠어? 아사이는 킬데어 주의 거리 명칭인데 아사이는 사람의 허벅지라는 뜻도 있단 말이야."

"아, 알았다."

스티븐이 말했다.

"옛날부터 있는 수수께끼야."

하고 아사이가 말했다. 한참 후에 그가 다시 스티븐에게 말을 건넸다.

"이봐!"

"왜 그래?"

"지금 수수께끼 말인데, 그걸 또 다르게 묻는 방법이 있는데 알겠어?"

"몰라!"

스티븐이 대답했다.

"생각 안 나?"

아사이가 물었다. 그는 이렇게 말하면서 이불 너머로 스티븐을 바라보다가 베개를 베고 도로 누우며 말했다.

"또 하나 묻는 방법이 있지만 이것은 가르쳐 주지 않을 테야."

왜 가르쳐 주지 않을까? 이 학생의 아버지도 소린의 아버지나 더러운 로시의 아버지처럼 관리임에 틀림없겠지. 스티븐은 자기 아버지를 생각했다. 어머니가 피아노를 칠 때면 옆에서 노래를 부르고, 6페니를 달라고 하면 1실링을 내주던 아버지를 생각하며 다른 학생의 아버지처럼 관리가 아닌 것이 유감스러웠다. 그런데 왜 그를 다른 학생처럼 여기에 보냈을까? 하지만 50년 전 증조부가 여기서 해방자(19세기 초 반영 운동의 지도자 다니엘 오코넬을 가리킴)처럼 연설을 한 적이 있으니까 조금도 위축감 같은 걸 느낄 필요는 없다고 아버지는 말씀하셨다. 그 무렵의 사람들이 입은 옷을 보면 곧 알 수 있었다. 그에게는 그것이 엄숙한 시대처럼 생각되었다. 그는 클론고스의 학생들이 놋쇠 단추가 달린 푸른 상의와 노란 조끼를 입고 토끼 가죽 모자를 쓰고, 어른들처럼 맥주를 마시며 사냥개를 손수 기르던 것이 그 무렵의 일이었던가 생각해 보았다.

그는 창가를 바라본 후 햇살이 더 엷어진 것을 깨달았다. 운동장은 흐릿한 잿빛 광선으로 뒤덮여 있었다. 운동장은 고요하기만 했다. 교실에서는 학생들이 작문을 하고 있거나 아니면 아날 신부가 책을 읽어 주고 있을 것이다.

약을 전혀 갖다 주지 않는 건 이상했다. 아마 마이클이 돌아올 때 가져다주려는가? 병실에 들어가면 악취 나는 약을 먹인다는 이야기를 들었는데, 하지만 아까보다는 기분이 좋아졌다. 차차 나아가는 편이 좋아. 책을 읽을 수 있으니까. 도서실에는 네덜란드에 관한 책들이 있다. 그 속에는 재미나는 외국의 땅 이름과 진기한 거리 그림, 배 그림이 있다. 이 책들은 정말 재미가 있었다.

창에 비친 빛은 창백하기만 하다. 그러나 몹시도 아름답다. 난롯불이 벽에 비쳐 오르락내리락하는 것이 마치 파도와 같다. 누군가가 석탄을 떠 넣은 거다. 사람 말소리가 들린다. 이야기하고 있는가 보다. 저건 파도 소리, 물결이 굽이치면서 비밀 이야기라도 속삭이고 있는 거다.

파도가 일렁이는 바다가 달 없는 밤하늘 아래 깜깜하게 굽이쳐 댄다. 부두에는 작은 불빛이 깜박이며 배가 들어온다. 항구에 들어오는 배를 보기 위해 물가에는 많은 사람들이 모여 있는 것이 보인다. 키가 큰 사나이가 갑판 위에 서서 평평하고 어두운 육지를 바라본다. 그 모습을 부두 불빛으로 알아볼 수 있다. 마이클의 쓸쓸한 얼굴이다.

스티븐은 마이클이 사람들 쪽을 향해 한쪽 손을 올리는 것을 보았고 바다 위에서 슬픔에 찬 목소리로 외치는 것을 들었다.

"돌아가셨습니다. 관대(棺臺) 위에 누워 있는 것을 보았습니다."

군중들 속에서 슬픔에 찬 함성이 와아 하고 일어났다.

"파넬! 파넬! 파넬이 죽었다!"

그들은 꿇어앉아 슬픈 신음 소리를 냈다.

그리고 그는 보았다. 밤색 벨벳으로 만든 양복 위에 초록빛 망토를 걸친 댄티가 물가에 꿇어앉아 있는 사람들 곁을 의기양양하게 말없이 지나가는 것을 보았다.

수북이 쌓인 땔감이 난로 안에서 빨갛게 타고, 샹들리에 밑에는 식탁이 놓여 있었다. 다들 조금 늦게 집으로 돌아왔으나 만찬 준비는 아직 되어 있지 않았다. 하지만 이내 준비가 된다고 어머니는 말했다.

다들 문이 열리는 것을, 그리하여 하인들이 뚜껑 달린 무거운 쇠붙이의 큰 접시를 손에 받들고 들어오는 것을 기다리고 있었다.

모두들 기다리고 있었다. 저쪽 창가의 어두운 곳에는 찰스 아저씨가 있고, 댄티와 케이시는 난로 양쪽 가 안락의자에 앉아 있었으며, 스티븐은 두 사람 사이의 의자에 앉아 따뜻한 난롯가에 발을 올린 채 있었다. 아버지 디달러스 씨는 책장 위 거울을 들여다보며 콧수염 끝을 추켜올리고 연미복 꼬리를 가르면서 빨갛게 타는 난롯불에 등을 돌리고 서 있었다. 그러면서 이따금 연미복에서 한쪽 손을 떼고 콧수염 끝을 쓰다듬고 있었다. 케이시는 고개를 한쪽으로 갸우뚱하고 미소를 지으면서 자기 목줄기를 손끝으로 톡톡 두드리고 있었다. 스티븐도 생긋 웃었는데, 그것은 케이시의 목구멍에 은전이 든 주머니가 있다는 건 거짓이라는 것을 알았기 때문이었다.

스티븐은 케이시가 언제나 은방울 소리를 내어 자기를 속이던 일을 생각하고 미소를 지었다. 은전지갑을 숨기고 있지 않나 싶어 케이시의 손을 벌리려고 하자 손가락이 바로 펴지지 않았다. 케이시는 세 손가락을 빅토리아 여왕에게 생일 선물로 드리려고 꼬부라뜨렸다(영국 감옥에서 혹독한 노동으로 손가락이 꼬부라진 것을 비꼰 말)고 했다.

케이시가 목을 톡톡 치며 졸린 눈으로 스티븐에게 미소를 지어 보일 때 디달러스 씨가 말을 걸었다.

"응, 됐어. 오늘은 참 많이도 걸었지요, 존. 그런데…… 오늘 저녁에는 글쎄 저녁을 먹게 될지 모르겠군! 오늘은 갯가에서 오존을 실컷 마셨구만 정말."

그는 댄티 쪽을 바라보며 말했다.

"오늘은 전혀 외출하지 않았소, 리오단 부인?"

댄티는 이맛살을 찌푸리고 시무룩하게 대답했다.

"예, 안 나갔어요."

디달러스 씨는 연미복을 가르던 손을 떼고 찬장으로 가서 위스키가 든 도기병을 꺼내어 포도주병으로 서서히 옮겼다. 옮기다가 몸을 구부려 얼마나 따라졌는가를 재어 보기도 했다. 이윽고 도기병을 찬장에 도로 넣고 위스키를 두 잔에 조금씩 따라서 물을 타 가지고는 난롯가로 되돌아왔다.

"얼마 되지 않지만 존, 입맛을 돋우기 위해서."

하고 그는 말했다.

케이시는 컵을 받아 마시고 가까이 찬장 위에 갖다 놓은 후 말했다.

"이거, 생각해 보지 않을 수 없구만. 저 크리스토퍼가 만들어 내다니……."

그는 웃음과 기침이 한꺼번에 터져 나와 재채기를 하면서 다음과 같이 덧붙였다.

"……저런 치들을 위해 샴페인을 만들다니."

디달러스 씨도 폭소를 터뜨렸다.

"크리스티 말인가? 교활한 여우들이 한 덩어리가 되어 덤벼들어도 저 대머리 위의 사마귀에 댈 바가 아니오."

그러고는 고개를 젖혀 두 눈을 감고는 자꾸 입술을 빨면서 여관집 주인 같은 말소리를 흉내 냈다.

"게다가 말할 때는 좀 싹싹해요? 뒤룩뒤룩한 목덜미 언저리는 축축하게 젖어 가지고, 이거 원."

케이시는 웃음을 그치지 못하고 연방 재채기를 해 댔다.

스티븐은 아버지의 얼굴과 음성이 여관집 주인 같다는 생각에 낄낄거리며 웃었다.

디달러스 씨는 외알 안경을 벗고 아들을 쏘아보다가 부드러운 소리로 나직이 말했다.

"얘, 무엇이 그리 우스우냐?"

하인들이 들어와 식탁에 음식을 차렸다. 디달러스 부인이 그 뒤를 따라 들어와 각자의 자리를 지시했다.

"자리에 앉으세요."

하고 그녀는 말했다. 디달러스 씨가 식탁 끝으로 가서 말했다.

"자, 리오단 부인, 앉으세요. 존, 자네도 자리를 잡게나."

그리고 찰스 아저씨 쪽을 바라보며 말했다.

"저, 칠면조가 기다리고 있습니다요."

다들 자리에 앉자 그는 뚜껑에 손을 갖다 대다가 불현듯 손을 떼며 재빨리 말했다.

"얘, 스티븐."

스티븐은 제자리에서 일어나 식사 기도를 드렸다.

"오오, 주여! 우리를 축복하소서. 주님의 은혜로써, 우리의 주님 그리스도로부터 지금 우리가 받는 이 선물을 축복하소서, 아멘."

다들 기도를 마치자 디달러스 씨는 기쁜 듯이 안도의 한숨을 내쉬며 접시에서 묵직한 뚜껑을 들어올렸다. 그 가장자리에는 반짝이는 물방울이 진주알처럼 달려 있었다.

스티븐은 방금 전까지 주방 식탁 위에 날개를 몸뚱이에 가져다 붙여 꽂이에 끼워져 있던, 살이 통통히 찐 칠면조가 눈앞에 놓여 있는 것을 보았다. 아버지가 돌리어 거리에 있는 단의 가게에서 1기니를 주고 사 왔다는 것, 상등품이라는 것을 보여 주기 위해 점원이 몇 번이나 가슴뼈를 두드려 보았다는 것도 그는 알고 있었다. 그리고 이런 경우의 말소리까지도 생각했다.

"이걸 하세요, 손님. 아주 특품이에요."

클론고스의 베레트 선생님은 채찍을 왜 터키(칠면조)라고 하는지 모르겠어. 하지만 클론고스는 먼 곳에 있다. 칠면조와 햄과 셀러리의 따끈하고 짙은 냄새가 접시에서 피어오르고, 난로에 높다랗게 쌓여 있는 땔나무가 빨갛게 타올라 초록색 담쟁이덩굴과 붉은 사철나무로

해서 몹시 즐거운 기분이었다. 식사가 끝나면 큰 포도 푸딩을 날라올 것이다. 푸딩에는 껍질을 벗긴 아몬드와 사철나무의 잔가지를 박고, 주위에는 푸르스름한 불을 켜고 꼭대기에는 작은 푸른색 기를 달 것이다.

오늘은 태어난 후 처음으로 맞는 크리스마스 만찬이다. 스티븐은 지금까지와 다름없이 푸딩이 나올 때까지 아이들 방에서 기다렸다. 그는 아우들과 누이동생들을 생각했다. 넓고 낮은 칼라와 이튼 교복(연미복 비슷하나 꼬리가 없는 상의, 어린이 신사 복장) 탓으로 이상하게도 어른스러운 기분이 들었다. 그날 아침 미사에 가기 위해 조촐한 복장을 하고 어머니를 따라 객실로 나가자 아버지가 눈물을 글썽였다. 그건 그때 아버지가 할아버지를 생각했기 때문이었다. 찰스 아저씨도 그렇게 말씀하셨다.

디달러스 씨는 접시를 가까이 끌어 매우 시장한 듯이 먹기 시작했다. 그리고 이렇게 말했다.

"가엾게도 크리스티 놈, 죗값으로 전락 일보 직전에 처했구만."

"리오단 부인에게 소스를 안 드렸군요."

디달러스 부인이 말했다.

디달러스 씨가 소스 병을 들어 올리며 큰소리로 말했다.

"아직 드리지 않았던가 보지. 나도 이젠 늙었나 봐. 눈이 침침해."

그는 큰소리로 말했다.

댄티는 두 손으로 접시를 가리키며 말했다.

"아니, 됐습니다."

디달러스 씨는 찰스 아저씨 쪽을 향하여 물었다.

"어때요?"

"아무런 이의가 없네, 사이몬."

"자넨 어때, 존?"

"나는 됐어. 자네나 많이 들게."

"메리는? 이봐, 스티븐, 그럼 너나 좀 주련?"

그는 스티븐의 접시에 소스를 흥건히 따르고는 소스 그릇을 도로 제자리에 가져다 놓았다. 그리고 찰스 아저씨에게 고기는 연하냐고 물었다. 찰스 아저씨는 입에 음식이 가득 들어 대답을 못하고 다만 고개만 끄덕였다.

"그 친구가 수도회 회원에게 말한 대답은 정말 멋졌어. 어때?"

디달러스 씨가 말했다.

"그만한 배짱이 있는 줄은 미처 몰랐어. 뭐라 했더라?"

케이시가 말했다.

"그래 그래. '신부님, 그쪽에서 하느님의 성전을 투표장으로 쓰는 것을 그만두시면 이쪽에서도 헌금할 용의가 있습니다'라는 대사였다네(교회에서 신부가 파넬의 간통을 비난한 데 대해 반박한 것)."

"가톨릭교도인 주제에 신부님께 그런 주둥아리를 놀리다니."

댄티가 말했다.

"그른 것은 저쪽이야. 종교 외 발언을 해서는 안 된다는 것은 바보라도 알고 있는데."

디달러스 씨가 차분한 어조로 말했다.

"그게 종교예요. 모든 사람을 훈계한다는 그의 의무를 다하고 있는 셈이지요."

댄티가 대답했다.

"우리가 하느님의 성전을 찾아가는 건 겸허한 마음에서 창조주께 기도하러 가는 것이지 선거 연설을 들으러 가는 건 아니잖아요."

케이시가 말했다.

"그것이 종교라는 거요. 신부님이 옳아요. 신자를 이끌어 줘야 하니까요."

댄티가 말했다.

"그래서 제단 위에서 정치 연설을 한다는 건가?"

디달러스 씨가 말했다.

"그렇지요. 공공윤리에 관한 문제니까요. 무엇이 옳고 무엇이 그른가를 신자에게 깨우쳐 주지 않는다면 그 사람을 신부님이라 할 수 없지요."

댄티가 말했다.

디달러스 부인이 나이프와 포크를 내려놓으며 말했다.

"제발 부탁이에요. 이런 즐거운 날에 정치 얘긴 그만하세요."

"참 그렇군. 얘, 사이몬, 오늘은 이만하면 됐어. 이젠 입을 다물고 있자꾸나."

찰스 아저씨가 말했다.

"좋고말고."

디달러스 씨가 얼른 맞장구쳤다.

그는 접시 뚜껑을 우악스럽게 열며 이렇게 말했다.

"자, 칠면조 더 필요한 분은?"

아무도 대답이 없었다.

댄티가 말했다.

"가톨릭교도가 그런 말을 할 수 있나요?"

"리오단 부인, 제발 그런 말씀은 그만해 주세요."

디달러스 씨가 말했다.

댄티가 돌아보며 말했다.

"교회 신부님들을 욕하는데 듣고 있으란 말예요?"

"아무도 욕한 사람은 없는걸요. 정치에 관해 입만 놀리지 않으면 말이오."

"아일랜드 주교님과 신부님이 하시는 말은 다들 따라야 마땅하지요."

"성직자들이 정치를 떠나지 않으면 신자들이 교회를 떠날 수밖에 없습니다."

케이시가 말했다.

"방금 들었지요."

댄티가 디달러스 부인을 돌아보면서 말했다.

"케이시 씨! 사이몬! 이젠 그만합시다."

디달러스 부인이 말했다.

"말이 지나쳐, 말이 지나치다구."

찰스 아저씨가 말했다.

"뭐라고요?"

하면서 디달러스 씨가 큰소리로 외쳤다.

"영국 사람들 말을 듣고 저분(파넬을 가리킴)을 저버려야만 하나요?"

"이젠 지도자의 자격이 없는걸요."

댄티가 말했다.

"죄인이란 게 다 알려지고……."

"우리는 누구나 다 죄인, 극악한 죄인이에요."

케이시가 냉정한 어조로 말했다.

"추문을 퍼뜨리는 자에게 재앙이 있으라, 아닙니까?"

리오단 부인이 말했다.

"이 작은 자 중의 하나를 실족케 할진대, 차라리 연자맷돌을 그 목에 매고 바다에 던져지는 것이 나으리라(누가복음 17장 1절에서 2절). 이것은 성령의 말씀이라오."

"저로서는 정말 추한 말이라고 하고 싶군요."

디달러스 씨가 냉담하게 말했다.

"사이몬! 사이몬! 아이들 앞에서 이 무슨."

찰스 아저씨가 말했다.

"예, 예."

하고 디달러스 씨가 말했다.

"제가 말씀드리려는 것은…… 기차 정거장 짐꾼의, 역부의 말이 천하다고 하려던 참이에요. 그건 그렇고, 얘, 스티븐, 접시를 이리 다오. 많이 먹어야지. 자, 여기 있어."

그는 스티븐의 접시에 고기를 가득 담아 주고, 찰스 아저씨와 케이시의 그릇에도 칠면조를 큼직하게 잘라 그 위에 소스를 듬뿍 쳐 주었다. 디달러스 부인은 음식을 별로 들지 않았으며, 댄티는 무릎 위에 손을 얹은 채로 있었다. 그녀의 얼굴은 새빨갰다. 디달러스 씨는 커다란 나이프와 포크로 큰 접시의 한쪽을 뒤적거리면서 말했다.

"여기가 맛있는 부분이지요. '교황의 코'라고 하는데 어느 분이든 필요하시면……."

그는 커다란 포크에 꿴 고기 한 덩어리를 추켜들었다. 아무도 말이 없었다. 그는 그것을 자기 접시에 내려놓고 말했다.

"아무튼 여러분께 먼저 권했으니까 이것은 내가 먹겠습니다. 요즘 건강도 좋지 않은 터라서."

그는 스티븐에게 살짝 윙크하고 큰 접시 뚜껑을 닫은 다음 또 먹기 시작했다.

그가 먹는 동안 입을 여는 사람은 아무도 없었다. 그가 다시 말했다.

"그런데 날씨가 좋아서 다른 동네 사람들도 많이 왔던 것 같아요."

이번에도 아무도 대답이 없었다. 그는 또 말했다.

"작년 크리스마스 때보다는 다른 동네 사람들이 많이 왔던 것 같았는데."

그는 주위를 휘둘러보았으나 다들 자기 앞의 접시만 내려다보며 대꾸를 하는 사람이라고는 없었다. 그는 잠시 사이를 두고 아니꼬운 듯이 말했다.

"이거 원, 내 크리스마스 파티는 실패였군."

"행운도 은총도 있을 리가 없지요. 교회 신부님을 존경하지 않는 집에 말예요."

댄티가 말했다.

디달러스 씨는 들고 있던 나이프와 포크를 요란하게 접시 위에 던지며 말했다.

"존경이라고요? 입만 살아 있는 빌리(더블린의 대주교 윌리엄 월시는 토지개혁 때 파넬과 협력했다가 파넬이 간통 문제를 일으키자 그를 비난했다)와 아아마의 창자(아아마의 승원장 마이클. 매우 살이 쪄서 배불뚝이였고, 가끔 파넬과 대립했다)를 말인가? 존경하라고?"

디달러스 씨는 큰소리로 비꼬았다.

"교회의 왕자들이지요."

케이시는 경멸하듯 차분히 말했다.

"리트림 경의 마부 같은 거야(악덕 지주의 대표인 리트림 경이 암살당했을 때 마부가 그를 방어하려 했다)."

디달러스 씨가 말했다.

"하느님의 축복을 받은 분들이지요. 아일랜드의 자랑이에요."

댄티가 말했다.

"창자 같으니. 난 체하고 있을 땐 제법 꼬락서니가 근사하지요. 하지만 차가운 겨울날, 베이컨이니 캐비지니 하는 요리를 움쑥움쑥 먹고 있는 꼬락서니란. 이봐, 존!"

디달러스 씨는 천박한 어조로 내뱉으며 짐승처럼 얼굴을 찌푸리고 입술로 마주 소리를 내었다.

"제발 부탁이에요, 사이몬. 스티븐 앞에서 그런 말버릇은 삼가해 주세요. 좋은 일이 못 되니까요. 이런 일은 그가 성장한 뒤에도 잊지 않으리라 생각해요. 가족들이 흉측한 말로 하느님과 그리스도교(敎)와 신부님들을 욕하고 있었다는 사실을."

댄티가 힘주어 말했다.

"그럼 말이 나온 김에 스티븐에게 한 가지 명심해 줄 것을 부탁하자."

케이시가 말했다.

"신부들과 그 앞잡이들이 얼마나 심한 말로 파넬을 괴롭혀 결국 죽음으로 내쫓았는지, 성장한 뒤에도 이것만은 잊지 말아 주기 바란다."

"망할 자식들!"

디달러스 씨는 큰소리로 외쳤다.

"파넬이 기울기 시작하자 홱 돌아서서 시궁창의 쥐새끼처럼 뜯어 놓았겠다. 더러운 개새끼 같은 놈! 원래가 놈들은 그렇게 생겨 먹었지. 틀림없이 개 같은 상판을 하고 있을 거야."

"크리스마스 날에도 이런 싸움을 벌여야 한다니 정말 한심스럽군요."

디달러스 부인이 말했다.

찰스 아저씨는 슬쩍 두 손을 들었다.

"자, 자. 구태여 골을 내고 욕지거리를 퍼붓지 않아도 토론은 할 수 있지 않나. 이래서는 못써."

디달러스 부인이 댄티에게 무언가 나직이 말하자 그녀는 더욱 큰 소리로 말했다.

"나는 아무 말도 안했어요. 다만 교회와 종교가 모욕당하는 걸 막고 배교자에게 침을 뱉었을 뿐이에요."

케이시는 자기의 접시를 식탁 한가운데로 썩 밀어붙인 뒤 두 팔꿈치를 식탁 위에 괴고 쉰 목소리로 주인에게 말했다.

"저 유명한 침 뱉은 이야기, 자네는 들었는가?"

"듣지 않았어, 존!"

디달러스 씨가 말했다.

"이건 실은 유익한 얘기인데, 바로 엊그제 이 위크로 군(郡)에서 일어났지요."

케이시가 말했다.

그는 여기서 이야기를 그치고 댄티를 돌아보면서 노여움을 억누르며 말했다.

"말씀해 두지만, 나를 걸어 이러쿵저러쿵하는지 모르나 나는 배교자가 아녜요. 난 나의 아버지, 그리고 할아버지, 또 그 할아버지와 마찬가지로 가톨릭 신자예요. 다들 신앙을 버릴 바에야 목숨을 버리는 걸 더 좋아하는 사람들이에요."

"그렇다면 더더구나 나쁘잖아요? 그런 수치스런 말씀을 하시다니……."

댄티가 말했다.

"이야길 들려 줘요, 존! 아무튼 그 이야기를 들어 봅시다."

디달러스 씨는 미소를 지었다.

"가톨릭 신자라고요!"

댄티는 비꼬는 투로 내뱉었다.

"아무리 악질적인 프로테스탄트라도 오늘 저녁에 들은 그와 같은 말은 입에 담지 않을 거예요."

디달러스 씨는 고개를 내저으며 시골 가수처럼 중얼중얼 읊조리고 있었다.

"난 프로테스탄트가 아니야. 미리 말해 두지만."

케이시는 얼굴을 붉혔다.

디달러스 씨는 아직도 고개를 흔들면서 읊조리고 있다가 콧노래를 부르기 시작했다.

다들 오십시요. 한번도
미사에 와 본 적이 없는
가톨릭 신자는 다들 오십시오.

그는 기분이 썩 좋아서 나이프와 포크를 들고 먹기 시작하다가 케이시를 향해 이렇게 말했다.

"그 뒤가 뭔지 알려 주오, 존. 소화가 잘 될 테니."

스티븐은 두 손을 꼭 잡고 식탁 저쪽에서 쏘아보는 케이시의 얼굴을 정다운 듯이 바라보았다. 그는 난로 곁에서 케이시 옆에 앉아 그의 가무잡잡하고 엄하게 보이는 얼굴을 쳐다보는 것이 즐거웠다.

하지만 그의 까만 눈동자는 조금도 무섭지 않았고 차분한 음성은 듣기에도 즐거웠다. 그런데 왜 아까는 신부님들 욕을 했을까? 아무튼 댄티가 옳은 것은 맞긴 한데. 하지만 아버지가 그녀를 보고 수녀도 되지 못해 앨러게이니 산맥(미국 동부에 있는 산맥의 일부)에 있는 수도원에서 기어 나온 거다, 그녀의 오빠는 야만인들에게 값싼 장식품을 강제로 팔아 돈을 벌었다고 말하는 걸 들은 적이 있었다.

아마 그것 때문에 파넬을 욕하는 거겠지. 자신이 아일린과 노는 것을 싫어하는 것도 그 때문일 거다. 왜냐하면 아일린은 프로테스탄트이고, 게다가 어릴 적에 프로테스탄트와 놀던 애들을 알고 있다. 프로테스탄트는 언제나 성모(聖母)의 연도(連禱)를 장난감으로 삼고 있었으니까, '상아의 탑'이니 '황금의 집(모두 성모 마리아에 대한 기도로서 천당의 문을 뜻한다)'이니 하고, 어찌하여 여자를 상아의 탑이니 황금의 집이니 하는 것일까? 누구의 의견이 옳을까? 이윽고 그는 클론고스 병실의 황혼과 어두운 바다와 부둣가의 불빛과 기별을 들은 사람들의 슬픔을 회상했다.

아일린의 손가락은 길고 희다. 언젠가 밤에 술래잡기를 하는데 그의 눈을 그녀의 손으로 가린 적이 있었다. 가늘고 하얀 손가락이 차가우면서 부드러웠다. 그게 상아다. 차가우면서 뽀얀. 그게 '상아의 탑'이란 뜻이다.

"얘기는 무척 짧으면서 재미가 있다고."

케이시가 말했다.

"어느 날 아크로에서 말이야, 몹시도 추운 날이었지. 파넬이 죽기 조금 전의 일이지만. 부디 그에게 하느님의 가호가 있기를."

그는 지친 듯 눈을 감고 말을 그쳤다. 디달러스 씨는 접시에서 뼈를 집어 올려 이로 살을 뜯어 먹었다.

"그래, 살해되기 전에 말이지."

케이시 씨는 눈을 뜨고 한숨을 지으면서 계속하였다.

"어느 날 아크로에서 집회가 있었는데, 그것이 끝난 뒤 사람들 틈에 끼어 역까지 걸어가야만 했어. 그런데 그런 욕설을 전에는 들어본 적이 없었지. 아무튼 그치들, 알고 있는 욕이란 욕은 모조리 주워대더군. 그 틈에 할멈이 하나 있었는데 어쩐지 술에 취한 듯, 이 할멈이 나를 눈엣가시처럼 보지 않겠어. 내 곁에 딱 붙어서 진창 속을 춤을 추며 따라와서는 내 얼굴을 똑바로 쳐다보면서 이렇게 소리를 지르더군. '신부님을 못살게 지분거리고! 파리에서 온 자금(파넬이 횡령했다고 오보된)을 횡령한 놈! 여우 같은 놈! 키티이 오셰이(오셰이 대령의 부인, 이 부인과의 추문으로 파넬은 실각하였음)'라고."

"그래서 어떻게 했지, 존?"

디달러스 씨가 말했다.

"실컷 지껄이도록 놔두었지."

"아무튼 추운 날씨였어. 나는 입담배를 씹고 있었기 때문에 입안에 침이 괴어 말할 수가 없었어."

"그래?"

"응. '키티이 오셰이!'니 뭐니 하고 직성이 풀리도록 떠들게 놔두었더니 나중에는 파넬 부인을 형편없이 욕하지 않겠어? 아니야, 이

크리스마스 식탁에서 여러분의 귀를 더럽히기는 싫어. 게다가 흉내를 내면 나의 입까지 더러워지니까."

그는 말을 멎었다. 디달러스 씨는 고기를 뜯고 있다가 얼굴을 들고 물었다.

"그래서 어찌 됐지, 존?"

"어찌 되고 안 되고가 아니야. 그 말을 할 때 여자는 볼품없는 늙은 상판을 바싹 갖다 대지 않겠어. 그래서 입에 가득 찬 담배즙을 뿜어 주었겠지. 몸을 구부리면서 퉤 하고 말이야."

케이시 씨는 말하며 옆을 돌아보고 침 뱉는 시늉을 했다.

"퉤, 하고. 이렇게 한쪽 눈에 대고 말이야."

그는 한쪽 눈을 손으로 누르며 목쉰 소리로 비명을 올렸다.

"그랬더니 아아, 예수님, 마리아님, 요셉님! 하면서 노파는 소리를 지르지 않겠어? '눈이 멀었어! 눈이! 눈이 온통 담배즙에 빠졌다고!' "

그는 기침과 웃음으로 중단했던 말을 이었다.

"아아, 눈이 멀었구나!"

디달러스 씨는 크게 소리 내어 웃으면서 의자에서 몸을 뒤로 젖히고, 찰스 아저씨는 자꾸 고개를 흔들었다.

다들 웃고 있는데 댄티는 몹시 무서운 얼굴을 하고 몇 번이나 되풀이했다.

"잘했군요, 참 잘했어요!"

여자의 눈에 침을 뱉다니 조금도 잘한 건 없었다.

그런데 케이시 씨가 입에도 담기를 꺼리는, 키티이 오셰이를 욕했다는 그 말은 무엇일까? 그때 군중 속을 걷거나 사륜마차 위에서 연설을 하고 있는 케이시 씨의 모습이 머릿속에 떠올랐다. 그 때문에 감옥에 투옥되었으니까. 그리고 어느 날 밤, 오닐 경사가 집으로 찾아와 현관에서 아버지와 나직한 소리로 이야기를 나누면서 자꾸 모자 끈을 씹고 있었지. 그날 밤 케이시 씨는 기차로 더블린으로 돌아간 것이 아니었다. 문 밖에 마차가 와 닿고 아버지가 캐빈틸리 로드(브레이에서 더블린으로 통하는 호젓한 골목길)에 관해 뭔가 이야기하고 있는 소리가 들렸으니까.

케이시 씨는 아일랜드와 파넬 편이고 아버지도 마찬가지다. 하기야 댄티도 그렇다. 어느 날 밤 광장에서 마지막으로 악대가 영국 국가를 연주할 때 어떤 신사 한 사람이 모자를 벗었다. 그러자 갖고 있던 양산으로 그 사람의 머리를 때린 일이 있었다.

디달러스 씨가 코웃음을 치며 말했다.

"그럴 거야, 존. 아일랜드의 민중이란 건 바로 장님이야. 신부들에게 짓밟힌 불행한 국민이에요. 여태까지도 줄곧 그러했지만 앞으로도 끝까지 그럴 거예요."

찰스 아저씨가 고개를 흔들며 말했다.

"한심한 일이야."

디달러스 씨는 오른쪽 벽에 걸린 조부의 초상을 가리키며 말했다.

"신부들께 짓밟히고, 하느님께 버림받은 나라야! 저 할아버지가 눈에 보이나? 존, 저 어른은 당신의 이해를 생각지 않고 아일랜드를 사랑한 분이었지. 백의당(白衣黨, 19세기 전반, 지주 계급에 대해 항거를 선동한 폭력 단체)이었던 관계로 사형을 당했지만 그분은 성직에 있는 자들에게 이런 소리를 했었지. 누구도 우리 집 식탁에는 앉지 말아 달라고 말이야."

댄티가 화난 어조로 끼어들었다.

"만일 신부에게 시달린 국민이라면 우리는 그걸 자랑으로 생각해야지요. 그분들은 하느님의 눈동자인걸요. '손대지 말라'고 그리스도는 말씀하셨어요. 그들은 나의 눈동자인 까닭에."

"그렇다면 우리는 자기 나라를 사랑할 수 없단 말이오? 우리를 지도하기 위해 태어난 사나이를 따를 수 없을까?"

케이시 씨가 말했다.

"그는 나라를 배신한 사나이요!"

댄티가 대답했다.

"배신자인 동시에 간통자예요! 그런 사나이를 신부님들이 저버린 것은 당연한 일이에요. 신부님들은 언제나 아일랜드의 참다운 편이니까요."

"정말일까요?"

케이시 씨가 말했다.

분개한 나머지 얼굴을 찌푸린 그는 주먹으로 식탁을 탁 치고는 이윽고 손가락을 하나하나 내밀어 세며 말했다.

"아일랜드의 주교들은 과연 우리를 배신하지 않았을까? 문제의 병합 무렵(1800년) 마키즈 콘윌리스 후작(영국군 장군이자 정치가, 당시 아일

랜드 총독)에게 충성을 다하지 않았소? 1829년에는 가톨릭 해방(이때까지 가톨릭교도는 의회, 정부, 군대의 직을 맡을 수가 없었다)과 교환으로 조국의 야망을 팔아먹지 않았소? 그들은 설교단에서도 고해실에서도 피니어 회(19세기 중반기에 일어난 아일랜드 독립 단체)를 비난하지 않았소? 게다가 테렌스 벨류 맥마너스(아일랜드의 애국자. 1860년 샌프란시스코에서 객사. 유골을 고국으로 가지고 왔으나 한때 매장이 거부당하기도 했다)의 유골을 욕되게 하지 않았소?"

케이시 씨의 얼굴은 노여움으로 벌겋게 달아올랐고, 디달러스 씨는 그의 말을 노골적으로 비웃었다.

"이거 원!"

디달러스 씨는 큰 소리로 외쳤다.

"그 폴 컬렌 영감(피니어 당을 반대한, 친 영국의 더블린 대주교)을 깜박 잊었었군. 그 역시 하느님의 눈동자였지!"

댄티는 식탁 위에 몸을 구부리고 케이시 씨를 향해 외쳤다.

"정당해요! 정당해! 그분들은 정당하다니까요! 무엇보다 중요한 것은 하느님과 도덕과 그리스도교예요."

디달러스 부인은 댄티의 흥분한 모습을 보고 그녀에게 말했다.

"리오단 부인, 흥분해서 대답하면 안 돼요."

"하느님과 그리스도교가 무엇보다 앞서야 해요!"

댄티가 외쳤다.

"세속적인 것보다는 하느님과 그리스도교가 앞서야 한다니까요!"

케이시 씨는 주먹을 높이 쳐들고 식탁을 쾅 두드렸다.

"좋아."

그는 목쉰 소리로 외쳤다.

"만일 그렇다면 아일랜드에 하느님은 필요 없다!"

"존! 존!"

디달러스 씨는 손님의 소맷자락을 당기며 진정시켰다.

댄티는 안면 근육을 떨면서 식탁 저쪽에서 쏘아보고 있었다. 케이시 씨는 비틀비틀 의자에서 일어서더니 그녀 쪽으로 몸을 내밀고 마치 거미줄을 잡아 찢듯이 눈앞 허공을 할퀴며 외쳤다.

"아일랜드에 하느님은 필요 없다! 아일랜드에는 하느님이 너무 많다."

"하느님과 함께 꺼져 버려라!"

"하느님을 모독하는 이 악마 같은 놈!"

댄티는 째지는 듯한 소리를 지르며 일어서서 상대편 얼굴에 침이라도 뱉을 듯 노여움에 부들부들 떨었다.

찰스 아저씨와 디달러스 씨는 케이시 씨를 의자에 끌어다 앉히고 양쪽에서 말렸다. 그는 부리부리한 까만 눈으로 앞을 쏘아보며 되풀이했다.

"자, 하느님과 함께 꺼지라고!"

댄티는 우악스럽게 의자를 밀치고 식탁에서 일어섰다. 이때 냅킨이 떨어져 데굴데굴 융단 위를 굴러 안락의자 다리 밑에 가 멎었다. 디달러스 씨는 냉큼 일어나 댄티를 따라 입구로 갔다. 댄티는 입구에서 험악한 얼굴로 돌아보며 뭇사람을 향해 외쳤다. 그녀는 얼굴이 빨

갛게 달아오르고 흥분에 몸을 떨었다.

"이 지옥의 악마 같은 놈! 이긴 것은 나다! 마구 밟아 없애 버렸어! 이 악마 같은 놈!"

문을 탕 닫고 그녀는 떠나 버렸다.

케이시 씨는 두 사람이 붙들었던 손을 놓아 주자 갑자기 두 손으로 머리를 싸고 흐느껴 울기 시작했다.

"불쌍한 파넬! 죽어 버린 우리들의 왕이여!"

그는 큰소리로 외치며 비통하게 울었다.

스티븐이 공포에 질린 얼굴을 들자 아버지의 눈에도 눈물이 가득 괴어 있었다.

학생들이 몇 사람씩 옹기종기 모여 소곤소곤 이야기를 나누고 있었다. 한 학생이 말했다.

"라이언즈 산(클론고스 학교에서 7, 8마일 거리에 있는 산) 근처에서 잡았어."

"누가 잡았지?"

"글리슨 선생님과 교감 선생님이. 마차에 타고 있었대."

그 학생은 계속 말했다.

"상급반 선배들에게 들은 거야."

플레밍이 물었다.

"그런데 달아나기는 왜 달아났지?"

"뻔하잖아. 교장 선생님 방에서 돈을 훔쳤으니까."

세실 선더가 말했다.

"누가 말이야?"

"키컴의 형 말이야. 다 함께 나눠 가졌대."

"정말 자세히도 알고 있군, 선더. 왜 도망쳤는지 난 알고 있어."

웰즈가 말했다.

"말해 봐."

"말하지 말라던데."

"말해 봐, 웰즈."

다들 졸랐다.

"괜찮다니까. 발설은 안 해."

"성기실(聖器室) 선반 위에 있는 제단의 포도주, 알고 있지?"

"응."

"그걸 마신 거야. 누구의 짓인가는 냄새만 맡아도 알 수 있지. 그래서 달아난 게지."

그러자 처음 입을 연 학생이 말했다.

"그래, 그건 상급반 선배들에게서 들었어."

학생들은 말이 없었다. 스티븐은 학생들 사이에 서서 무서워서 입도 열지 못하고 귀만 기울이고 있었다. 그는 공포에 젖어 온 몸에서 힘이 빠지는 것 같았다. 어떻게 그런 짓을 할 수 있지? 그는 깜깜한 성기실 분위기를 생각해 보았다. 그 속에는 검은 나무 장롱 속에 법의가 있다. 그곳은 예배실은 아니었으나 성스러운 장소이므로 소리를 죽이고 가만가만 이야기를 해야만 한다. 그는 어느 여름철 해질 무렵 향그릇 운반자로서 옷을 갈아입기 위해 그 방에 갔던 일을 회상했다. 숲 속에 있는 조그만 제단 앞을 행렬하던 밤의 추억. 괴이하고 신성한 장소, 향로를 든 아이는 가운데 있는 사슬을 잡아 불이 꺼지지 않게 흔들고 있었다. 그것은 목탄불이었다. 학생이 슬슬 흔들면 불은 소리 없이 타올라 아련한 매운 냄새를 풍겼다. 학생들이 옷을 다 갈아입고 교장 선생님 앞에 향로를 받고 서면, 교장 선생님은 향을 한 숟가락 떠 넣는다. 그러면 빨간 숯불 위에 닿아 푸시시 소리를 내며 탔다.

학생들은 다들 운동장 여기저기에서 몇 명씩 모여 이야기를 하고 있었다. 스티븐은 그들의 키가 마치 줄어든 것같이 보였다. 그것은 그가 전날 자전거를 타고 온 학생과 부딪쳤기 때문이었다. 그는 석탄 부스러기가 깔린 길 위에서 자전거에 떠밀려 가볍게 나가떨어져, 안경이 세 동강이 나고 석탄재가 섞인 모래를 입에 삼켜야 했다.

그래서 아이들이 더 작고 더 멀게 보였다. 골대도 아련히 가늘게 보이고, 부드러운 잿빛 하늘도 높아만 보였다. 그러나 점차 크리켓 철로 접어들었으므로 축구장에서는 아무런 경기도 볼 수 없었다. 바네스가 주장이 된다고 누군가가 말하자 플라워스가 주장이 된다고 하는 아이도 있었다. 아이들은 운동장에 흩어져 비틀어치기, 아래치기 등 온갖 모양으로 크리켓 연습을 하였다. 그리하여 여기저기에서 부드러운 회색 공기를 통해 크리켓 배트 치는 소리가 툭, 탁, 턱, 탁 하고 들려왔다. 마치 분수에서 나오는 작은 물방울이 넘치는 그릇에 이따금 떨어지는 소리 같았다.

한쪽에서 잠자코 입을 다물고 있던 아사이가 살짝 말했다.

"다들 틀려먹었어."

학생들이 일제히 그를 돌아다보았다.

"왜 그러지?"

"누가 그런 말을 했어?"

"말해 봐, 아사이."

아사이는 운동장 저쪽에서 돌을 차면서 걸어가는 사이몬 무난을 가리켰다.

"저 애한테 물어봐."

다들 그쪽을 돌아보며 말했다.

"왜?"

"한패니?"

아사이는 소리를 죽이며 말했다.

"왜 그놈들이 도망을 쳤는지 알아? 가르쳐 줄 테니 말하지 마."

"말해 봐, 아사이. 알아도 상관없지 않아."

아사이는 잠시 말이 없다가 신중한 투로 말을 꺼냈다.

"사이몬 무난이니 터스커 보일이니 하는 애들과 어느 날 밤 화장실에서 들켰대."

다들 그의 얼굴을 쳐다보며 물었다.

"들켰다니?"

"뭘 했는데?"

아사이가 대답했다.

"그걸 했지 뭐야?"

다들 말이 없었다. 아사이가 말했다.

"이유는 그거야."

스티븐이 여러 학생들의 얼굴을 쳐다보았으나 그들은 모두 운동장 저쪽을 보고 있었다. 그는 누구한테든 물어보고 싶었다. 화장실에서 그걸 하다니 도대체 무슨 말인가? 상급반 학생이 다섯이나 왜 그것 때문에 도망을 쳤단 말인가? 저건 농담이겠지, 하고 스티븐은 생각했다.

사이몬 무난은 좋은 옷을 입었는데, 어느 날 밤 그는 그림이 든 공을 보여 준 일이 있었다. 입구에 서 있자니 축구팀 부원들이 식당 융단 위로 굴려 보내더라는 것이다. 그날은 벡티브 레인저스란 팀과 시합이 있던 밤이었다. 그 공은 빨강과 초록빛 사과 비슷하게 만들어져 있었다. 쪼개어 보니 속에는 크림 과자가 가득 들어 있었다. 그리고 보일은 어느 날 밤, 코끼리에게는 두 개의 이가 있는 게 아니고 두 마리의 산돼지가 있다고 해서 산돼지 보일이라는 별명이 붙었다. 그런데 보일 부인이라고 부르는 애들도 있었다. 그가 늘 손톱을 치장하기 때문이었다.

아일린은 계집아이이기 때문에 손가락이 코끼리 상아처럼 희고 가늘다. 보들보들해서 '상아탑'이란 의미로 쓰인 것이다. 하지만 청교도 무리들은 그것을 이해하지 못하기 때문에 농담거리가 되기도 한다. 언젠가 아일린과 나란히 서서 호텔 구내를 내려다본 적이 있었다. 한 급사가 축 처진 깃발을 깃대에 달고 있었고, 폭스테리어 개가 양지바른 잔디 위를 이리저리 뛰어다니고 있었다. 그녀는 그가 손을 넣은 주머니 속에 자기 손을 밀어 넣었다. 그 손가락은 싸늘하고 가는 데다 나긋나긋한 느낌이었다. 그녀는 주머니가 달려 있다니 참 우습다면서 갑자기 뿌리치고는 웃어젖히면서 가파른 오솔길을 뛰어 내려갔다. 금발이 햇빛을 받아 뒤로 너울거렸다. '상아의 탑', '황금의 집', 생각해 보면 그런 말도 이해할 수 있었다.

그런데 왜 '화장실'에는 들어가 있었을까? 거기에 가는 건 용변을 보기 위해서다. 두꺼운 슬레이트가 쭈욱 깔려 있고 하루 종일 조그만 구멍에서 물방울이 떨어지며 썩은 물에서 괴상한 냄새가 풍겨 온다. 어떤 큰 화장실에는 문 뒷면에 로마인의 복장을 한, 수염이 난 사나이가 두 손으로 벽돌을 들고 있는 모습이 붉은 연필로 그려져 있고, 그 밑에 화제(畵題)가 달려 있다.

'밸 버스(시저가 갈리아 원정 중 로마에서 그의 재산을 지켰다), 벽을 쌓아 올리는 그림.'

누군가의 낙서다. 우스꽝스런 얼굴이지만 수염이 나 있어 어쩐지 사내다운 느낌이 든다. 그리고 다른 화장실 벽에는 왼쪽으로 기울어진 글씨로 다음과 같이 씌어 있다.

'줄리어스 시저는 여자의 하복부 《갈리아 전기(戰記)》, 즉 《드 벨리 칼리코》에 빗대어 지었다.'

아마 그 애들이 거기에 간 이유는 그것일 것이다. 왜냐하면 그곳은 낙서하기 안성맞춤이니까. 그렇기는 하지만 아사이가 말한 것은 이상하고도 표현 방식이 우스꽝스럽다. 낙서가 아니다, 내뺀 것을 보면. 스티븐은 다른 아이들과 같이 운동장 저쪽을 바라보면서 어쩐지 걱정이 되었다.

이윽고 플레밍이 말했다.

"다른 애들이 저지른 일 때문에 우리들이 모두 벌을 받는 건가?"

"나는 학교로 돌아오지 않겠어. 싫다니까."

세실 선더는 말했다.

"사흘 동안이나 식당에서 말을 해서는 안 되며, 1분 동안에 여섯 번이나 여덟 번 얻어맞기 위해 불려 나가다니."

"그렇다, 나도 돌아오지 않겠다."

웰즈가 말했다.

"게다가 베레트 영감은 처벌통지서 접는 새 방식을 고안해 내었기 때문에 우리가 몇 번을 맞는지 확인할 수도 없어. 나도 돌아오지 않겠어."

"그래."

세실 선더가 말했다.

"그런데 학생감이 오늘 아침 문법과 2학년 반에 있더군."

"우리 반기를 들어 볼까, 어때?"

플레밍이 말했다. 학생들은 모두 말이 없었다. 주위는 고요하기만 하고 크리켓 치는 소리만 들려오지만 그것도 앞서보다는 느리게 들렸다. 뚝 딱.

웰즈가 말했다.

"저 애들은 어찌 되는 거지?"

"사이몬 무난과 산돼지는 두들겨 맞고……."

하면서 아사이가 말했다.

"상급반 학생들은 두들겨 맞거나 퇴학을 당하거나 둘 중 하나를 택하는 거래."

"그러면 어느 쪽을 택하는 건가?"

입을 연 학생이 물었다.

"다들 퇴학하기로 했대. 저 애는 글리슨 선생님에게 두들겨 맞을 거야."

아사이가 대답했다.

"그 이유는 알겠어."

하고 세실 선더가 말했다.

"코리갠이 영특해. 다른 애들은 틀려먹었어. 왜냐하면 두들겨 맞더라도 시간이 흐르면 아무것도 아니지만 퇴학은 평생을 두고 손해를 봐야 해. 게다가 글리슨 선생님은 매질도 그다지 심하지 않거든."

"그게 그 선생님의 뛰어난 솜씨야."

"사이몬 무난이 산돼지와 같은 봉변을 당하는 건 싫어. 하지만 저 둘은 매를 맞지 않을 것 같아. 손바닥이나 좀 때리면 되지."

세실 선더가 말했다.

"아니야, 둘이 다 급소를 맞아야 하는 거야."

아사이가 말했다.

웰즈는 엉덩이를 어루만지면서 우는 소리를 냈다.

"선생님, 제발 참아 주세요!"

아사이는 히죽히죽 웃으며 옷소매를 걷어 올리면서 말했다.

참을 수는 없어
때려야겠다
아랫도리를 벗고
엉덩이를 내밀어라

다들 웃었다. 하지만 좀 겁을 집어먹는 눈치였다. 고요한 잿빛 대기 속에서는 크리켓 치는 소리만이 여기저기서 들려 왔다. 딱. 그 소리는 들릴 뿐이나 만일 부딪치면 아프다. 매도 소리를 내지만 저런 소리가 아니다. 매는 고래수염과 껍질로 만들어져 그 속에는 납이 들어 있다고 한다. 얼마나 아플까? 치면 여러 가지 소리를 낸다. 길고 가느다란 회초리는 휙휙 날카로운 소리를 낸다. 얼마나 아플까. 그 회초리 소리를 생각하면 몸이 떨리고 오싹해진다. 그리고 아사이가 한 말을 생각하자 스티븐은 몸서리를 쳤다. 그러나 이 몸서리는 바지를 벗을 때면 언제나 느끼는 것이니까. 목욕탕에서 옷을 벗을 때와 마찬가지로. 누가 바지를 벗길까, 선생님이? 학생이? 하고 생각해 보았다. 왜 다들 저렇게 웃고 있을까?

스티븐은 아사이가 걷어 올린 소매와 잉크가 묻어 있는 깔깔한 손을 쳐다보았다. 글리슨 선생님이 어떻게 소매를 걷어 올리는가를 보여 주려고 소매를 걷어 올렸다. 글리슨 선생님은 동그랗게 반짝이는 커프스를 달고 있고 손목은 하얗고 깨끗한 데다, 흰 손가락이 오동통하고 손톱은 뾰족하다. 아마 보일 부인처럼 손톱을 깎는 모양이다. 하지만 무섭게 길고 날카로운 손톱이다. 하얗고 통통한 손가락은 부드러운 느낌이 드는데 손톱은 길고 끔찍하게만 보인다. 끔찍한 긴 손톱과 회초리의 휙휙 하는 날카로운 소리와 옷을 벗을 때 와이셔츠 끝이 스치는 싸늘함을 생각하면 몸이 시리고 오싹해지지만, 곱고 튼튼한 부드러운 손을 생각하면 이상하게도 차분하고 즐거워진다. 이윽고 스티븐은 세실 선더가 말한, 글리슨 선생님은 코리갠을 그다지 심하게 때리지 않을 것이라고 하던 말을 생각해 보았다. 그러자 플레밍은 그 점이 글리슨 선생님의 호인다운 특색이라고 했다. 하지만 설마…….

운동장 저쪽에서 외치는 소리가 들려왔다.

"집합!"

그러자 다른 데서도 소리가 들려왔다.

"집합! 집합!"

자습 시간에 그는 팔짱을 낀 채 서서히 펜 끝이 스치는 소리를 듣고 있었다. 하포드 선생님은 왔다 갔다 하면서 붉은 연필로 작은 표를 쳐주기도 하고, 이따금 학생 곁에 앉아 펜대 잡는 방식을 가르쳐 주기도 했다. 그는 혼자 표제를 읽어 보려 했으나 그것은 책 마지막에 있는 것이므로 벌써 알고 있는 것이었다. '생각 없이 열중하는 것은 길 잃은 배와 같다.' 그러나 글자의 선이 너무도 가늘고 실과 같아서 오른쪽 눈을 꼭 감고 왼쪽 눈으로 쏘아보자 겨우 대문자의 굴곡을 찾아볼 수 있을 뿐이었다.

하포드 선생님은 몹시 고귀한 인품으로서 결코 흥분하지를 않았다. 다른 선생님들은 몹시 화를 잘 냈다. 그런데 상급반의 학생은 무슨 일을 저질렀기에 벌을 받아야만 하는가? 웰즈는 성기실 선반 위에 간수해 두었던 제단의 포도주를 마신 사람을 그 냄새로 알아냈다고 했다. 아마 성체를 내다가 팔아먹었음에 틀림없다. 무서운 죄다. 야밤중에 거기로 들어가 깜깜한 선반 위에 놓인 번들거리는 황금색 그릇을 훔쳐 내다니. 성체 배령식 때, 하느님이 그 속에 옮겨 들어 꽃과 촛불에 둘러싸인 제단 위에 놓이게 되면 양쪽에서 향이 구름처럼 피어오르고, 학생은 향로를 흔들며 성가대의 도미닉 켈리는 성가의 첫 부분을 혼자 부른다. 그 그릇을 훔쳐 냈을 때 물론 하느님은 그 속에 있지 않다. 하지만 그 그릇에 손을 대는 것만으로도 망측하고 대단한 죄가 된다. 스티븐은 이런 생각을 하자 더욱 무서운 생각이 들었다. 괴이하고 두려운 죄. 가볍게 스치는 펜끝 소리만이 들리는 고요 속에서 이런 것을 생각하니 무섭기만 했다. 선반 위에 올려진 제단의 포도주를 마시고 냄새로 발각이 되다니 그것 역시 죄다. 이거야 물론 괴이하고 무서운 죄라고는 할 수 없지만. 포도주 냄새 때문에 다소 메스꺼울 뿐이다. 처음 성체 배수 날, 예배실에서 눈을 감고 입을 벌리고 혀를 약간 내밀자 성체 배수를 해 주기 위해 몸을 구부린 교장 선생님의 입김에서 미사의 포도주 때문인지 술냄새가 풍겼었다. 이 말은 곱다, 포도주. 이 말에서 짙은 보랏빛을 연상하는 것은 그리스에서는 신전처럼 흰 집 밖을 나서면 짙은 보랏빛 포도가 주렁주렁 달려 있기 때문이다. 하지만 교장 선생님 입김에서 풍기는 아련한 냄새로 최초의 성체 배수가 있던 아침은 속이 메스꺼웠다. 성체 배수를 처음 경험하는 날은 평생을 두고 가장 행복한 날이다. 어느 날 여러 장군들이 나폴레옹에게 생애에서 가장 행복한 날은 언제였느냐고 물었다. 이들은 큰 전쟁에서 이긴 날이 아니면 황제가 된 날이라고 말할 것으로 생각했다. 그런데 그의 대답은 다음과 같았다.

'여러분, 내 생애에서 가장 행복했던 날은 최초의 성체 배수 날이었소.'

아날 신부가 들어와 라틴어 수업이 시작되었으나 그는 여전히 꼼짝 않고 팔짱을 낀 채 책상에 기대어 앉아 있었다. 아날 신부는 연습장을 돌려주면서 성적이 형편없다고 하고는 그 자리에서 당장 다들 고치라고 일러 주었다. 그중에서도 가장 형편없는 게 플레밍의 작문이었고, 잉크의 얼룩으로 페이지가 마구 들러붙어 있었다. 아날 신부는 그 작문지 끝을 잡고 추켜올리며 이런 작품을 내놓는 것은 선생님을 모욕하는 짓이라고 했다. 그리고 잭 로튼에게 명사 '바다(mare)'의 격 변화를 말하라고 하자 잭 로튼은 단수 탈격(奪格)에서 걸려 복수형으로 나아갈 수가 없었다.

"부끄럽지도 않니. 이 반의 반장인 네가!"

아날 신부는 엄하게 말했다.

그 다음 학생에게, 또 다음 학생에게, 또 그 다음 학생에게 물었으나 아무도 대답을 못했다. 아날 신부는 어느 학생도 대답을 못하자 그때마다 더욱 침울해했다. 말소리는 차분했지만 얼굴은 어둡고 두 눈은 매섭게 번득였다. 이윽고 플레밍이 지명을 받고는 그 명사에는 복수가 없다고 대답했다. 아날 신부는 별안간 책장을 덮고 소리쳤다.

"교실 한가운데 나가 꿇어앉아! 너처럼 게을러빠진 학생은 처음

보겠다. 다른 학생들은 다들 작문을 베끼고."

플레밍은 자리에서 천천히 일어나더니 뒤에 있는 두 의자 사이에 무릎을 꿇고 앉았다. 다른 학생들은 연습장 위에 몸을 구부리고 쓰기 시작했다. 교실 안은 쥐 죽은 듯이 고요해졌다. 스티븐은 아날 신부가 기분 나쁜 얼굴에 노기를 띤 탓으로 약간 불그레하게 홍조를 띤 것을 곁눈으로 슬금슬금 훔쳐보았다. 노여움을 터뜨리는 것은 아날 신부에게는 죄가 될까? 아니면 공부를 시키기 위한 것이기 때문에 용서받을 수 있는 것일까? 아니면 다만 노한 체하고 있는 것일까? 용서받고 있는 거다. 신부님들은 무엇이 죄가 되는가를 알고 있을 테고, 죄를 지을 생각은 없을 테니까. 자기도 모르게 죄를 짓게 되면 고해는 어떻게 할까? 아마 교감 선생님한테로 가겠지. 교감 선생님의 경우는 교장 선생님한테로, 교장 선생님의 경우에는 관구장(管區長)에게로, 관구장은 예수회 총회장에게로, 이것이 수도회의 질서라는 것이다. 아버지는 언젠가 이들은 매우 슬기로운 사람들이라고 했다. 예수회 회원이 되지 않았더라면 속세에서 출세했을 것이라고. 그래서 그는 만일 예수회원이 아니었더라면 아날 신부와 패디 베레트는 무엇이 되었으며, 맥글레이드와 글리슨은 무엇이 되었을까 하고 생각해 보았다. 이것은 생각하기에도 어려운 문제였다. 이들이 다른 색상의와 바지를 걸치고 수염을 기르고, 다른 종류의 모자를 쓰고 다른 양식의 생활 방식을 취하는 것을 그려 보아야 하기 때문이었다.

문이 살며시 열렸다가 다시 닫혔다. 교실 안이 갑자기 술렁거렸다. 학생감이다. 잠시 잠잠하더니 이윽고 맨 뒤쪽 책상에서 찰싹 하는 최초의 소리가 들렸다. 두려운 나머지 스티븐의 심장은 죄어들었다.

"때려야만 할 학생은 없습니까, 아날 신부님? 이 교실에는 매질을 해야만 할 게으름뱅이는 없습니까?"

학생감은 소리를 질렀다. 그리고 교실 한가운데까지 와서 무릎을 꿇고 있는 플레밍을 쳐다보았다.

"으응!"

그는 소리쳤다.

"이 학생은 뭐죠? 왜 꿇어앉아 있지? 이름은 뭐야?"

"플레밍입니다."

"호오, 플레밍이라고! 물론 게으름뱅이렷다? 눈만 봐도 알아. 왜 꿇어앉아 있지요, 아날 신부?"

"내놓은 라틴어 작문이 형편없었습니다. 게다가 문법 질문에 조금도 대답을 못해요."

신부가 말했다.

"그럴 거야."

학생감은 큰소리로 외쳤다.

"그럴 겁니다. 타고난 게으름뱅이로군요. 눈을 보면 알아요."

그는 회초리로 책상을 치더니 큰소리로 외쳤다.

"일어나, 플레밍! 일어나!"

플레밍은 천천히 일어섰다.

"손을 내 봐."

플레밍이 한쪽 손을 내밀자 학생감은 찰싹 하는 큰소리를 내면서

회초리를 내리쳤다. 한 대, 두 대, 세 대, 네 대, 다섯 대, 여섯 대.

"다른 손!"

회초리가 다시 한 번 찰싹하고 여섯 번 내리쳤다.

"꿇어앉아."

학생감이 말했다.

플레밍은 꿇어앉았으나 두 손을 겨드랑이 밑에 찌른 채 아픔에 못 이겨 얼굴을 찌푸리고 있었다. 플레밍은 언제나 손에 송진을 비벼 바르고 있기 때문에 얼마나 탄탄한 손인가를 스티븐은 알고 있었다. 하지만 몹시 아플 거다. 굉장한 소리가 났으니까. 스티븐의 심장은 두근거렸다.

"자, 다들 공부를 시작해!"

학생감이 소리쳤다.

"우리 학교에는 게으름뱅이는 필요 없다. 게으름뱅이와 간사하게 구는 놈은 필요 없다니까. 자, 다들 공부해. 돌란 신부가 매일같이 보러 올 테니까. 돌란 신부는 내일도 온다."

그는 어느 학생의 옆구리를 회초리로 쿡 찌르고는 이렇게 물었다.

"얘, 돌란 신부는 언제 오지?"

"내일이에요."

톰 펄롱이 대답했다.

"내일, 그 내일, 또 그 내일."

하고 학생감은 말했다.

"각오를 단단히 해. 매일 돌란 신부가 오는 거야. 자, 글을 쓰라고.

얘, 네 이름은 뭐야?"

스티븐은 가슴이 덜컹했다.

"디달러스입니다."

"왜 너만 글씨를 쓰지 않고 있어?"

"저…… 저의……."

스티븐은 놀란 나머지 대답을 할 수가 없었다.

"아날 신부! 왜 이 애는 쓰지 않고 있소?"

"안경을 깨뜨렸기 때문에 수업을 받을 수가 없어요."

아날 신부가 대답했다.

"망가뜨렸어? 사실이냐? 이름이 뭐지?"

학생감이 물었다.

"디달러스입니다."

"이리 나와, 디달러스. 이 게으른 장난꾸러기. 얼굴만 보면 다 알 수 있어. 안경을 어디서 깨뜨렸지?"

스티븐은 비틀비틀 교실 한가운데로 나왔다. 그는 두렵고 당황하여 앞이 보이지 않았다.

"어디서 안경을 망가뜨렸지?"

학생감은 되풀이하여 물었다.

"석탄재가 깔린 한길에서였습니다."

"이런! 석탄재가 깔린 길이라고?"

학생감은 외쳤다.

"그런 잔꾀에는 속지 않아."

스티븐은 놀란 얼굴을 들어 신부의 희부연 얼굴, 뽀얀 회색머리, 쇠붙이 안경테, 그것을 통해 내다보는 바랜 눈동자를 잠시 바라보았다. 어떻게 그런 잔꾀를 알고 있다는 말을 할 수 있을까?

"이 게으름뱅이 놈!"

학생감은 외쳤다.

"안경을 깨뜨렸다고! 닳아빠진 잔꾀는 부리지 마! 자, 빨리 손이나 내밀어!"

스티븐은 눈을 감고 손바닥을 위로 펴서 한 손을 내밀었다. 손가락을 바로 펴라고 학생감이 잠시 만지는 걸 느끼자 다음 순간 회초리를 들어 올릴 때 소맷자락이 스치는 소리가 들렸다. 그리고 막대기가 갈라지는 듯한 큰소리를 내며 불에 타는 듯한 얼얼한 타격을 받자 그의 떨리는 손은 불붙은 잎사귀처럼 오그라들었다. 탁 치는 소리와 함께 뜨거운 눈물이 눈에 괴었다. 온몸이 겁에 질려 발발 떨리며 팔이 후들후들하고, 불에 타 흙빛으로 꼬부라진 손이 허공을 떠도는 나뭇잎처럼 흔들렸다. 울음이 목구멍으로 복받쳤다. 제발 참아 달라는 애원의 소리였다. 그러나 뜨거운 눈물로 눈은 타는 듯했고, 손발은 아픔과 겁에 질려 떨고 있었다. 하지만 그는 한사코 눈물을 참고, 타는 듯한 산떡통을 메우는 울음소리를 깨물어 삼켰다.

"다른 손!"

학생감이 외쳤다.

스티븐은 저려 떨고 있는 오른쪽 손을 치우고 왼쪽 손을 내밀었다. 회초리를 높이 들자 법의 자락이 살랑살랑 소리를 내고, 찰싹 하는 큰

소리와 함께 미친 듯이 뜨거운 아픔으로 손바닥과 손가락이 한데 오그라들어 흙빛으로 발발 떨렸다. 눈에서는 뜨거운 눈물이 쏟아지고 수치와 괴로움과 두려움이 몸을 불사르는 듯했다. 그는 떨리는 손을 거두고는 너무도 아파서 소리 내어 울었다.

"꿇어앉아!"

하고 학생감이 소리쳤다.

스티븐은 얼른 꿇어앉아 매 맞은 두 손을 허리에 갖다 댔다. 두들겨 맞아 부르터 오르면서 알알하게 아린 손을 생각하니 마치 자기 손이 아니고 남의 손같이 안쓰러운 느낌이 들었다. 목구멍에 괴어오르는 마지막 흐느낌을 애써 참으며 허리를 누르고 있는 손의 아픔을 느끼자, 손바닥을 위로 하여 허공에 내민 손과 떨리는 손가락을 가지런히 모으던 학생감 손의 감촉, 매를 맞아 벌겋게 부어올라 손바닥과 손가락이 한데 엉켜 힘없이 허공에서 흐느적거리던 모습이 다시 떠올랐다.

"공부해요, 다들!"

학생감이 문 앞에서 소리쳤다.

"돌란 신부는 매일 벌을 받아야 할 게으름뱅이, 잔꾀를 부리는 학생은 없는지 보러 올 테다. 날마다. 알겠어? 날마다 말이야."

그가 나가고 문이 닫혔다.

학급 아이들은 다들 잠잠한 가운데 작문을 정서하고 있었다. 아날 신부는 자리에서 일어나 학생들 쪽으로 걸어가 가만가만 주의를 시키기도 하고 틀린 곳을 가르쳐 주기도 했다. 그의 목소리는 상냥하

고 조용했다. 이윽고 자기 자리로 되돌아와 플레밍과 스티븐에게 일렀다.

“두 사람 다 자기 자리로 가 앉아.”

플레밍과 스티븐은 일어나 자기 자리로 가 앉았다. 스티븐은 부끄러워 얼굴을 붉히고 힘없는 한쪽 손으로 교과서를 펴고는 얼굴을 숙여 책갈피에 갖다 댔다.

이 처사는 부당하고 또 잔인하다. 안경 없이 책을 읽어서는 안 된다고 의사로부터 주의를 받았고, 오늘 아침에도 새 안경을 부쳐 달라고 아버지께 편지를 드렸다. 게다가 아날 신부도 새 안경을 부쳐올 때까지 공부하지 않아도 좋다고 허락했다. 그런데 친구들 앞에서 장난꾸러기로 꾀만 부린다고 욕지거리를 듣고 회초리로 두들겨 맞다니! 항상 1등 아니면 2등짜리 성적표를 차지하는 요크 편의 반장인 그가! 어떻게 학생감은 이것을 잔꾀라고 말할 수 있는가? 그는 손가락을 바로 펴던 학생감의 손 감촉을 떠올렸다. 애초 학생감은 자기와 악수를 하려는가 생각할 정도로 손가락이 부드럽고 힘차 보였다. 그런데도 순간 신부복의 소맷자락이 살랑거리는 소리가 나고 찰싹 내리치는 소리가 들렸다. 그때 그를 교실 한복판에 꿇어앉히다니, 그것은 정말 무자비한 처사다. 게다가 아날 신부는 우리 두 사람을 아무런 차별 없이 다만 제자리로 돌아가도 좋다고만 했다. 그는 아날 신부가 작문을 고치는 상냥하고 나직한 말소리를 들었다. 아마 지금에 와서는 미안하여 친절을 베풀고 싶겠지. 하지만 그것 역시 부당하고 무자비한 처사다. 학생감은 신부지만 그러나 그 처사는 정말 부당하다.

그리고 그 창백한 얼굴과 쇠테 안경 너머의 바랜 눈은 섬뜩하기만 했다. 힘차고 부드러운 손가락으로 그의 손을 바로 편 것은 큰소리를 내어 멋있게 때리기 위해서가 아니었던가.

"메스꺼울 정도로 가혹한 얘기다 정말."

열을 지어 식당으로 걸어가는 복도에서 플레밍이 중얼거렸다.

"아무 잘못도 없는 놈에게 회초리로 갈기다니."

"일부러 안경을 망가뜨린 건 아니잖아."

하고 더러운 로시가 말했다.

스티븐은 플레밍의 말을 듣자 가슴이 메어 대답을 할 수가 없었다.

"말해서 뭘 해! 나 같으면 참고 있지 않아. 교장 선생님에게 가서 일러바치지."

플레밍이 받았다.

"그렇고말고. 게다가 그 작자, 회초리를 어깨보다 더 높이 들더라. 그런 일은 허용되지 않을 텐데."

세실 선더가 열심히 말했다.

"많이 아팠지?"

더러운 로시가 물었다.

"아프고말고."

스티븐이 대답했다.

"나 같으면 참고 있지 않아."

플레밍이 계속 되풀이했다.

"그 대머리고 여느 대머리고 간에, 메스꺼울 정도로 야비한 수작

이야. 그렇고말고. 나 같으면 저녁 먹고 교장 선생님에게 일러바칠 거야."

"그렇고말고, 나 같으면 그냥."

세실 선더가 맞장구를 쳤다.

"맞았어. 교장 선생님께 가 일러바치라고, 디달러스."

더러운 로시가 부추겼다.

"내일 또 와서 때려 주겠다고 하지 않았어?"

"맞았어, 맞았어. 교장 선생님께 일러바치라고."

하고 다들 말했다.

그러자 문법반 2학년 학생들이 듣고 있다가 그 가운데 한 학생이 말했다.

"원로원과 로마 시민은 디달러스가 억울한 죄로 벌을 받았다고 선고하노라."

억울하다. 생각할수록 부당하고 무자비한 수작이다. 식당 의자에 걸터앉아 있는 동안 스티븐은 한결 같은 치사함에 마음이 쓰리고 급기야는 자기 얼굴에 교활한 인간같이 보이는 그 무언가가 있는 게 아닌가 하는 생각이 들기 시작하여, 작은 거울이라도 있으면 들여다보고 싶은 생각마저 들었다. 하지만 그럴 리가 없다. 아무래도 그것은 부당하고 가혹하며 억울한 처사였다.

사순절(四旬節) 수요일에 정해 놓고 나오는 생선튀김은 목구멍에 걸려 넘어가질 않았다. 그렇다. 다들 시키는 대로 하자. 교장 선생님을 찾아가 억울한 벌을 받았다고 말하자. 옛날 누군가도 이와 같은 짓을 했노라고 역사에 남아 있고, 그 얼굴도 역사책에 실려 있다. 교장 선생님은 그가 억울한 처벌을 받았다고 말씀하시리라. 왜냐하면 원로원과 로마 시민은 언제나 고소한 사람들이 억울하게 처벌되었다고 선언했으니 말이야. 고소한 사람은 리치말 마그날의 문제집에 나와 있다. 역사라는 것은 모두 그와 같은 위인과 그의 업적을 적은 것으로, 피터 팔레이가 쓴 그리스와 로마 이야기에 씌어 있는 것도 다 그런 것이다. 첫 페이지에는 피터 팔레이의 초상이 실려 있다. 히드들판에 길이 나 있고 길섶에는 오목조목 풀밭과 덤불이 무성하다. 피터 팔레이는 목사님처럼 챙이 넓은 모자를 쓰고 커다란 지팡이를 손에 쥔 채 그리스와 로마로 통하는 길을 잰걸음으로 걸어가고 있다.

어떻게 하면 되는가는 간단하다. 저녁 식사가 끝나갈 차례가 되면 복도 쪽이 아닌, 성(城)으로 통하는 오른편 계단을 연방 오르기만 하면 된다. 그것뿐이다. 오른쪽으로 꺾어 계단을 재빨리 오르면 30초, 거기에 성을 거쳐 교장실로 통하는 낮고 컴컴한 좁은 복도가 있다. 다들 그 처사는 부당하다고들 하고 있다. 원로원과 로마 시민에 관해 조잘거리던 문법반 2학년 학생도 그렇게 말했다.

어떻게 될 것인가?

상급반 학생들이 식당 윗자리에서 일어서는 소리가 들리고, 그들이 걸어가는 발자국 소리가 들렸다. 패디 래드, 지미 매기, 스페인 학생과 포르투갈 학생 그리고 다섯 번째가 글리슨 선생님에게 매를 맞게 되어 있는 거구의 코리갠. 그 때문에 스티븐은 장난꾸러기라는 말을 듣고 까닭 없이 매를 맞았었다. 스티븐은 지나가는 대열 속에 끼어 있는 거구 코리갠의 넓적한 어깨와 숙이고 있는 크고 검은 머리를 쏘아보았다. 코리갠은 나쁜 짓을 했다. 그러나 글리슨 선생님은 심하게 때리지는 않을 것이라고 했다. 스티븐은 목욕탕 안에 들어가 있는 거구 코리갠의 모습을 떠올려 보았다. 욕탕 한쪽 귀퉁이에 괴어 있는 토탄색 흐린 물과 같은 색 피부로, 옆으로 걸을 때는 젖은 타일에 큰 소리를 내고 몸이 기름져 발을 뗄 때마다 허벅다리가 약간씩 움직이는 모습이었다.

식당은 반쯤이나 비었고 학생들은 아직 대열을 지은 채 나가고 있는 중이었다. 식당 밖에는 목사님도 학생감도 없으므로 계단은 손쉽게 올라갈 수가 있었다. 그러나 도무지 그런 일을 할 수가 없을 것 같았다. 교장 선생님은 학생감의 편을 들어 학생이 거짓말을 했다고 생각할 것이고, 그렇게 되면 학생감은 매일같이 오늘처럼 찾아오게 된다. 교장 선생님께 일러바치러 간 학생에게는 몹시 화를 낼 테니까 말은 더 거칠어질 것이다. 다들 가라고는 하면서도 자진해 가려는 사람은 없었다. 다들 여기에 관해서는 잊고 있었다. 깡그리 잊어버리는 것이 가장 상책이고, 학생감만 해도 내일 온다는 것은 빈말일 것이다. 눈에 띄지 않게 숨어 있는 게 가장 현명하다. 조그만 아이에 지나지 않으니까. 그와 같이 해서 피해 달아나는 편이 낫다.

함께 앉았던 학생들이 일어섰다. 스티븐도 일어나 대열에 끼어 걸어 나갔다. 각오를 해야만 했다. 점점 입구가 다가왔다. 다른 학생들과 어울려 걸어가게 되면 교장실엔 갈 수가 없다. 왜냐하면 그것 때문에 운동장에서 되돌아설 수는 없으니까. 게다가 만일 교장 선생님께 가서 다시 회초리를 맞게 되면 그때는 다들 흥겨워하며 교장한테 학생감을 일러바치러 갔다고 이러쿵저러쿵 수군거릴 것이다.

통로를 걸어가자 이내 눈앞에 문이 나타났다. 도무지 될 성싶지가 않았다. 나에게는 어려운 일이다. 스티븐은 잔인한 느낌의, 빛바랜 눈으로 자기를 쏘아보는 학생감의 대머리를 떠올렸다. 이름이 뭐지 하고 두 번이나 묻던 학생감의 말소리가 들리는 듯했다. 처음 대답했을 때 왜 기억을 못했을까? 처음에는 듣지 못했을까, 아니면 듣고도 그를 희롱할 목적이었던가? 역사에 나오는 위인들도 이런 이름이지만 그 누구도 이름을 들어 이러쿵저러쿵하지 않는다. 이름을 가지고 놀려 먹으려면 자기 이름이야말로 안성맞춤이 아닌가. 돌란, 돌란이라니, 마치 빨래하는 하녀 같은 이름이 아닌가.

문 앞에 이르자 대뜸 오른편으로 꺾어 계단을 올라가 다시는 돌아갈 생각을 하지 않게끔 성으로 통하는 낮고 좁은 복도로 들어갔다. 그러고는 복도 문턱을 넘어서면서 스티븐은 돌아보지는 않았지만 열을 지어 지나가는 학생들이 자기의 뒤를 지켜보고 있는 것을 알았다.

그는 좁고 어두운 복도를 지나 수도원의 작은 방문 앞을 여러 개 지나갔다. 어둠 속을 전후좌우로 기웃거리면서 저기 보이는 것은 초상화일 거라고 생각했다. 어둡고 호젓한 데다가 울어서 지친 눈은 잘 보이지가 않았다. 다만 지나가는 자기를 말없이 내려다보고 있는 것은 성인(聖人)들과 수도회의 위대한 사람들의 초상화일 거라고 생각했다. 성(聖) 이그나티우스 로욜라는 펼쳐진 책을 들고 '보다 위대한 하느님의 영광을 위해' 라고 씌어진 글자를 가리키고 있고, 성 프란시

스 사비에르(16세기 예수회의 회원. 로욜라의 수제자)는 자기 가슴을 가리키고 있다. 로렌조 리치(18세기 예수회 총회장)는 학생감의 모자 비슷한 비레타(성직자들이 쓰는 사각형 모자)를 쓰고 있었다. 하느님께 바친 젊은 세 사람의 보호자들, 성 스타니슬라우스 코스트카(16세기 예수회 회원, 수도회에 참가하기 위해 빈에서 로마까지 걸어갔음), 성 알로이시우스 곤자고(클론고스 대학의 수호 성인. 23세 때 페스트에 걸려 요절함), 게다가 축복받은 존 버치만즈(17세기 예수회의 회원)는 다 젊어서 죽었기 때문에 싱싱한 얼굴들이다. 그리고 피터 케니 신부(클론고스 대학 창립자)는 커다란 망토에 둘러싸여 의자에 걸터앉아 있었다.

스티븐은 현관홀의 층계참에 올라가 주위를 둘러보았다. 이곳은 해밀튼 로완이 통과한 곳으로 군인들의 탄혼이 남아 있다. 게다가 늙은 하녀들이 하얀 원수(元帥)의 망토를 걸친 유령을 보았다는 것도 여기다.

층계참 귀퉁이에서 늙은 하인이 청소를 하고 있었다. 교장실이 어디냐고 묻자 저 끝에 있는 문을 가리켜 주곤 그가 가서 노크할 때까지 지켜보고 있었다.

교장실 문을 두드렸는데도 대답이 없었다. 스티븐은 한번 더 세게 노크를 했다. 그러고는 가라앉은 듯한 목소리가 들렸을 때 그의 가슴은 쿵쾅쿵쾅 뛰었다.

"들어오시오!"

그는 손잡이를 돌려 문을 열고는 다음에 푸른 피륙을 발라 놓은 문의 손잡이를 더듬었다. 간신히 찾은 그는 그 문을 밀고 안으로 들어

셨다.

교장 선생님이 책상 앞에서 뭔가를 쓰고 있는 것이 보였다. 책상 위에는 해골이 얹혀 있고 낡은 의자에서는 가죽 냄새 같은 육중하고 이상한 냄새가 풍겼다.

장소가 엄숙한 데다가 실내가 호젓하여 가슴이 마구 뛰었다. 그는 해골을 바라본 뒤 교장 선생님의 상냥한 얼굴로 시선을 옮겼다.

"오, 무슨 용무지?"

교장 선생님이 물었다.

스티븐은 꿀꺽 침을 삼키며 말했다.

"안경을 깨뜨렸습니다."

교장 선생님은 입을 크게 벌린 채 말했다.

"저런."

그는 미소를 지으며 말했다.

"그래? 안경을 깨뜨렸으면 집에 편지를 보내 새것을 사 달래야지."

"편지는 보냈습니다. 그래서 아날 신부님도 안경을 부쳐올 때까지 공부하지 않아도 좋다고 말씀하셨어요."

스티븐이 대답했다.

"맞았어."

교장 선생님이 말했다.

스티븐은 또 침을 꿀꺽 삼키고 몸과 말소리가 떨리지 않도록 버텼다.

"그런데 말씀입니다."

"그런데?"

"오늘 돌란 신부님이 오셔서 제가 작문을 안 썼다고 때리셨습니다."

교장 선생님은 말없이 스티븐을 쳐다보았다. 그는 얼굴이 빨개져서 눈물이 쏟아질 것만 같았다.

교장 선생님이 말했다.

"네 이름이 디달러스지?"

"예, 그렇습니다."

"안경은 어디서 망가뜨렸지?"

"석탄재를 뿌린 한길에서입니다. 자전거를 타고 오는 학생과 부딪쳐 넘어지는 바람에 깨뜨렸어요. 그 학생의 이름은 모릅니다만."

교장 선생님은 다시 입을 다물고 그를 쳐다보더니 이윽고 미소를 지으면서 이렇게 말했다.

"그래, 그렇다면 오해야. 돌란 신부는 모르고 있었겠지."

"하지만 전 안경을 망가뜨렸다고 말씀을 드렸습니다."

"집에 편지를 보내 새것을 부탁했다는 말씀도 드렸느냐?"

"안 했습니다."

"그렇다면 돌란 신부는 모르고 있었던 거야. 당분간 내가 너의 공부를 면제해 주겠다고 말씀드려라."

스티븐은 떨려서 말을 못할까 염려하면서도 재빨리 말했다.

"예, 하지만 돌란 신부님은 내일 또 오셔서 절 때려 주겠다고 했습니다."

"좋아. 그건 오해를 하고 있는 거니까 내가 돌란 신부께 일러두마.

그러면 됐지?"

교장 선생님은 말했다.

스티븐은 눈에 눈물이 괴는 것을 느끼면서 더듬거리며 말했다.

"예, 감사합니다."

교장 선생님은 해골이 얹혀 있는 책상 모서리에서 손을 내밀었다. 스티븐은 얼른 그 손 위에 자기 손을 얹었다. 차갑고 촉촉한 손바닥이었다.

"그럼 잘 자거라!"

교장 선생님은 손을 물리치면서 인사를 했다.

"안녕히 계세요!"

스티븐도 말했다.

그는 인사를 하자 조용히 방을 나와 조심스레 문을 닫았다. 그러나 층계참에 있는 늙은 하인 곁을 지나 낮고 어두운 복도까지 나오자 걸음을 빨리했다. 그리고 잰 걸음으로 희미한 어둠 속을 가슴을 울렁거리면서 바삐 걸었다. 복도 끝까지 온 그는 팔꿈치로 문을 밀어젖히고 계단을 뛰어내려 두 복도를 얼른 지나 밖으로 뛰어나갔다.

운동장에서 학생들의 외치는 소리가 들렸다. 그는 달음박질을 쳐 석탄재를 뿌린 길을 마구 달려 숨을 헐떡이면서 하급반 운동장에 이르렀다.

그가 달려오는 것을 학생들이 보고 있었다. 그들은 진을 빙 둘러치고 이야기를 들으려고 밀치며 아우성을 쳤다.

"얘기해 봐! 얘기해 봐!"

"뭐라고 했어?"

"들어갔었니?"

"뭐래?"

"말해 봐."

그는 자신이 무슨 말을 했으며 교장 선생님이 어떤 말을 했는가를 이야기했다. 다 듣고 난 뒤 학생들은 다들 모자를 공중에 던져 올리며 외쳤다.

"만세!"

학생들은 모자를 잡아 다시 빙빙 돌려 허공으로 높이 내던지면서 또 외쳤다.

"만세! 만세!"

그들은 서로 팔을 부여잡고 그 위에 그를 태운 채 싣고 갔다. 스티븐은 온 힘을 다해 간신히 내려왔다. 그가 바닥에 내려서자 학생들은 이리저리 흩어져 다시 모자를 하늘 높이 빙빙 내던지고 휘파람을 불며 소리 높이 외쳤다.

"만세!"

이윽고 그들은 대머리 돌란을 조롱하는 큰소리를 세 번 외치고, 교장을 위해 만세 삼창을 한 후 클론고스 창립 이래의 훌륭한 교장이라고 칭찬했다.

잿빛 부드러운 허공으로 만세 소리는 사라져 갔다. 스티븐은 혼자 남았다. 행복하고 아늑한 심정이었다. 그러나 돌란 신부에게 뽐내 보고 싶은 생각은 조금도 없었다. 조용한 가운데 얌전하게 있고 싶었다. 뽐내지 않는다는 사실을 보여 주기 위해 돌란 신부께 무언가 친절한 일을 해 주고 싶었다.

공기는 부드럽고 고요했다. 벌써 땅거미가 스며들고 황혼의 향기가 온 누리에 가득 찼다. 바튼 소령 댁으로 산책을 갔을 때 다들 무를 파서 벗겨 먹었을 때의 그 시골 밭의 향기, 정자 저쪽, 오배자가 무성하게 자란 조그만 수풀의 그 향기.

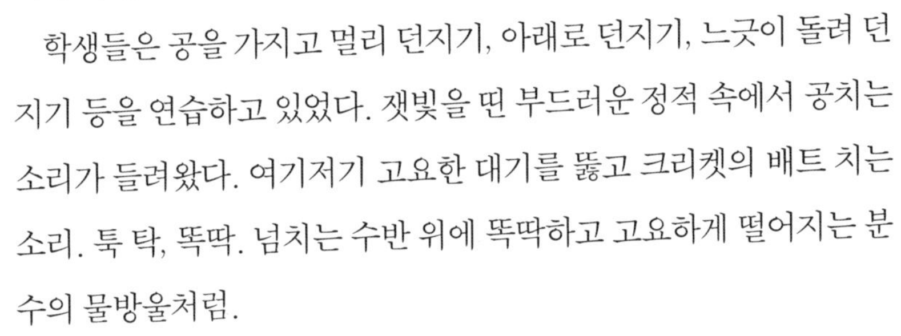

학생들은 공을 가지고 멀리 던지기, 아래로 던지기, 느긋이 돌려 던지기 등을 연습하고 있었다. 잿빛을 띤 부드러운 정적 속에서 공치는 소리가 들려왔다. 여기저기 고요한 대기를 뚫고 크리켓의 배트 치는 소리. 툭 탁, 똑딱. 넘치는 수반 위에 똑딱하고 고요하게 떨어지는 분수의 물방울처럼.

제 2 장

찰스 아저씨가 아주 독한 담배를 피웠기 때문에 참다못한 조카는 정원 끝에 있는 작은 별채에 가서 피우면 어떠냐고 권해 보았다.

"그러마, 사이몬. 거기가 조용하긴 하지. 어딘들 상관있나. 작은 별채 같으면 더 좋아. 내 몸에도 좋을 거고."

노인은 조용히 말했다.

"도대체 말예요, 어떻게 그렇게 독한 담배를 피우십니까? 마치 화약 같잖아요."

디달러스 씨는 솔직히 말했다.

"아주 맛이 좋아, 사이몬."

노인은 대답했다.

"후련하고 기분이 가라앉거든."

그래서 매일 아침 찰스 아저씨는 별채로 나가지만, 그것은 자기 머리에 기름을 발라 빗질하고, 실크 모자를 솔질해서 쓴 후의 일이었다. 그가 담배를 피울 때면 실크 모자의 테와 파이프의 담배통이 별채 문설주에 어른거렸다. 정원을 손질하는 연장과 고양이, 담배 냄새로 인해 그 오두막을 그는 정자(亭子)라고 불렀다. 그리고 이 정자는 음악실 구실도 했다. 매일 아침 그가 좋아하는 노래를 즐겁게 흥얼거렸기 때문이다. '아아, 사랑의 보금자리를', '푸른 눈동자와 금발', '블라니의 숲' 등이었다. 그러는 동안 잿빛이 감도는 푸르스름한 연기가 파이프에서 서서히 피어올라 맑은 공기 속으로 사라졌다.

초여름 무렵 블랙로크(더블린 교외에 있는 해안촌)에서 여름을 보낼 때는 항상 찰스 아저씨가 스티븐의 상대역을 맡았다. 찰스 아저씨는 건장한 노인으로 피부는 햇볕에 그을렸고, 꺼칠꺼칠한 얼굴에 귀밑 수염은 희끄무레했다. 그는 주일에는 캐리스포트 가에 있는 집으로부터 중심가에 있는 단골 가게로 심부름을 다녔다. 이럴 때 스티븐은 그를 따라가는 것이 무엇보다 즐거웠다. 점포에 뚜껑을 덮지 않고 내놓은 상자나 통 속에 드러나 보이는 물건은 무엇이나 듬뿍 집어서 그에게 주기 때문이었다. 포도가루 사탕도 주고, 미국산 사과도 서너 개씩 집어 스티븐에게 집어 줄 때면 가게 주인은 불안한 듯이 미소를 띠었으나, 그는 헤프게도 스티븐의 손에 쥐어 주는 것이었다. 스티븐이 주저주저하면 아저씨는 얼굴을 찌푸리며 이렇게 말했다.

"받아둬라, 도련님. 자, 몸에 좋으니까, 어서."

주문서의 장부 기입이 끝나면 두 사람은 공원으로 갔다. 거기에는 스티븐의 아버지가 옛날부터 사귀어 온 친구 마이크 플린이 벤치에 앉아 기다리고 있었다. 그러면 공원을 일주하는 스티븐의 달리기 연습이 시작되었다. 마이크 플린은 손에 시계를 들고 역에서 가까운 공원 입구에 서 있었다. 한편 스티븐은 마이크 플린이 좋아하는 자세로 고개를 높이 쳐들고 두 손을 곧게 늘어뜨린 채 성큼성큼 무릎을 걷어 올리면서 트랙을 돌았다. 아침 연습이 끝나면 감독은 자기의 의견을 말해 주고, 이따금 낡아 빠진 푸른색 운동화 바람으로 우스꽝스럽게 1야드(1야드는 1피트의 세 배로 91.44cm에 해당)쯤 달려가 희극적인 꼴을 연출하기도 했다. 꼬마들, 애 보는 식모아이들이 신기한 듯이 빙 둘러싸 그를 바라보기도 하고 그 주위를 어슬렁거리곤 하지만 그와 찰스 아저씨는 변함없이 그 자리에 앉아 체육이니 정치에 관한 이야기를 했다. 마이크 플린이 현재 손꼽히는 훌륭한 선수들을 몇 사람인가 길러냈다는 것을 아버지로부터 들은 적이 있지만, 스티븐은 자기의 감독이 꾀죄죄한 긴 손가락으로 담배를 마는 모습과, 축 늘어진 수염이 성성한 얼굴을 지켜보면서 설마 저분이 그런 일을 했을까 하고 의아해했다. 동시에 이따금씩 말던 담배에서 시선을 떼고 푸른 하늘을 생기 없는 눈으로 지켜보던 그를 애처롭게 보아 왔다.

집으로 돌아가는 길에 찰스 아저씨는 보통 성당에 들렀는데 성수반(聖水盤)이 높아서 스티븐의 손이 닿지 않으므로 노인은 자기 손을 물에 적셔 그 물을 스티븐의 의복과 성당 현관 바닥에 힘차게 뿌려 주었다. 기도를 드릴 때면 그는 붉은 손수건을 깔고 그 위에 무릎을 꿇고 손때가 까맣게 묻은 기도서를 소리 내어 읽었다. 그 기도서에는 다음 편의 첫 구절이 페이지 아래마다 인쇄돼 있었다. 스티븐은 아저씨 곁에 꿇어앉아 아저씨의 깊은 신앙심에 경의를 표했으나 동참하지는 않았다. 그는 아저씨가 무엇 때문에 이처럼 열심히 기도를 하는 것일까 하고 궁금하게 여겼다. 아마 지옥에 들어가 있는 사람들의 영혼을 위한 것인지도 모르겠고, 행복한 죽음의 은총을 위해서인지도 모르며, 코크에서 탕진한 막대한 재산을 그 일부만이라도 하느님께서 돌려주십사 하고 빌고 있는지도 모르겠다.

스티븐은 일요일이면 언제나 아버지와 아저씨와 함께 소풍을 갔다. 노인은 티눈이 있었으나 발이 튼튼하여 10마일(1마일은 약 1.6km에 해당), 20마일쯤은 거뜬히 걸었다. 스틸로간의 작은 산골에서 길은 두 갈래로 갈라졌다. 왼편 길로 가면 더블린 산맥으로 갈 수 있고, 고츠타운 거리를 거쳐 던드럼에 이르러 샌디포드에서 돌아올 수도 있었다. 길을 걸으면서, 또는 호젓한 길가 선술집에서 두 어른은 못내 마음에 떠오르는 화제, 아일랜드의 정치, 먼스터 지방, 또는 그들 집안의 전설 등에 대해 이야기를 계속하였고, 스티븐은 이 모든 이야기에 열심히 귀를 기울이곤 했다. 그리고 잘 모르는 말은 여러 번 되뇌어 봄으로서 기억하려고 애썼다. 그리고 그런 말들을 통해 그는 주위의 실제 사회를 엿볼 수가 있었다. 그런 세계의 생활에 자기도 참여하게 될 날이 눈앞에 다가와 있는 듯하였고, 자기를 기다리고 있는, 그러나 그것이 어떤 성격의 것인가는 잘 알 수 없지만, 그의 성장을 기다리고 있다고 여겨지던 커다란 역할을 수행하기 위해 그는 남몰래 준비하기 시작했다.

밤은 자신만의 시간이었다. 스티븐은 조잡하게 번역된《몬테크리스토 백작》을 탐독했다. 그 음침한 복수자의 모습이 어린 시절에 듣고 짐작하던 괴이하고 두려운 것으로 변하여 마음속에 떠올랐다. 밤이 되면 객실 탁자 위에 전사화(轉寫畵), 조화(造花), 얇은 색종이, 초콜릿 껍질의 은박지, 금박지 등으로 섬 속 동굴의 놀라운 모형을 만들었다. 그러나 너무도 화려한 광경이 싫증나서 허물어 버리면 이번에는 선명한 마르세이유의 풍경이, 양지바른 격자무늬의 담이, 그리고 메르세데스의 모습이 떠올랐다.

블랙로크 동구 밖에서 산으로 접어드는 길목에 흰 페인트를 칠한 조그만 집이 있고, 그 뜰에는 장미꽃이 만발해 있었다. 스티븐은 이 집에 또 한 사람의 메르세데스가 살고 있다는 상상을 하고 있었다. 그리하여 나들이를 가거나 돌아올 때는 이 집을 목표로 삼아 거리를 재었다. 머릿속에서 그는 차례차례로 이어가는 갖가지 모험을 벌였다. 그것은 마치 책 속에 그려져 있는 모험처럼 흥미로웠고, 그 마지막 장면에 가서는 늙어서 시름에 찬 자신이 달빛 비치는 정원에 그 옛날 자기의 사랑을 저버린 메르세데스와 나란히 서서 슬픈 가운데도 교만한 거부의 몸짓을 해 보이며 이렇게 말한다.

"부인, 저는 사향포도는 도무지 좋아하지 않습니다."

스티븐은 오브리 밀스라는 소년과 짜고 그 거리에서 탐험대를 조직했다. 오브리는 단추 구멍에 호각을 달고 자전거 램프를 허리띠에 동여맸다. 그리고 다른 아이들도 짤막한 막대기를 긴 칼처럼 허리띠에 찼다. 나폴레옹이 옷을 검소하게 입었다는 것을 책에서 읽은 스티븐은 아무 장식도 않기로 했다. 그리고 명령을 내리기 전에 부관과 협의하는 사령관으로 자처하여 재미가 점점 더해 갔다. 탐험대는 늙은 하녀의 정원으로 쳐들어가기도 하고, 성에도 가 보고, 수풀과 잡초 우거진 바위산에서 전쟁놀이를 하고는 집으로 돌아가고는 했다. 코에는 물가의 상한 냄새가 그대로 남아 있고, 흘러내린 해초의 퀴퀴한 기름을 손과 머리카락에 묻힌 채 대원들은 지쳐서 집으로 돌아갔다.

오브리의 집과 스티븐의 집은 다함께 우유 배달을 업으로 하고 있어서 둘은 자주 우유 배달차를 타고 소가 풀을 뜯는 캐릭마인즈로 갔다. 사나이들이 우유를 짜고 있는 동안 두 소년은 번갈아 잘 길든 암말을 타고 목장을 한 바퀴 돌곤 했다. 그러나 가을철이 다가오면 소들을 초원으로부터 외양간으로 되몰아들였다. 스티븐은 더럽고 푸르스름한 물웅덩이와 물렁물렁한 똥덩어리, 김이 무럭무럭 오르는 겨를 담은 통들이 있는 더러운 외양간을 처음 보았을 때 속이 메스꺼웠다. 맑게 갠 날 시골에서 보던 그 아름답던 소가 도무지 역겨웠고 그때부터 우유마저 쳐다보기 싫어졌다.

올해는 9월이 되어도 조금도 어려운 점은 없었다. 클론고스 학교로 돌아가지 않아도 되기 때문이었다. 마이크 플린이 입원하게 되자 공원에서의 연습도 끝장이 났다. 오브리는 학교에 다니느라고 저녁 때 한두 시간밖에는 놀 틈이 없었다. 탐험대는 해산했고 이젠 밤놀이도, 바위산에서의 전쟁놀이도 없어졌다. 스티븐은 이따금 저녁 우유 배달차를 타고 싸늘한 바깥으로 나가면 외양간의 더러운 기억이 말끔히 가시고 우유 배달부의 상의에 묻어 있는 소털이나 마른 풀씨를 보아도 불쾌한 기분이 들지 않았다. 마차가 집 앞을 지나칠 때마다 그는 말끔히 씻긴 부엌이나 부드러운 불빛이 비치는 현관을 넘겨다보기도 했다. 또 하녀가 우유병을 들어 올리고 문을 닫는 모습을 보면서 기다리고는 했다. 그는 따스한 장갑이 있고, 주머니에 들어 있는 큰 봉지에서 생강 비스킷을 집어내어 씹을 수 있기만 하면 우유 마차를 타고 우유를 운반하는 것도 할 만하다고 생각했다. 하긴 공원을 달리고 있을 때 가슴이 메스껍고 다리가 휘청거리던 때와 똑같은 예감, 감독의 수염이 거칠거칠한, 축 늘어진 얼굴이 무겁게 손가락을 내려다보고 웅크리고 있는 것을 보았을 때의 직감은 미래의 어떤 환상도 죄다 망가뜨리고 마는 것이었지만. 아버지가 어려움을 당하고 있어 스티븐은 클론고스에는 돌아갈 수 없다는 것을 어렴풋이 알고 있었다.

얼마 전부터 그는 어딘지 모르게 변해 가는 가정 형편을 직감할 수 있었다. 변하지 않으리라 믿었던 사물에서 일어나는 세계에 관한 어린애다운 개념은 하나의 충격이었다. 이따금 그는 캄캄한 영혼 속에서 야심이 웅성거리는 것을 느꼈지만 그 야심은 배출구를 찾지 못했다. 그리고 암말의 발굽 소리가 길가의 마찻길을 울리고, 커다란 통이 등 뒤에서 소리를 내며 흔들리는 것을 듣고 있을 때 주위의 어둠이 그의 마음에도 내리는 것이었다.

스티븐은 메르세데스로 돌아가 그녀의 영상을 마음속에 그리고 있자 이상한 불안이 혈관 속으로 스며드는 것을 느꼈다. 이따금 그의 몸은 열병에 걸린 듯 저녁때면 고요한 거리를 헤매곤 했다. 뜰의 정적과 창에서 흘러나오는 부드러운 불빛을 보면 동요하던 그의 마음도 차분히 가라앉았다. 놀고 있는 아이들의 서성거리는 소리를 들으면 그는 정나미가 떨어졌고, 아이들의 바보 같은 소리를 들을 때면 클론고스 학교에서 느끼던 것보다 훨씬 절실하게 자신이 그들과 다르다는 것을 깨달았다. 그는 놀기도 싫었다. 자기의 영혼이 끊임없이 지켜보고 있는 실체 없는 영상과 현실 세계에서 마주치고 싶었다. 어디서 그것을 찾아내야 할지는 모르지만 이편에서 행동을 취하지 않더라도 영상이 스스로 찾아와 줄 것이라는 예감을 느꼈다. 두 사람은 마치 서로 알기나 하는 듯이, 만날 약속이라도 한 것처럼 만날 것 같았다. 어둠과 정적에 휩싸인 채 아마 어느 집 문 앞에서, 아니면 사람의 눈에 띄지 않는 곳에서 단둘만이 조용히 만나게 되리라. 그러면 부드러운 감정이 절정을 이루는 순간에 그는 변모하리라. 그녀의 눈 앞에서 사그라져 일순간에 변모해 버리리라. 연약하고 얼뜨고 미숙함은 그 신비한 순간에 자기로부터 떠나 버리리라.

어느 날 아침, 커다란 마차 두 대가 문 앞에 와 서더니 사나이들이 우르르 집 안으로 뛰어들어 가구들을 마구 들어내었다. 들어낸 가구는 마구 앞뜰에 내던져지고, 뜰에는 지푸라기와 새끼 동강이들이 흩어져 있었다. 이윽고 가구들은 문 밖 큰 마차에 실렸다. 모든 것이 무사히 운반되자 두 대의 마차는 요란스러운 소리를 내며 거리로 떠났다. 스티븐은 울어서 눈이 빨개진 어머니와 열차에 나란히 앉아 창밖을 통해 마차가 육중하게 메리언 로(路)를 달려가는 모습을 지켜보고 있었다.

그날 밤, 난로가 잘 타지 않아 디달러스 씨는 부젓가락을 아궁이 살장에 걸어 놓은 채 자꾸 불을 휘저었다. 찰스 아저씨는 가구가 반으로 줄고 융단도 깔려 있지 않은 방 한 귀퉁이에서 졸고 있었다. 그 옆에는 가족들의 초상화가 기대 세워져 있었고, 테이블 위의 등불이 운송점 점원들의 흙발에 더럽혀진, 융단을 깔지 않은 바닥을 희미하게 비춰 주고 있었다. 스티븐은 아버지와 나란히 등받이 없는 의자에 앉아 그의 긴 독백에 귀를 기울이고 있었다. 처음에는 무슨 소리인지 분별할 수가 없었으나 차차 아버지에게 적이 나타나 곧 싸움이 일어났다는 것을 알게 되었다. 그리하여 자신도 그 분쟁 속에 말려들어 무언가 한 가지 역할을 해야 될 것을 직감했다. 블랙로크의 안락하고 몽상에 젖은 생활에서 갑작스럽게 쫓겨나 안개 자욱한 거리를 지나, 휑하고 음침한 집안에서 살 것을 생각하니 마음이 더욱 침울했다. 미래에 대한 직감과 예견이 다시 그를 엄습했다. 왜 하녀들이 시종 현관에서 조잘거리고 있었는가, 왜 아버지가 늘 난롯불을 등지고 깔개 위에 선 채 찰스 아저씨가 자리에 가 식사를 하라고 권해도 큰소리로 이야기만 늘어놓았던가를 알 수 있었다.

"난 아직도 창창하다, 스티븐."

디달러스 씨는 잘 타지 않는 난롯불을 함부로 휘저었다.

"아직 죽지는 않았어, 죽지 않고말고. 하느님께 맹세하지만 우리는 아직 다 죽은 것이 아니란 말이다."

더블린은 새롭고 복잡한 느낌을 주는 도시였다. 찰스 아저씨는 이제는 멍청이가 되어 심부름도 못하게 되었고, 스티븐은 이사하는 북

새통에 블랙로크에 있을 때보다 자유로운 몸이 되었다. 처음에는 집 근처를 걸어 다니는 정도 아니면 고작해야 어떤 옆길을 도중까지 걸어가 보는 것으로 만족하였으나, 대충 시내 지리를 알게 되자 도심의 큰 길을 골라 대담하게 걸어서 세관까지 갔다. 별로 탓하는 사람도 없으므로 스티븐은 둑을 지나 방파제를 걸으면서 해면에 불룩하게 부풀은 누런 거품 속에 떴다 가라앉았다 하는 코르크 부표, 방파제의 노무자들 무리, 요란스럽게 소리를 내는 짐마차, 초라한 차림에다 수염을 기른 순경 등을 이상한 눈초리로 바라보았다.

안벽에 쌓아 올리기도 하고 증기선 선창에서 내던지는 상품 상자들을 보고 있자니 광대하고 괴이한 인생이라는 것을 알 수 있었다. 그리고 그것이 그의 마음속에, 저녁 때 메르세데스를 찾아 뜰에서 뜰로 헤매던 때의 그 불안한 기분을 다시 불러일으켰다. 이것으로 밝은 하늘과 포도주집 양지바른 격자무늬의 담만 있으면, 그는 이 소란스러운 새 생활 속에서도 또 하나의 마르세이유 가에 와 있는 공상에 잠겼을 것이다. 방파제, 강 그리고 구름이 낮게 드리운 하늘을 바라볼 때면 아련한 불만이 터져 나왔으나 그래도 그는 매일매일 마치 자기를 기피하는 누군가를 정말 찾아 헤매듯이 서성거렸다.

한두 번 어머니를 따라 친척집을 찾아간 일이 있었다. 하지만 크리스마스 조명과 장식을 한 가게들이 화려하게 늘어선 거리에서도 굳게 닫혀 있던 이 쓰라린 기분이 마음에서 사라지지 않았다. 이러한 기분을 갖게 된 데에는 여러 가지 먼 이유에서부터 가까운 이유가 있었다. 어린 시절부터 스티븐은 자기 자신이 어리고 언제나 어리석은 충동의 포로가 되어 있는 것이 못마땅했으며, 운명의 변화 탓으로 주변 세계가 어색하고 허위에 차 있는 데 대해 화가 났다. 하지만 화가 난다고 해서 세계의 앞날이 어떻게 되는 것도 아니었다. 그는 자기 눈으로 보는 것을 끈질기게 마음에 새기고, 이윽고 약간 물러서서 그 쓰라림을 은근히 되씹어 보았다.

스티븐은 백숙 집에서 등받이 없는 의자에 앉아 있었다. 갓이 달린 등불이 옻칠한 벽난로 위에 걸려 있고, 그 불빛 아래서 숙모는 등불에 의지해서 무릎 위에 놓인 석간신문을 읽고 있었다. 그녀는 신문지 속에서 미소를 짓고 있는 사진을 한참이나 보고 있더니 차근차근 입을 열었다.

"메이블 헌터는 꽤 미인이군요."

고수머리 계집아이가 발끝으로 서서 사진을 들여다보며 나직한 소리로 물었다.

"이 사람 어디 나와요, 어머니?"

"무언극에 나온단다."

계집아이는 고수머리를 어머니 소맷자락에 기대곤 사진을 바라보면서 황홀한 듯이 말했다.

"정말 메이블 헌터는 미인이네."

새침하게 조롱하는 듯한 사진 속 얼굴을 탄복한 듯이 한참 바라보던 그녀는 다시 차분한 어조로 속삭였다.

"굉장히 미인이군."

그때 길거리에서 들어온 소년이 석탄을 1스톤(1스톤은 14파운드. 이 작은 양의 석탄밖에 사들이지 못하는 것은 극빈함을 뜻한다) 줘어지고 비틀거리면서 누이동생의 이야기를 들었다. 그는 대뜸 석탄을 바닥에 내려놓더니 그녀 곁으로 다가가 사진을 들여다보았다. 그리고 검붉은 손으로 신문을 빼앗아 누이동생을 밀어젖히곤 잘 보이지 않는다고 투덜거렸다.

스티븐은 침침한 창문이 달린 낡은 집의 좁다란 간이식당에 앉아 있었다. 난롯불이 흐늘흐늘 벽에 비치고 창 너머에는 땅거미가 강 위에 내리고 있었다. 난로 앞에서는 노파가 바쁘게 차를 준비하며 사제와 의사 선생님이 하던 말을 나직한 소리로 들려주었다. 병자에게 요즘 눈에 띄게 변화가 생겨 태도나 말이 이상하더라는 것이었다. 스티븐은 그 이야기에 귀를 기울이며 의자에 앉은 채 타고 있는 석탄을 아치나 지하실, 꼬불꼬불한 복도나 톱니 모양의 동굴로 상상하며, 마음속으로 그곳에서의 모험을 그리고 있었다.

그때 스티븐은 문득 문에 무언가 다가온 것을 눈치챘다. 해골 같은 얼굴이 어스름한 문에 걸려 있었다. 마치 원숭이 같은 어떤 짐승이 거기에 있다가 난롯가의 얘기 소리에 끌려 나타난 것 같았다.

"조세핀이 온 게냐?"

노파는 바쁜 듯 서두르다가 난롯가에서 명랑한 소리로 대답했다.

"아냐, 엘렌. 여기 있는 건 스티븐이야."

"아, 안녕하세요? 스티븐."

스티븐은 인사에 답하면서, 문가에 서 있는 여인의 얼굴에 바보스런 미소가 번져 가는 것을 보았다.

"무엇이 필요하지, 엘렌?"

난롯가에 서 있던 노파가 물었다. 그러나 엘렌은 대답도 않고 이렇게 말했다.

"난 또 조세핀인 줄 알았지. 난 조세핀인가 생각했어, 스티븐."

그녀는 이 말을 몇 번이나 되풀이하고는 가냘픈 웃음을 띠었다.

스티븐은 해롤드 크로스에서 열린 어린이 파티에 참석하고 있는 중이었다. 말없이 주위를 지켜보는 버릇이 어느새 익숙해졌기 때문에 그는 게임에는 거의 끼어들지 않았다. 아이들은 크래커 상자를 뒤집어쓰고 춤을 추며 떠들어 댔다. 명랑한 기분이 되어 보려고 애를 써도 그는 화려한 고깔모자를 쓴 아이들 속에서 자신이 침울한 존재라는 것을 의식할 뿐이었다.

하지만 스티븐은 노래를 부르고 난 뒤 아늑한 방의 한 모퉁이에 물러나 앉아 홀로 있는 즐거움을 새삼 맛보았다. 그날 초저녁에는 이 들뜬 소동이 하잘것없는 것으로만 생각되던 것이 나중에 가서는 마음을 누그러뜨려 주는 산들바람처럼 느껴졌다. 그것은 그의 감각을 즐겁게 어루만져 주고 그의 달아오른 흥분을 남의 눈으로부터 숨겨 주었다. 그러는 동안 빙 둘러서서 춤을 추는 아이들 사이로, 음악과 웃음을 통해 그녀의 시선이 그가 있는 구석으로 흘러들어 그의 마음에 미태를 던지고 무언가를 구하는가 하면 또 그의 마음을 비웃기도 하고 흥분시키기도 했다.

가장 나중까지 남아 있던 아이들이 현관에서 돌아갈 채비를 하고 있었다. 파티가 끝난 것이다. 그들이 마차 있는 쪽으로 걸어가고 있을 때 그녀는 숄을 걸치고 있었다. 그녀의 상쾌하고 따스한 입김이 모자를 쓴 머리 주위를 생생하게 흐르고, 그녀의 구두는 얼어붙은 길 위를 쾌활하게 내딛었다.

그들이 탄 것은 마지막 마차였다. 여윈 밤색 말들도 그것을 알고나 있는 듯이, 맑은 밤공기 속에서 마치 경고라도 하는 듯 방울을 울리고 있었다. 차장은 마부와 이야기를 나누는 중이었는데, 두 사람 다 푸르스름한 불빛 아래 연방 고개를 끄덕이고 있었다. 마차 안의 빈자리에는 울긋불긋한 차표가 몇 장 흩어져 있었다. 거리를 걷는 상쾌한 발자국 소리는 전혀 들려오지 않았다. 고요한 밤의 공기를 깨뜨리는 것은 여윈 밤색 말들이 서로 코를 비비거나 방울을 울릴 때의 소리뿐이었다.

그는 윗자리에서, 그녀는 아랫자리에서 무엇엔가 귀를 기울이고 있는 듯했다. 그녀는 몇 번이나 그가 있는 윗자리로 왔다가는 다시 제자리로 돌아가면서 이야기를 주고받았다. 한두 번은 그녀가 윗자리 그의 곁에 바싹 붙어 마치 내려가는 것도 잊은 듯하다가 이윽고 되돌아가곤 했다. 그녀가 왔다 갔다 하는 동안 그의 심장은 물 위에 뜬 코르크 부표처럼 마냥 떠는 것이었다. 충분히 모자 아래로 내려다보는 그녀 눈의 속삭임을 그는 알아챌 수 있었고, 아득한 옛날에도 이와 같은 눈의 속삭임을 들은 것 같았다. 그는 그녀의 예쁜 옷이니 길고 검은 스타킹이니 그와 같은 사치품들을 보아 왔고, 여태껏 이런 것들에 몇 번이나 마음이 쏠려 온 것도 알고 있었다. 그러나 그의 뛰는 가슴에도 불구하고 그의 마음속 소리는 그에게 그녀의 선물을 받아들

일 용의는 없는가, 단지 손만 내뻗으면 되는데 하고 물었다. 이윽고 그는 아일린과 함께 나란히 서서 호텔 부지 안을 들여다보며 급사들이 깃대에 기를 달고, 양지바른 잔디 위를 폭스테리어 개가 이리저리 내닫는 모습들을 바라보다가 그녀가 갑자기 웃음을 터뜨리며 구부러진 좁은 비탈길을 내닫던 일을 기억에 떠올렸다. 지금도 그때처럼 그는 눈앞의 정경에 침착한 방관자인 양 무관심하게 서 있는 듯한 느낌이었다. 내가 손을 뻗어 그녀를 안아 주기를 그녀도 바랄 것이라고 그는 생각했다. 그러기에 함께 마차를 타고 온 게 아닌가. 그녀 쪽에서 그가 있는 윗자리로 온다면 그는 쉽게 안아 줄 수 있다. 아무도 보는 사람은 없다. 품에 안고 키스를 할 수도 있다.

그러나 그는 그 어느 쪽도 하지 않았다. 그리고 사람이 없는 마차 안에 홀로 앉아 차표를 찢고 물결 모양의 발판을 침울한 시선으로 쏘아보고 있었다.

다음날, 스티븐은 2층의 텅 빈 실내에서 몇 시간 동안이나 책상 앞에 앉아 있었다. 그의 앞에는 새 펜과 새 잉크병 및 새 노트가 놓여 있었다. 이제 습관이 되어 버린 듯 그는 맨 첫 페이지 첫머리에 예수회의 모토인 A·M·D·G(하느님의 보다 큰 영광을 위하여) 두문자(頭文字)를 써 넣었다. 그 페이지 첫 번째 줄에는 앞으로 쓰고자 하는 시 제목이 적혀 있었다. 'E.C(스티븐의 연인인 에머 클러리의 머리글자)에게'와 같은 제목을 바이런 시집에서 본 적이 있었으므로 이와 같이 시작하는 것이 옳다는 걸 그는 알고 있었다. 이 제목을 적고 그 밑에 장식으로 선을 긋고 나자 그는 여러 가지 생각들이 떠올라 노트 표지에 다양한 도형을 그리기 시작했다. 그리고 브레이에서 있었던 크리스마스 만찬 때 언쟁을 벌였던 그 다음날 아침, 자신의 탁자에 앉아 아버지가 받은 하반기 납세고지서 이면에다 파넬에 대한 시를 쓰려고 하던 자기 모습을 떠올렸다. 그런데 여기까지 생각이 미친 그는 기분이 산란해져 그 시를 쓸 수가 없게 되어 결국 동급생들 중 몇몇 사람의 이름과 주소로 그 페이지를 채워 버렸다.

로디 키컴

잭 로튼

앤토니 맥스와이니

사이몬 무난

또 실패할 것 같은 기분이 들었지만 전날 밤 사건을 가만히 생각하고 있는 동안에 자신이 생겼다. 이윽고 평범하고 시시한 요소들은 그 정경에서 죄다 떨어져 나갔다. 마차니 마부니 말들의 모습도 흔적도 없이 사라졌다. 자기 자신과 그녀 모습까지 희미하게 스러졌다. 시에서는 다만 그날 밤과 싱그러운 산들바람과 처녀다운 달빛만을 노래한다. 두 사람이 낙엽 진 고요한 수목 아래에 섰을 때 무어라 말할 수 없는 슬픔이 그들의 마음속에 스며 있었고, 헤어질 시각이 다가오자 두 사람은 지금껏 삼가던 키스를 나누었다. 그러고 난 뒤 L·D·S(작문 뒤에 적는 예수회의 모토. '영원히 하느님께 영광 있으라'는 라틴어 머리문자)의 머리문자가 페이지 끝에 적혔다. 그는 이 노트를 감춘 뒤 어머니의 침실로 가서 화장실 거울 앞에 서서 오래도록 자기 얼굴을 들여다보았다.

그러나 이 한가하고 자유스런 시간도 끝나고 있었다. 어느 날 밤, 그의 아버지가 많은 뉴스를 듣고 와 식사 내내 이야기꽃을 피웠다. 그날 밤은 잘게 썬 양고기 요리가 준비되어 있었으므로 스티븐은 아버지가 돌아오기를 고대하고 있었다. 게다가 아버지가 고기 국물에 빵을 적셔 줄 것도 알고 있었다. 그러나 클론고스 이야기가 나오자 어쩐지 모래를 씹는 기분이 되어 입안을 내리덮은 듯이 찜요리도 먹을 수가 없었다.

"그분과 딱 마주쳐 버렸거든. 마침 저 광장 모퉁이에서 말이야."

디달러스 씨는 네 번씩이나 이야기를 되풀이했다.

"그럼, 그분이 잘 주선해 주시겠군요."

하고 디달러스 부인이 말했다.

"저 벨베데어(더블린 북부 예수회 학교가 있는 곳) 말예요."

"물론이지."

"수도회장인걸."

"전 애를 크리스천 브라더스(가톨릭의 빈민 교육 단체)에 보내는 건 어쩐지 마음이 내키지 않았어요."

"크리스천 브라더스가 다 무어 말라비틀어진 거야."

하고 디달러스 씨는 말했다.

"퀴퀴한 냄새나 풍기고 먼지투성이인 아이들과 한데 어울려? 예수회 학교에 다니기 시작한 거니까 어디까지나 거길 떠나지 않도록 해야지. 후일 두고두고 도움을 받게 될 거야. 그래야만 출세를 할 수 있는 거야."

"사이몬, 그 수도회는 아주 부자라더군요."

"그렇고말고, 생활도 윤택하지. 클론고스에서 그들의 식탁을 구경하지 않았어? 맛있는 걸 먹고 있었거든."

디달러스 씨는 자기 접시를 스티븐 앞으로 밀어 주며 남은 것을 먹어 치우라고 했다.

"얘, 스티븐. 너도 좀 공부에 힘 써야 해. 실컷 쉬었으니까."

"그럼요. 이번에는 열심히 할 거예요."

디달러스 부인도 한마디 거들었다.

"게다가 모리스와 같이 있게 된 걸요."

"그렇지. 모리스를 까마득히 잊고 있었군."

디달러스 씨가 말했다.

"얘, 모리스! 이리 와, 이 장난꾸러기 같은 놈. 이제부터 너도 학교에 가야지. 학교에 가면 'CAT'라고 써 놓고 고양이라고 가르쳐 주는 거야. 1페니짜리 멋진 손수건을 사줄 테니 그걸로 언제나 코를 닦아야 한다. 어때 멋있지?"

모리스는 먼저 아버지를, 이윽고 형을 향해 싱긋 웃어 보였다.

디달러스 씨는 외눈 안경을 끼더니 두 아이를 자세히 쳐다보았다. 스티븐은 아버지가 보고 있든 말든 빵만 씹고 있었다.

"그런데 말이야……."

디달러스 씨는 드디어 말을 꺼내기 시작했다.

"저 교장, 아니지, 지금은 수도원장이지만, 그가 너와 돌란 신부님 사이에 있었던 일을 내게 말씀해 주셨단다. 널 건방진 아이라고 하더구나."

"설마, 그런 소리를 했을라고요, 사이몬!"

"정말이야!"

디달러스 씨는 우겼다.

"경위를 죄다 말해 주더군. 얘기가 나오자 이런 얘기 저런 얘기로 끝이 없었지. 그런데 둘이 친밀하게 얘기하는 도중, 댁의 애는 안경을 쓰느냐고 묻지 않겠어? 그래서 사건 경위를 샅샅이 들은 셈이지."

"그분이 노하셨어요, 사이몬?"

"노하긴 왜 노해. '똑똑한 아이예요' 하시잖겠어!"

디달러스 씨는 수도원장의 콧소리를 흉내 내며 느릿느릿 말했다.

"돌란 신부와 나는 만찬 때 이 얘기를 꺼내 놓고 포복절도했어. '조심하세요, 돌란 신부님' 하고 나는 말해 주었지. '그렇지 않으면 디달러스란 놈에게 큰 봉변을 당할 테니까요.' 그러고는 한바탕 웃었지, 하하하."

성신 강림제 연극의 밤이었다. 스티븐은 무대 뒤 창문을 통해 중국식 초롱을 매단 밧줄이 몇 가닥이나 둘러쳐져 있는 작은 풀밭을 내다보았다. 손님들이 기숙사 계단을 내려가 극장으로 향하고 있었다. 안내역을 맡아 예장으로 단장한 벨베데어 학교 졸업생들이 극장 입구에 군데군데 모여 서서 정중하게 손님을 안내하였다. 등불이 갑자기 밝아오자 미소 띤 신부의 모습이 선명히 드러났다.

성체는 벌써 예배당에서 옮겼고, 맨 앞자리에 있던 의자도 뒤로 물려서 제단과 그 앞자리 사이를 시원하게 비워 두었다. 바벨과 곤봉들이 주위의 벽에 세워져 있고, 아령이 한쪽 구석에 쌓아올려져 있었다. 운동화니 스웨터 등을 싼 누렇게 때 묻은 보자기가 산더미처럼 수없이 쌓인 한가운데 체조용 안마가 놓여 있었다.

스티븐은 작문을 잘 짓는다는 이유로 체육위원으로 뽑혔으나, 프로그램 제1부에는 나오지 않고, 제2부 연극 주역으로 출연하게 되었다. 우스꽝스런 학교 교사역이었다. 그가 이 역을 맡게 된 것은 허우대가 좋고 의젓한 태도 때문이었다. 벌써 그는 벨베데어 학교의 2학년 말 중급반에 속해 있었다.

하얀 반바지와 셔츠 차림의 하급생이 스무 명쯤 무대에서 우르르 내려와 제의실을 거쳐 예배실로 들어갔다. 제의실과 예배실 안에는 교사들과 학생들로 가득 차 있었다. 뚱뚱한 대머리 특무상사는 체조용 안마의 도약판에 발을 디디고 시험해 보았다. 복잡한 곤봉 체조의 특별 연기를 맡은 날씬한 젊은이가 긴 외투를 걸친 채 그 옆에서 재미있게 지켜보는 중이었다. 곤봉이 그의 옆 주머니에서 삐죽이 내다보였다. 다른 팀이 출연 준비를 하고 있는 동안 목제 아령이 부딪쳐 텅 빈 소리를 덜그럭덜그럭 내고 있었다. 그런가 하면 다음 순간, 몹시 흥분한 감독이 제의실에 있는 학생들을 마치 집오리 떼를 내쫓듯 몰아냈다. 어물어물하는 학생들에게 신경질적으로 법의 소맷자락을

펄럭이면서 빨리 나가라고 외쳤다. 나폴리의 농사꾼으로 분장한 무리는 예배실 구석에서 스텝 연습 중이었다. 머리 위에 두 팔을 빙빙 돌리는 무리도 있고, 오랑캐꽃 조화가 든 바구니를 흔들면서 절하는 아이도 있었다. 예배실 왼쪽 어두컴컴한 구석에는 억세게 생긴 늙은 부인이 검은 스커트를 한껏 펼치고 꿇어앉아 있었다. 그러나 그녀가 일어섰을 때, 물결치는 금빛 가발 위에 구식 보릿대 고깔모자를 쓰고 분홍 드레스를 입었으며, 눈썹은 까맣게 그리고 볼에는 발그레하게 연지를 찍고 분을 바른 것이 보였다. 이 아가씨의 모습을 보고 재미있다고 소곤거리는 소리가 여기저기서 들려왔다. 한 감독이 고개를 끄덕끄덕 미소를 띠며 어두컴컴한 구석으로 다가가 건장한 체구의 노부인에게 인사를 한 후 상냥하게 말을 걸었다.

"텔런 부인, 지금 함께 계신 분이 젊고 어여쁜 숙녀입니까, 아니면 인형입니까?"

이렇게 물은 후 그는 모자의 챙 밑에서 미소 짓고 있는, 화장한 얼굴을 들여다보며 이렇게 외쳤다.

"아니, 이건 버티 텔런 아냐?"

스티븐은 창가에서 분장한 소년과 신부가 같이 껄껄 웃는 소리를 들었다. 할머니로 분장한 그 소년은 혼자서 고깔 춤을 추려고 거기 온 것이었다. 학생들이 뒤에서 감탄하는 소리를 듣던 스티븐은 초조한 마음에 그 자리에 더 있을 수가 없어 잡고 있던 블라인드 끝을 놓고 지금껏 디디고 서 있던 벤치에서 내려와 예배실 밖으로 나갔다.

그리고 기숙사에서 나와 뜰 모퉁이에 있는 헛간 뒤에 가 멈춰 섰다.

마주 서 있는 극장에서는 떠드는 관중들 소리와 갑자기 울려 퍼지는 군악대의 금관 악기 소리가 들려왔다. 유리 지붕에서 위로 내뿜는 광선 탓으로 극장은 마치 등이 달린 그물로 얽어맨 몇 채의 폐선에 둘러싸여 축제를 벌이는 방주(方舟)와 같았다. 극장 옆문이 열리고 갑작스레 한줄기 불빛이 풀밭을 가로질러 흘러나왔다. 방주에서 갑자기 음악 소리가 울려 퍼졌다. 왈츠였다. 이윽고 문이 닫히자 귀를 기울여야만 음악의 리듬이 아련히 들릴 정도였다. 그 첫머리 몇 소절이 오늘 하루 종일 그를 불안하게 하고 방금까지 그를 안달나게 만든 원인인, 입으로는 표현할 수 없는 감정을 불러일으켰다. 그 불안은 마치 소리의 파동처럼 그의 마음속에서 흘러나왔다. 그리하여 흐르는 음악의 물결을 타고 방주는 여행을 계속하면서 푸른 등의 밧줄이 마치 흔적처럼 끌면서 나아갔다. 이때 소인국의 포대(砲臺)에서 나는 듯한 소음이 음악을 가로막았다. 무대에 등장한 아령 팀을 환영하는 박수였다.

헛간 저쪽, 어둠 속에서 점과 같은 불빛이 보였다. 스티븐이 다가가자 아련한 향기가 풍겨 왔다. 소년 둘이 문간 지붕 밑에 서서 담배를 피는 중이었다. 거기까지 가기 전에 음성으로 헤론임을 알 수 있었다.

"여기 고귀하신 디달러스가 오고 있군. 어서 오게, 나의 진정한 친구!"

거세고 목쉰 소리가 들려왔다. 헤론이 회교식으로 절을 하고 지팡이로 땅바닥을 두드리자 그 환영은 유쾌하지도 않은 웃음을 길고 부드럽게 흘림으로써 끝났다.

"그래, 내가 왔다."

스티븐은 멈춰 서서 헤론으로부터 다른 친구에게로 시선을 옮겼다.

다른 하나는 모르는 아이였으나 담뱃불에 비쳐 어둠 속에서도 그 날씬하고 멋쟁이 같은 얼굴에 미소가 번지는 것을 알 수 있었다. 외투를 걸치고, 실크 모자를 쓴 허우대가 큰 아이였다. 헤론은 소개 대신 이렇게 말했다.

"마침 이 윌리스한테 자네가 오늘밤 학교 교사역을 할 때 교장 선생님 흉내를 내면 재미있을 거라고 얘기하던 참이야."

헤론은 윌리스에게 들려주기 위해 교장의 해학적인 낮은 목소리를 흉내 내기 시작했으나, 그것이 서툴러서 자기도 모르게 픽 웃으면서 스티븐더러 한번 해 보라고 부탁했다.

"한번 해 봐, 디달러스. 넌 잘 해내니까."

헤론은 재촉했다.

하지만 그의 재촉은 파이프에 담배가 너무 세게 꽂혔다고 윌리스가 골을 내는 소리에 중단되었다.

"이놈의 파이프!"

헤론은 물고 있던 파이프를 떼더니 얼굴을 찌푸리고 히죽이 웃었다.

"언제나 이 모양으로 꽂힌단 말이야. 너도 파이프를 사용하니?"

"나는 담배를 피우지 않아."

스티븐이 대답했다.

"그렇지."

헤론이 말했다.

"디달러스는 모범생이거든. 담배도 피우지 않고 놀이터에도 가지 않고 계집애와 사귀거나 일체 상스런 말을 쓰지도 않거든."

스티븐은 고개를 젖히고 마치 새처럼 뾰족한 얼굴에 홍조를 띤 풍부한 표정의 상대자에게 미소를 지어 보였다. 빈센트 헤론(헤론은 왜가리라는 뜻이 있음)은 그 얼굴 생김새나 이름부터가 조금도 새와 다름이 없다고 스티븐은 생각해 왔었다. 연한 빛깔의 머리칼이 곤두세운 벼슬처럼 앞이마를 덮고, 이마는 좁고 앙상하며 뾰족한 낚시코가 무표정한 두 눈 사이에 자리 잡고 있었다. 이 두 적수는 학교에서도 사이가 좋았다. 교실에서도 나란히 앉고 예배실에서도 함께 꿇어앉아 기도가 끝나면 점심을 먹으면서 함께 이야기했다. 상급반 학생들은 머리가 좋지 않은 아이들뿐이기 때문에 스티븐과 헤론은 그 학년 내내 사실상 학생들의 지도자였다. 함께 교장을 찾아가서 어느 날 쉬게 해 달라고 부탁을 하거나, 어느 학생을 용서해 달라고 말할 수 있는 것도 그들이었다.

"아, 참!"

별안간 헤론이 말을 꺼냈다.

"아까 너희 아버지가 오시더라."

순간 스티븐의 얼굴에서 미소가 사라졌다. 학생이나 선생님이나 할 것 없이 아버지를 거론하면 그는 침착성을 잃었다. 그는 겁먹은 채 입을 다물고 헤론의 다음 말을 기다렸다. 그러자 헤론은 무슨 사연이나 있는 것처럼 팔꿈치로 쿡 찌르며 이렇게 말했다.

"엉큼한 놈이야."

"왜?"

스티븐이 물었다.

"딴은 시치미를 딱 떼고 있는 셈이지만, 넌 엉큼한 놈이야."

"무슨 말이야. 말해 보라고."

스티븐이 조용히 말했다.

"그럼 알려 주지."

헤론이 대답했다.

"우리 모두 그녀를 보았단 말이야. 그렇지, 윌리스? 굉장히 예쁜 애더군. 게다가 네게 꽤 관심이 많더군. '그럼 스티븐은 무슨 역을 하나요, 디달러스 아저씨? 그럼 스티븐은 노래는 부르지 않나요, 디달러스 아저씨?' 하고 말이야. 게다가 너의 아버지가 그 외눈 안경으로 물끄러미 그녀를 보고 있었으니까, 네 속셈은 너의 아버지에게도 드러나고 말았어. 물론 나 같으면 아무렇지도 않지만."

"나쁘진 않더군."

윌리스는 나직이 대답하고 파이프를 다시 입에 물었다.

남의 앞에서 이런 노골적인 말을 듣게 되자 스티븐은 순간적으로 화가 치밀었다. 그에게는 소녀에 대한 관심이나 배려 같은 것은 조금도 즐거운 일이 못 되었다. 오늘도 해롤드 크로스의 마차 계단을 오르면서 작별한 일, 그로 인해 품어 온 언짢은 기분을 읊은 시 등에 대해 하루 종일 생각해 온 터였다. 그리고 그녀가 이 연극을 보러 온다는 것을 알고 있었기 때문에 그녀와 다시 만나게 되리라는 공상을 하루 종일 해 왔다. 파티가 있던 그날 밤처럼 들뜬 불쾌감이 그의 마음을 뒤덮었으나 시를 통해 이것을 발산할 수도 없었다. 소년기의 2년 동안 그가 거둔 성장과 지식이 그 무렵과 현재 사이를 가로막아 시로써 뿜어 버릴 수도 없었다. 그리하여 침울하고도 여린 생각의 흐름이 하루 종일 그의 마음속에 검은 분류(分流)를 이루며 소용돌이쳐, 결국 지칠 대로 지친 그는 학생감의 쾌활한 기분과 화려하게 분단장한 소년의 껄껄거리는 것을 참다못해서 밖으로 나왔다.

"이쯤 되면 솔직히 인정하는 게 좋지."

헤론은 계속했다.

"이번에는 우리가 네 비밀을 완전히 알아냈다는 걸 너도 인정해야 해. 이제 내 앞에서는 성인인 척 점잔을 빼도 소용없을걸."

음침한 웃음이 그의 입술에서 조용히 새어나오자 그는 아까처럼 몸을 구부리고 지팡이로 마치 장난삼아 나무라는 듯이 스티븐의 종아리를 살짝 때렸다.

스티븐의 노기는 이제 가라앉았다. 그는 기분이 명랑하거나 들떠 있지도 않았고 다만 이 놀림이 어서 끝나 주기만을 바랐다. 그는 자신을 업신여기는 친구의 바보 같은 행동을 조금도 원망하지 않았다. 왜냐하면 이와 같은 말로는 조금도 상처를 입지 않는다는 것을 알기 때문이다. 그는 상대방처럼 거짓 미소를 지어 보였다.

"인정하란 말이야!"

헤론은 되풀이하여 지팡이로 종아리를 두들겼다.

장난스럽기는 했지만 첫 번째 매질처럼 가볍지가 않았다. 살갗이

알알하더니 이윽고 거의 아프지는 않으면서 활활 열이 올랐다. 그는 얌전히 절을 하고 마치 상대의 농담을 받아 주기나 하는 듯이 '내 고해하오이다' 하고 외기 시작했다. 그 자리는 그런대로 얼버무릴 수 있었다. 헤론과 윌리스가 한바탕 웃는 통에 그 일은 원만히 끝났다.

고해 소리는 스티븐의 입술에서 아주 자연스레 새어 나왔다. 그리하여 눈앞의 두 사람이 방금 이야기를 나누는 동안에 마치 마술에라도 걸린 듯이 그의 기색에는 엉뚱한 정경이 떠올랐다. 즉 그가 웃음을 머금은 헤론의 입가에 희미하게 드러난 잔인한 보조개를 보았다든지, 종아리를 때리는 지팡이의 낯익은 타격을 느꼈다든지, 또는 '어서 시인해'라며 타이르는, 그 귀에 익은 말을 듣던 바로 그 순간, 그 장면은 마치 마법에 의하듯 마음속에 환기되었던 것이다.

그가 6학년 첫 학기를 끝낼 무렵이었다. 그의 민감한 기질은 뜻밖의 그 초라한 생활에서 타격을 받아 못내 고통을 겪고 있던 중이었다. 그의 영혼은 여전히 산란했고 더블린의 둔중한 인상에 짓눌려 있었다. 그는 2년 동안의 몽상에서 깨어나 새로운 정경의 한가운데서 생활하게 되었지만, 그 환경에서 마주치는 사건이나 인물들은 모두 그에게 내밀한 영향을 주면서 그를 실망시키기도 했고 유혹하기도 했다. 그리고 그것이 실망이었든 유혹이었든 간에 항상 불안과 쓰라린 추억으로 그의 마음을 휘감았다. 학교생활에서 여가는 모두 파괴적인 작가들의 작품을 읽는 데 소비되었고, 그들의 비웃는 말과 거친 거동은 그의 뇌리에서 일종의 발효 작용을 거친 후 마침내 머리에서 빠져나와 조잡한 글로 표현되곤 했다.

1주일의 과정에서도 작문 짓기는 그의 가장 주된 공부였고, 매주 화요일에는 집에서 학교까지 걷는 도중에 일어나는 일들로써 운을 점쳐 보기도 했다.

어느 화요일, 여태까지는 늘 1등이었으나 그것이 무참히도 어그러지고 말았다. 영어 담임 테이트 선생님이 그를 가리키며 불쑥 이런 말을 했다.

"이 학생의 작문에는 이단적인 사상이 엿보인다."

온 반이 찬물을 끼얹은 듯 고요해졌다. 테이트 선생님은 말없이 한쪽 손을 바짓가랑이 사이에 넣고 긁었다. 풀을 세게 먹인 와이셔츠 칼라와 소매 끝이 와삭와삭 소리를 냈다. 스티븐은 고개를 수그리고 있었다. 이른 봄날 아침이라 눈이 따갑고 잘 보이지 않았다. 그는 자신의 실수를 의식하였고, 심문을 당했으며, 자기의 심정이나 가정 사정이 불건전하다는 것을 의식하였다. 게다가 접혀진 칼라의 빳빳한 끝이 목에 자꾸 와 닿는 것을 의식했다.

테이트 선생님이 큰소리로 잠깐 웃자, 교실 안의 학생들은 한순간 마음을 놓았다.

"아마 너는 의식 못하고 있었겠지."

"어디가 그렇습니까?"

선생님의 말에 스티븐이 물었다.

테이트 선생님은 바짓가랑이에서 한쪽 손을 빼내며 그가 쓴 작문을 펼쳤다.

"여기야. 조물주와 그 영혼이란 대목이다. 에!…… 에!……

에!…… 그래! '영구히 접근할 가능성도 없이' 여기가 이단적이야."

스티븐은 중얼거렸다.

"전 '영구히 도달할 가능성도 없이'라고 할 작정이었어요."

이렇듯 상냥하게 나오자 테이트 선생님도 너그러운 태도로 그가 쓴 작문을 접어 그에게 건네주면서 말했다.

"하, 그랬군! '영구히 도달할'이었는가. 그렇다면 얘기는 달라지지."

그러나 동급생들은 그렇게 쉽사리 기분을 돌이킬 수가 없었다. 여기에 대해서는 수업 후에도 아무 말이 없었지만, 다들 막연하나마 악의에 찬 쾌재를 부르는 것을 그는 알아챌 수 있었다.

여러 학생 앞에서 꾸중을 들은 며칠 뒤 어느 날 밤, 그가 손에 편지를 든 채 드럼콘드라 거리를 걷고 있을 때 자기를 부르는 큰소리를 들었다.

"거기 서!"

뒤돌아보자 동급생 셋이 어둠 속에서 그에게로 다가오는 것이 보였다. 소리를 지른 것은 헤론이고 두 사람의 패거리와 함께 걸어오면서 보조를 맞추어 가느다란 지팡이를 휙휙 휘두르고 있었다. 그의 친구 볼란드가 만면에 웃음을 띠고 그의 곁에서 걷고 있었고, 내시는 두세 걸음 떨어져 상기된 얼굴을 흔들면서 숨을 헐떡이며 따라오고 있었다.

네 사람은 클론리프 거리를 다함께 꺾어들었으나 이내 책과 저자에 관한 이야기를 꺼내고, 어떤 책을 읽고 있다느니 아버지 책꽂이에는 얼마나 많은 책이 꽂혀 있다느니 등을 이야기했다. 반 아이들 중에서도 볼란드는 바보고, 내시는 게으름뱅이이므로 스티븐은 깜짝 놀라면서 그들이 나누는 말을 귀담아들었다. 실은 잠시 동안 좋아하는 작가 이야기를 한 뒤 가장 위대한 작가는 캐프틴 마리앗(19세기 영국의 해군으로서 해양 소설을 썼다)이라고 내시는 말했다. 이에 헤론이 반박하며 말했다.

"바보 같은 소리! 디달러스에게 물어보라고. 누가 가장 위대한 작가지, 디달러스?"

스티븐은 이 말 속에 감춰진 조롱기를 느끼면서 반문했다.

"산문에서 말인가?"

"그렇지."

"뉴먼 같은데."

"추기경 뉴먼 말이야?"

볼란드가 되물었다.

"그렇지."

스티븐이 대답했다.

주근깨투성이인 내시의 얼굴에 웃음이 번졌다. 그는 스티븐을 돌아보며 말했다.

"그럼 넌 뉴먼 추기경을 좋아하니, 디달러스?"

"아니야, 뉴먼은 산문 문체가 가장 훌륭하다고 많은 사람들이 말하고 있지. 물론 시인은 아니지만."

헤론은 다른 두 사람에게 설명했다.

"그러면 가장 뛰어난 시인은 누구지, 헤론?"

볼란드가 물었다.

"그거야 테니슨 경이지. 우리 집에는 테니슨 경의 전작 시집이 한 권 있거든."

내시가 말했다.

이 말을 들은 스티븐은 마음속에 말없이 다짐하고 있던 맹세를 잊고는 큰소리로 외쳤다.

"테니슨이 시인이라니! 그게 말이나 되냐? 그는 시 흉내를 내는 데 지나지 않아."

"이 자식이!"

헤론이 말했다.

"테니슨이 가장 뛰어난 시인인 건 누구나 다 알고 있지 않니."

"그럼 넌 누굴 가장 위대한 시인이라고 생각하니?"

볼란드가 팔꿈치로 헤론의 옆구리를 찌르면서 물었다.

"그거야 두말할 것 있나? 바이런이지."

스티븐이 대답했다.

헤론을 따라 세 사람이 입을 모아 비웃었다.

"뭐가 우스워?"

스티븐이 물었다.

"너 하는 말이 우습지 뭐야."

헤론이 말했다.

"바이런이 가장 뛰어난 시인이라니. 무식한 놈들을 위한 시인 아냐?"

"아니지, 훌륭한 시인임에 틀림없지."

볼란드가 놀렸다.

"네놈은 잠자코 있어."

스티븐은 말하면서 홱 돌아보았다.

"네가 아는 시란 안뜰에 있는 슬레이트 위에 몇 줄 갈긴 것뿐 아냐! 그 때문에 다락방 속에 갇힐 뻔하고서 뭘 그래."

사실 볼란드는 늘 망아지를 타고 학교에서 집으로 돌아가는 같은 반 학생에 관해 두 줄의 시를 안뜰 슬레이트 위에 썼다는 소문이 있었다.

타이슨이 말을 타고 들어간 곳은
예루살렘
낙마하여 상처를 입힌 건
알렉 카프젤럼

스티븐의 이런 공세에 두 보좌관은 입을 다물고 말았으나 헤론은 계속했다.

"아무튼 바이런은 이단적이고 부도덕적이야."

"그게 문제가 되냐?"

스티븐은 벌컥 성을 내며 외쳤다.

"이단이 문제가 안 된단 말야?"

내시가 말했다.

"네가 무슨 시를 안다고? 자습서 외에 시란 한 줄도 읽지 않는 주제에, 볼란드도 마찬가지지만."

스티븐은 크게 외쳤다.

"바이런이 나쁘다는 건 나도 알아."

볼란드가 말했다.

"자, 이 이단자 놈을 잡아라!"

헤론의 외침과 함께 스티븐은 그 자리에서 꼼짝없이 잡히고 말았다.

"며칠 전에 테이트는 네놈을 살려 주었지. 네 작문의 이단성에 대해서 말이다."

헤론이 말했다.

"내일 선생님한테 일러바칠 테야."

볼란드가 다시 덧붙였다.

"그렇게 해 보시지. 겁이 나서 입도 못 열걸?"

스티븐은 되받았다.

"겁이 나?"

"그렇고말고. 겁이 나서 벌벌 떨겠지."

"얌전히 굴라고."

헤론은 큰소리를 내지르면서 지팡이로 스티븐의 발을 쳤다. 이것이 그들의 돌격 신호였다. 내시는 스티븐의 팔을 뒤로 돌려 누르고, 볼란드는 하수도에서 뒹굴던 기다란 양배추를 집어 들었다. 지팡이와 단단한 양배추에 얻어맞은 스티븐은 발길질을 하며 덤벼들었으나 결국 철조망 울타리에 떠밀렸다.

"바이런 따위, 틀려먹었다고 말해라."

"못하겠어."

"말하라고."

"못하겠어."

"말하라고."

"못하겠어, 못하겠어."

기를 쓰고 덤벼든 끝에 스티븐은 겨우 몸을 빼냈다. 그를 괴롭히던 아이들은 웃고 비아냥거리면서 존스 거리 쪽으로 사라졌다. 스티븐은 눈물이 눈앞을 가려 비틀비틀 그들 뒤를 따라가면서 미친 듯이 주먹을 꼭 쥔 채 흐느꼈다.

스티븐은 아까 껄껄 웃는 친구들 앞에서 참회 기도를 외울 때 '나 고해하노라'를 되풀이하던 장면이 선연히 마음속에 떠올라왔는데, 왜 자기를 괴롭히던 아이들이 조금도 원망스럽게 생각되지 않는지 이상했다. 그들의 비겁하고도 잔인하던 행동이 조금도 잊혀지지 않았지만 그 기억은 아무런 노여움도 불러일으키지 않았다. 그래서 여태까지 책에서 읽어 온 격렬한 애증의 문자가 죄다 이것 때문에 거짓말같이 느껴질 정도였다. 그날 밤만 해도 존스 거리를 비틀비틀 걸어서 집으로 가는 도중 어떤 힘이, 마치 무르익은 과일 껍질을 벗기듯이 말끔히 그때의 갑작스런 노여움을 벗겨 버리는 듯한 느낌이 들었다.

그는 두 친구가 헛간 모퉁이에 서서 주고받는 얘기를 막연히 듣기도 하고, 강당의 힘찬 박수 소리에 귀를 기울이기도 하며, 헛간 한 모퉁이에 그냥 서 있었다. 그녀는 아마도 관중들 속에 앉아서 그가 나

타나기를 기다리고 있을 것이다. 그는 사람들 틈에 끼여 앉아 그녀 모습을 그려 보려고 애썼다. 그런데 도무지 머리에 떠오르지 않았다. 떠오르는 것은 고깔 같은 숄을 머리에 쓰고 있었다는 것과 까만 눈동자가 그를 끌어 당겨 온몸의 힘을 남김없이 빼앗아 갔다는 것뿐이었다. 스티븐은 자기가 그녀를 그리워하듯이 그녀도 자기를 그리워할지 궁금했다. 그는 어둠 속에서 다른 두 친구 몰래 한쪽 손끝을 다른 손바닥에 닿을까 말까 할 정도로 대보았다. 그러나 그녀의 손가락 감촉은 그것보다는 월등히 가벼우면서도 힘이 있었다. 그러자 갑자기 지난날 그녀의 손가락 감촉이 마치 눈에 보이지 않는 물결처럼 그의 머리와 육체를 스쳐갔다.

한 학생이 숨을 헐떡이면서 추녀 밑을 지나 그가 있는 쪽으로 달려왔다.

"아, 디달러스. 너 때문에 도일 선생님이 몹시 화났어. 곧 가서 분장을 하라고. 서두르는 게 좋을 거야."

"지금 막 가려던 참이었어."

그때 헤론이 심부름 온 학생에게 교만한 어조로 느릿느릿 말했다.

"가고 싶으면 가겠지."

학생은 헤론을 쳐다보며 되풀이했다.

"하지만 도일이 몹시 화를 내고 있는걸."

"그놈의 눈은 도무지 마음에 안 든다고 도일에게 전해다오."

헤론이 말했다.

"그래, 이젠 가 봐야지."

스티븐이 말했다. 그에게는 체면 같은 건 아무래도 좋았다.

"나 같으면 결코 가지 않겠어. 상급생을 부르는 태도가 틀려먹었어. 내 생각으로는 네가 그 시시한 연극에 나가 주는 것만 해도 대견하다고 생각해."

헤론이 옆에서 중얼거렸다.

이상하게도 싸움을 좋아하는 이 라이벌 관계가 우정이라는 걸 최근에 와서 깨닫게 되었고, 지금 또 이런 우정을 보여 주기는 하나 스티븐은 계속 조용한 태도를 그대로 지속했다. 이와 같은 소박한 흥분을 그는 믿을 수가 없었고, 이런 유의 진지한 우정을 그는 의아해했다. 이것은 그에게는 어른이 된다는 슬픈 조짐처럼 생각되었다. 여기서 말하는 체면 문제도 다른 종류의 문제들처럼 그에게는 하찮은 것이었다. 그의 마음이 정체 없는 환상만을 뒤쫓으면서 어느 길을 가야 할지 망설일 때 아버지와 선생님들의 음성이 들리는 것이었다. 그들 소리는 우선 신사가 되어라, 우선 가톨릭교도가 되라는 것이었다. 하지만 지금으로서 이런 소리는 그의 귀에 공허하게 들릴 뿐이었다. 체육장이 열리면 굳건하고 사내답고 건강해지라는 또 다른 소리가 들리고, 아일랜드의 부흥 운동이 학교로 쏠리자 모국에 충실하라, 모국어와 전통의 보급을 도와라 하는 다른 소리가 들리곤 했다. 그가 예상한 대로 세속적인 세계로 들어가면 일을 하여 몰락한 아버지의 지위를 되돌리라는 세속의 소리가 명령할 것이다. 그런데 또 한편 동급생들의 소리는, 상냥한 친구가 되어라, 동급생이 벌을 받지 않게 도와주어라, 학교가 휴일을 만들도록 최선을 다하라고 명령하는 것이

었다. 그는 이러한 온갖 환영을 좇다가 길을 잃고 서 있었다. 이런 소리를 귀담아듣는 것은 다만 잠시, 그 소리가 잘 들려오지 않을 때는 시원하였으며 이런 소리가 전혀 들리지 않는 곳으로 물러서 홀로, 아니면 환상을 벗 삼아 함께 있을 때만이 그는 행복했다.

법의실에서는 혈색이 좋은 뚱뚱한 예수회 회원들과 푸른 옷을 걸친 노인이 분연지로 열심히 화장을 해 주었다. 화장이 끝난 학생들은 걸어 다니기도 하고 어색하게 선 채 손끝으로 자기 얼굴을 살짝 만져 보기도 했다. 법의실 한가운데는 때마침 이 학교를 방문해 온 예수회의 젊은 회원이 발끝과 발뒤꿈치로, 또는 그 반대로 박자를 맞추며 몸을 흔들고 서 있었다. 그의 두 손은 주머니에 깊이 꽂혀 있었다. 그의 조그만 머리에서 반짝이는 붉은 고수머리와 면도한 얼굴이 때 묻지 않은 곱고 고상한 법의, 그리고 손질한 구두와 잘 어울렸다.

스티븐은 흔들거리는 이 신부의 몸짓을 바라보면서 미소 뒤에 감춰진 뜻을 찾아내려고 했다. 그는 클론고스의 학교로 가기 전에 아버지로부터 들은, 예수회 회원은 언제나 그 분장으로써 곧 식별할 수 있다는 말이 생각났다. 그와 동시에 자기 아버지의 마음과 미소를 지으며 훌륭한 복장을 한 신부의 마음 사이에는 어딘지 닮은 데가 있다고 생각했다. 갑자기 그는 사제의 직무와 법의실이 약간은 모독당하고 있다는 느낌이 들었다. 법의실의 평소 정적은 소리높이 떠드는 잡담과 농지거리, 가스등 냄새와 안료 냄새로 가득 찬 공기로 더럽혀져 있었다.

그는 노인이 이마에 주름살을 그려 놓고 턱 언저리에 검고 푸른색을 칠하는 동안 소리를 가다듬어 분명히 대사를 말해야 한다고 주의를 주는 통통하고 젊은 예수회 회원의 말을 들뜬 기분으로 들었다. 악대가 '킬라니의 백합'을 연주하는 소리를 듣자 곧 막이 오르리라는 것을 알았다. 그는 무대가 조금도 두렵지 않았지만 그의 역할을 생각하자 조금 수줍은 생각이 들었다. 대사 중의 어떤 대목을 떠올리자 분장한 얼굴이 갑자기 달아오르는 것을 느꼈다. 그녀는 평소 그 진지하고 매혹적인 눈으로 관객들 사이에서 이쪽을 지켜보고 있을 것이다. 이런 생각을 하자 그녀 눈의 이미지가 이내 그의 망설임을 씻어주고 자신감을 북돋아 주었다. 전혀 다른 성격이 그에게 주어진 것같이 생각될 정도였다. 주위에 있는 사람들의 흥분과 젊음이 그의 우울한 불신 세계에 작용하여 그것을 깡그리 변화시켜 버렸다. 진기하게도 한순간 그는 자기가 소년 시대에 살고 있는 것 같은 기분이 들었다. 다른 연기자들과 무대 옆에 섰을 때 그는 그들처럼 기분이 유쾌하였다. 힘센 두 신부가 함부로 막을 끌어 올렸기 때문에 막이 비스듬히 올라가고 있었다. 이윽고 그는 무대 위에 서서 몹시도 반짝이는 가스등과 희미한 배경 사이에서 흡사 허공과 같은 무수한 얼굴들을 바라보며 연기를 하고 있었다. 동시에 그는 연습 때는 지리멸렬하고 생명감 없는 것으로만 여겨졌던 연극이 갑자기 그 자체의 생명력을 띠는 것을 보고 놀랐다. 연극은 스스로 진행되어 가고 그와 동료 연기자들은 다만 그것을 서로 돕는 것같이 느껴졌다. 마지막 장면이 막을 내리자 그는 박수갈채가 온 공간을 메우는 것을 들었으며, 무대 옆 틈으로 내다보자 자기가 연기하던 무대 앞 관객이 하나의 덩어리에서 마술처럼 허물어져, 여태껏 허공을 형성하고 있던 무수한 얼굴들이 도처에서 산산이 흩어져 서성거리는 군중으로 변하는 것을 볼 수 있었다.

재빠르게 무대를 벗어나 의상들을 벗어 버리고 예배실을 지나서 교정으로 나왔다. 연극이 끝났으므로 그의 신경은 또 다른 모험을 찾고 있었던 것이다. 스티븐은 마치 그 모험을 붙잡으려는 듯이 걸음을 재촉했다. 강당 문이 죄다 열리고 관객들은 모두 밖으로 나와 있었다. 아까 방주를 붙들어 맨 줄 같다고 상상한 밧줄에는 몇 개의 등이 매달려 밤바람에 흔들리면서 쌀쌀맞게 반짝이고 있었다. 그는 마치 달아나는 사냥감을 놓치지 않으려는 듯이 부랴부랴 교정으로부터 돌층계로 올라가 홀에 몰려 있는 사람들을 밀치고 나아갔다. 그리고 예수회 회원 두 사람이 서 있는 곁을 지나갔다. 이 두 사람은 돌아가는 관객들을 바라보며 인사를 하고 악수도 나누며 서 있었다. 스티븐은 초조한 듯이 앞을 밀치며 서두르는 시늉을 했다. 그의 뒤에서 사람들이 미소를 띠고 쳐다보며 옆구리를 쿡쿡 찌르는 것을 어렴풋이 의식할 수 있었다. 그의 얼굴에는 아직도 화장기가 남아 있었으니까.

출입구 계단까지 나오자 첫 번째 외등 아래서 가족들이 자기를 기다리고 있었다. 거기 모여 있는 무리가 다 아는 사람인 것을 본 그는 성이 나서 층층대를 뛰어 내려갔다.

"조지 가에 메시지를 전해야 해요."

그는 재빨리 아버지에게 말했다.

"먼저 집으로 가세요. 저도 곧 가겠습니다."

무슨 일이냐는 아버지의 질문에 대답도 않고 스티븐은 달려서 잰 걸음으로 언덕을 내려가기 시작했다. 어디를 걷고 있는지 거의 의식하지 못했다. 자부심과 희망과 욕정이 그의 마음속에서 마치 짓눌린 풀처럼 미칠 듯한 향기를 마음의 눈앞에 뿜어 올리고 있었다. 스티븐은 상처 입은 고통과 잃어버린 희망과 짓밟힌 욕정이 마치 수증기처럼 일시에 용솟음쳐 흩어지는 것을 의식하면서 언덕길을 성큼성큼 걸어 내려갔다. 이와 같은 격정이 미칠 듯이 짙은 안개가 되어 그의 눈앞으로 피어올라 머리 위에서 사라지며 마침내 공기는 차갑게 말끔히 개는 것이었다.

눈앞에는 아직도 엷은 안개가 걷히지 않고 있었으나 타는 듯한 눈의 아픔은 가셨다. 여태까지도 늘 노여움과 원망을 쫓아 주던 어떤 힘이 그의 걸음을 이끌어 맸다. 스티븐은 멈추어 서서 시체 공시소의 음산한 현판을 바라보다가 그 곁에 있는 어둡고 좁다란 자갈길로 시선을 옮겼다. 옆 벽에는 '로츠'라는 거리 이름이 씌어 있었다. 그는 무겁고 퀴퀴한 공기를 서서히 빨아들였다. 그리고 이건 말 오줌과 썩은 짚 냄새라고 그는 생각했다. 그런데 막상 들이키자, 시원한 냄새가 아닌가. 기분이 차분해졌다. 이제 기분이 완전히 가라앉았다. 자, 돌아가자.

스티븐은 킹스브리지에서 다시 한 번 객차 한구석에 아버지와 나란히 자리를 잡았다. 코크행 야간 우편 열차를 타고 아버지와 함께 여행을 떠나는 중이었다. 열차가 역을 나서자 그는 몇 년 전 어렸을

때의 그 놀랍던 기분과 클론고스 학교에서 첫날 겪었던 온갖 사건들이 머릿속에 떠올랐다. 그런데 지금은 아무런 놀라움도 느껴지지 않았다. 저물어 가는 저녁 풍경이 뒤로 달려가며 4초마다 전신주가 창가를 퍼뜩퍼뜩 스쳐가고, 두서너 명의 역부가 등불을 켜들고 서 있는 작은 정거장 불빛이 깜박깜박 야간열차에 의해 뒤로 내던져지자 일순 어둠속에서 마치 기관수가 후방으로 흩뿌린 불꽃같이 보였다.

그는 아버지가 이야기하는 코크의 추억과 젊은 시절 이야기를 아무런 공감도 없이 듣고만 있었다. 아버지는 죽은 친구의 이야기를 하다가, 또는 이번 여행의 목적을 떠올릴 때마다 한숨을 짓고, 주머니 속에 삐죽이 내다보이는 술병을 꺼내어 한 모금씩 마시느라고 이야기는 중단되었다. 스티븐은 그 이야기를 듣고 있기는 했으나 동정심은 일어나지 않았다. 화제 속의 죽은 사람들 중에서 찰스 아저씨를 제외하고는 모두 생소한 사람들이었고, 이 예외적인 한 사람도 요즘 와서는 기억이 희미해지곤 했다. 그러나 그는 아버지의 재산이 경매에 붙여지는 사실을 알고 있었고, 따라서 자신이 품고 있던 꿈도 무참한 세파에 깨질 것을 알고 있었다.

메어리브르에 이르렀을 때 그는 잠들고 말았다. 눈을 떠 보니 열차는 말로를 통과하고 있었고, 아버지는 다른 좌석으로 옮겨 자고 있었다. 새벽녘의 싸늘한 빛이 인기척 없는 시골 밭과 오두막 위를 내리비치고 있었다. 고요한 시골 풍경을 바라보기도 하고 깊이 잠든 아버지의 숨소리와 이따금 몸부림치는 소리를 듣고 있자니 잠에 대한 공포가 스티븐의 마음을 사로잡았다.

모습은 보이지 않으나 잠든 사람들이 자기 곁에 있다고 생각하니 마치 그들이 자기를 해칠 것 같아 어쩐지 마음이 떨렸다. 그는 어서 날이 밝았으면 하고 빌었다. 그 기도는 하느님께 드리는 것도 성인에게 드리는 것도 아니었지만, 차가운 아침 바람이 객차 창틈을 통해 발 아래로 불어올 때 몸이 오싹해지는 것으로 시작하여 거세게 동요하는 열차 리듬에 맞추어 읊조리는 무의미한 말로써 끝났다. 질주하는 가락을 전신주는 4초마다 규칙적이고 정확한 소절로 끊어 갔다. 이 거센 음악이 공포심을 풀어 주어 그는 창가에 몸을 기대고 눈을 감았다.

아직 이른 아침, 두 사람은 이륜마차로 코크 시를 가로질러 빅토리아 호텔에 들어 부족한 잠을 잤다. 밝고 따스한 빛이 창에서 비치고 거리의 소음이 들려 왔다. 아버지는 화장대 앞에 서서 머리칼과 얼굴, 콧수염 등을 자세히 들여다보고, 목을 길게 뽑아 물병을 보다가는 다시 옆으로 움츠리고는 수통에 물이 얼마나 들어 있는가를 확인했다. 그러는 동안 그는 묘한 악센트와 말투로 혼자 나직이 노래를 불렀다.

젊은 혈기로

장가는 갔다만

사랑하는 그대여

이젠 안녕

쏟아진 물은

다시 담지 못하는 것

나는 가련다, 미국으로

아, 이별의 뱃고동

아름답던 그대여

화사했던 그대여

갓 담은 술일 때는

그지없이 그윽했던

낡아서 김도 새어

식어서 싸늘한

떨어져 덧없는

아, 산 위의 이슬방울

창밖의 따스한 햇살이 내리쬐는 거리를 의식하면서 아버지가 부르는, 부드럽게 울리는 노랫소리가 슬프고도 행복한 가락을 마치 꽃줄 엮듯이 장식해 가는 것을 듣고 있자니 어젯밤 그 침울하던 기분은 스티븐의 뇌리에서 안개 걷히듯 사라졌다. 대뜸 일어나 몸치장을 하려는데 노랫소리가 그쳤으므로 스티븐은 이렇게 말했다.

"아버지의 그 노랫소리, '다들 와봐요'라는 곡보다도 한결 멋지군요."

"그렇게 생각되니?"

디달러스 씨는 부드럽게 물었다.

"마음에 드는걸요."

"아주 옛날 노래야."

디달러스 씨는 수염 끝을 비틀었다.

"하지만 믹크 레이시가 부르는 것을 들려주고 싶은데, 믹크 레이시도 죽어 버렸단다. 이 노래를 좋아했지. 소절을 멋지게 불러 넘겼거든. '다들 와봐요'를 진짜 잘 부른 사람은 그뿐이야."

아버지는 아침 식사로 고기와 오트밀과 푸딩을 주문하고 식사를 하면서 급사에게 이 지방 사정을 이것저것 물었다. 하나의 이름을 들먹일 때마다 두 사람의 이야기는 빗나갔다. 급사 쪽은 현재 주인을 염두에 두고 있는데 디달러스 씨는 현재 주인의 아버지 내지 할아버지의 이야기를 꺼냈기 때문이었다.

"하지만 퀸스 대학만은 옛날과 다름이 없지?"

디달러스 씨가 말했다.

"우리 아이에게 보여 주고 싶어서 말이야."

마다이크 거리의 나무는 꽃이 만발하였다. 두 사람은 교내로 들어가 수다스러운 수위의 안내를 받으며 안뜰로 들어갔다. 그런데 여남은 발짝도 가지 못해 수위가 길게 설명을 늘어놓는 바람에 자갈길에 멈춰서야 했다.

"호, 그래요. 그럼, 저 포틀벨리도 죽었어요?"

"예, 그렇습니다, 예."

이와 같이 몇 번이나 걸음을 멈추는 바람에 스티븐은 두 사나이의 뒤에서 언짢은 기분으로 어서 지리한 이야기가 끝나 빨리 걸었으면 싶었다. 겨우 참고 안뜰을 다 건넜다. 빈틈없고 의심 많은 성품인 아버지가 어째서 아첨꾼 수위의 알랑거리는 거동에 쉽사리 넘어가는지 이상하기만 했다. 아침나절에는 재미있게 들을 수 있었던 활기찬 남부 사투리도 이젠 귀에 거슬렸다.

계단식으로 되어 있는 해부실로 들어서자 아버지는 수위의 도움을 받아 자신의 머리글자가 새겨져 있는 책상을 찾았다. 스티븐은 어두컴컴하고 호젓한 계단식 교실의 분위기와 딱딱하고 형식적인 학습 분위기에 기가 질려 뒤쪽에 혼자 남아 있었다. 그는 까맣게 때가 묻은 책상에 수차례 걸쳐 새겨진 '태아'라는 단어를 읽곤 했다. 이 단어가 그의 피를 들끓게 했다. 갑자기 스티븐은 그들로부터 피해 달아나고 싶었다. 아버지의 이야기로는 도무지 머리에 떠오르지 않던 학생들의 이미지가 책상 위에 새겨진 글을 보자 눈앞에 뚜렷이 떠올랐다. 벌어진 어깨에 콧수염을 기른 한 학생이 잭나이프로 열심히 글을 새기고 있다, 다른 학생들은 그의 곁에 앉거나 서서 그 작업을 보고 웃고 있다, 그리고 한 학생이 그의 옆구리를 쿡 찌른다, 그는 헐렁한 회색 양복을 걸치고 붉은 구두를 신고 있다.

"스티븐" 하고 이름을 부르는 소리가 나자 그는 되도록 그 환상에서 벗어나려고 교실 계단을 부리나케 뛰어 내려가 아버지가 새긴 단어를 들여다보면서 붉어진 얼굴을 급히 감추었다. 그런데 가운데 뜰을 가로질러 교문으로 가는 도중에도 그의 눈앞에는 그 말과 환영이 어른거리면서 사라지지 않았다. 여태껏 자기의 마음속에서만 감추었던 동물적 이상 심리라고 간주해 온 그 자취를 외계에 드러낸 탓으로 스티븐은 충격을 받았다. 그리고 괴상한 공상들이 한데 모여 기억 속으로 쳐들어왔다. 이것들 역시 갑자기, 그리고 거세게 단순한 말에 이끌려 그의 눈앞에 가득 모여들었다. 그는 속절없이 그 환상 앞에 굴복했고, 침입해 온 그들이 자기의 지성을 더럽히는 그대로 내맡기고 있었다. 그리고 언제나 이것은 도대체 어디서 나타나는 것인가, 기괴한 이미지의 어떤 동굴 속에서 나타나는 것일까 하고 의아해하면서 이 환상이 지나쳐 버리면 그는 언제나 남에게 약하게 굴며, 겸허하게 대하고 자기 자신에게는 불안과 혐오의 생각을 품는 것이었다.

"그래, 그래! 식료품점이라는 게 있었어!"

디달러스 씨가 외쳤다.

"얘, 스티븐, 내가 식료품상 얘길 늘 하잖았어? 우리들은 출석 점호만 끝나면 떼를 지어 잘도 그곳으로 찾아가곤 했지. 해리 퍼드, 꼬마 잭 마운틴, 보브 다이아스, 프랑스 사람 모리스 모리아티. 게다가 톰 오그라디와 오늘 아침 화제에 올랐던 믹크 레이시, 조이 코르베트와 탄타일 가의 조니 귀버스 등등."

마다이크 거리의 나뭇잎들은 햇볕을 받아 살랑살랑 나부끼고 있었다. 크리켓 선수 한 팀이 지나가고 있었다. 그들은 플란넬 운동복에 블레이저 코트를 걸친 날렵한 젊은이들로서 그 중 한 사람은 기다란 초록색 운동구 자루를 들고 있었다. 호젓한 뒷골목에서는 빛이 바랜 제복을 입고 찌그러진 금관악기를 연주하는 독일인 밴드 5인조가 부랑아들과 게으름뱅이 심부름꾼들을 상대로 연극을 하고 있었다. 또 흰 모자에 앞치마를 걸친 식모아이가 창가에 놓인 화분에 물을 주고 있었다. 그 화분은 따스하고 눈부신 햇살을 받아 두꺼운 석회암 암반처럼 반짝였다. 통풍을 위해 열어 놓은 다른 창에서 들려오는 피아노

소리는 점차 음정이 높아져 끝내 최고 음정에 이르렀다.

스티븐은 아버지와 나란히 걸으면서 이전에도 들은 적이 있는 이야기에 귀를 기울이곤, 젊은 시절 아버지 친구였던 사람 중에 지금은 뿔뿔이 헤어졌거나 죽은 난봉꾼들의 이름을 다시 듣고 있었다. 아련한 불쾌감이 자꾸만 마음속에서 감돌았다. 그는 벨베데어에서 자기가 처했던 애매했던 위치를 회상하고 있었다. 수업료를 면제받는 학생으로서 자기의 권위에 불만을 가진 우수한 학생, 오만하고 감수성이 강하고 회의적이고 자기 생활의 비루함과 자기 마음의 방자함과 싸우던 당시를 회상했다. 때 묻은 나무 책상에 새긴 글자가 그를 쏘아보고 그의 육체적 취약성과 허망한 광증을 비웃으며, 광적이며 불결한 정열의 폭발에 대해 혐오감을 더해 주었다. 목구멍에 괸 침을 삼키자 씁쓰름한 메스꺼움이 머리에 치밀어 잠시 동안 그는 눈을 감고 깜깜한 암흑세계를 헤매었다.

그래도 아버지 말소리는 들려 왔다.

"네가 세상에 나가게 되면 말이야, 스티븐…… 어차피…… 그렇겠지만…… 무슨 일을 하든 신사들과 사귀어야만 하는 거야. 난 젊은 시절 무척이나 즐겁게 살았단다. 훌륭한 분들과 어울렸었지. 우리들 패거리는 누구나 한 가지씩 재능을 가진 사람들이었다. 음색이 좋은 친구도 있었고, 연극의 명수도 있었다. 우스운 노래를 멋지게 부르는 친구도 있었고, 보트를 잘 젓는 친구도 있었지. 뛰어난 테니스 선수가 있는가 하면 청산유수로 말재간을 부리는 친구도 있었지. 언제나 삶을 즐기며 유쾌한 기분에 젖고 세상의 일도 조금은 관여했지만 그렇다고 품위를 잃는 일은 없었다. 다들 신사였으니까 말이야, 스티븐…… 적어도 그런 생각이 들어…… 게다가 선량하고 정직한 아일랜드인이기도 했다. 너는 이런 올바른 기질을 가진 친구들과 사귀어야만 해. 난 네 친구의 입장에서 말하는 거야, 스티븐. 아들이 반드시 아버지를 두려워해야 하는 이유는 없다고 생각해. 내가 젊었을 무렵 할아버지가 내게 대하셨듯이 나도 너에게 그렇게 대하고 있는 거야. 할아버지와 나는 부자간이라기보다 형제간 같았지. 담배를 피우다가 들킨 첫날의 일을 아버지는 잊을 수가 없다. 어느 날 같은 또래들과 함께 사우스 테라스 곁에 모여 서서 다들 입에 파이프를 물고는 제법 어른이라도 된 것처럼 으스대고 있었지. 그런데 할아버지가 갑자기 그 앞을 지나가시지 않겠니. 아무 말도 없으셨고 또 멈춰 서지도 않으셨어. 다음날은 일요일이어서 둘이 같이 산책을 나갔지. 돌아오는 길에 궐련을 꺼내시면서 이렇게 말씀하시지 않겠어. '그런데 말이야, 사이몬. 네가 담배를 피우는 줄은 미처 몰랐구나.' 뭐, 그런 말씀이었어. 물론 나는 되도록 태연한 척하였단다. '좋은 담배를 피우고 싶으면 이 궐련을 하나 피워 보지.' 하시는 거야. '어젯밤 퀸스 타운에서 미국인 선장에게 얻은 거란다.' 하며 말이야."

스티븐은 아버지의 웃음소리가 마치 흐느껴 우는 것처럼 느껴졌다.

"아버진 그 무렵 코크 제일의 미남이셨단다. 여자들은 항상 거리에서 발걸음을 멈추고는 그 뒷모습을 바라보곤 했지."

그는 아버지의 목구멍에서 흐느끼는 소리가 꿀꿀 소리를 내며 사그라지는 것을 듣고 갑작스런 충동에 눈을 떴다. 햇빛이 갑자기 시야에 비쳐들자 하늘과 구름이 짙은 장밋빛 호수 같은 바탕에 둥실 뜬 검은 덩어리의 꿈나라같이 보였다. 그는 머릿속까지 아찔해지며 나른하여 힘이 없었다. 상점의 간판도 글자도 읽을 수가 없었다. 자기의 묘한 생활 태도로 인해 현실 밖으로 뛰쳐나가 버린 것 같은 느낌이었다. 현실 세계에서는 그에게 감동을 줄 만한 것이나 말을 걸어오는 것이라고는 아무것도 없었다. 오직 마음의 밑바닥에서 미친 듯 외치는 고함 소리의 메아리가 들릴 뿐이었다. 그는 이 지상의, 또는 인간의 호소에 반응을 보일 수도 없고 사랑과 환희와 우정의 호소에 대해서도 무감각했으며, 아버지의 말소리에는 넌더리가 나고 지겹기만 했다. 그는 자기 생각이 자기의 생각이라는 것조차 분별하지 못하고 마음속에서 느릿느릿 이와 같이 되풀이했다.

"난 스티븐 디달러스다. 아버지와 나란히 걷고 있다. 아버지의 이름은 사이몬 디달러스. 우리들은 아일랜드의 코크에 있다. 코크는 거리이고, 우리는 빅토리아 호텔에 숙소를 정하고 있다. 빅토리아와 스티븐과 사이몬. 사이몬과 스티븐과 빅토리아. 모두 다 이름들이다."

순간 어릴 적 추억이 갑자기 희미해졌다. 스티븐은 생생하던 순간의 일들을 몇 가지 떠올리려 했으나 허사였다. 생각나는 것은 오직 이름들뿐이었다. 댄티, 파넬, 클레인, 클론고스. 조그마한 사내아이가 옷장 속에 두 개의 솔을 간직하고 있는 노파에게 지리를 배우고 있었다. 이윽고 그는 집을 떠나 학교로 갔고, 처음으로 영성체를 하고 크리켓 모자 속에 들어 있는 과자를 먹고, 작은 병실 벽에 하늘거리는 난롯불 그림자를 바라보며, 죽음에 대해서, 검정빛 바탕에 금빛 수를 놓은 망토를 입은 교장 선생님이 자기를 위해 읊어 주던 미사에 대해서, 귤나무 가로수 저편에 있는 수도회의 작은 무덤 속에 묻힐 일들을 상상하곤 했다. 그러나 그때 그는 죽지를 않았다. 파넬이 죽었다. 예배당에서 미사도 받지 않고 따르는 행렬도 없었다. 그는 죽은 게 아니고 햇볕 속의 엷은 막처럼 사라졌을 뿐이다. 행방불명이 되었거나 아니면 존재 밖으로 헤매고 나갔다고나 할까, 아무튼 이젠 생존하고 있지 않으니까. 자신이 이와 같이 죽음에 의해서가 아니라 햇볕을 받아 사라져 버리든가, 행방불명이 되어 우주의 그 어느 곳에서 잊혀지든가 하여 존재하지 않게 된다는 걸 생각하니 스티븐은 너무나 이상한 기분이 들었다! 자기의 조그만 모습을 잠시 상상해 보아도 기분이 이상했다. 허리띠가 달린 회색 양복을 걸친 조그만 사내아이, 두 손을 주머니 속에 넣고 바지는 무릎께에서 접어 올려 고무줄로 죄어 매고 있는 소년이었다.

재산이 경매되던 날 밤, 스티븐은 얌전히 아버지 뒤를 따라 술집에서 술집으로 돌아다녔다. 술집 주인과 색시들에게, 그리고 1페니만 달라고 귀찮게 달라붙는 거지에게도 디달러스 씨는 똑같은 말, 즉 자기는 코크 대학 출신이라느니, 더블린에서 30년간이나 살면서 코크 사투리를 고치려고 무척 애를 썼다느니, 자기 곁에 있는 이 아이는 자기집 대들보인데 더블린 태생이라는 등의 말을 했다.

그들은 이른 아침 뉴콤의 커피숍에서 하루를 시작했는데 여기서 디달러스 씨는 찻잔을 접시에 부딪쳐 요란한 소리를 냈다. 스티븐은 의자를 움직이거나 기침을 하면서 어제 저녁 아버지가 술좌석에서 벌인 소동을 부끄럽게 생각하는 것을 덮어 주려고 애썼다. 모욕적인 사건이 꼬리를 물고 일어났다. 시장 장사치들의 헛웃음, 아버지와 시시덕거릴 때 술집 색시들의 추파, 아버지 친구라는 사람들의 공연한 칭찬 따위가 모두 모욕적이었다. 그의 친구들이 그에게 어쩌면 스티븐이 조부를 그렇게나 닮았느냐고 하면 그는 아버지의 얼굴을 닮기는 했으나 추하게 닮았노라고 맞장구쳤다. 그들은 스티븐의 말투에서 코크 사투리를 찾아내기도 하고, 리 강이 리피 강보다 한결 낫다는 것을 인정하도록 강요했다. 또 한 사람은 라틴어 실력을 시험해 볼 양으로 《딜렉투스》라는 라틴어 발췌 문집에 나오는 짧은 구절을 번역해 보게 했고, 또 'Tempora mutantur nos et mutamur in illis(세월은 우리를 변하게 한다)'와 'Tempora mutantur et nos mutamur in illis(우리는 세월 속에서 변한다)'의 어느 쪽이 맞느냐고 물었다. 조니 캐시맨이라고 부르는 한 사람의 정정한 노인은 더블린의 여자와 코크의 여자는 어느 쪽이 더 예쁘냐고 물음으로써 또 그를 괴롭혔다.

"얘는 그런 방면에는 소질이 없소."

디달러스 씨가 말했다.

"가만 내버려 둬요. 분별력이 있는 애니까. 그 따위 시시한 일에는 머리를 안 쓴다고."

"그럼, 아버지의 아들이 아니군 그래."

작은 몸집의 노인이 말했다.

"그건 모르겠네."

디달러스 씨는 만족스럽다는 듯이 미소를 지었다.

"너의 아버지는 젊은 시절 코크에서 제일가는 난봉꾼이었지. 알고 있니?"

작은 몸집의 노인은 스티븐에게 말했다.

스티븐은 여기저기 떠돌다 들어온 이 술집의 타일 바닥을 내려다보곤 거기에 시선을 주고 있었다.

"얘한테 이상한 말일랑 하지 말게."

디달러스 씨가 말했다.

"얘는 하느님께 맡겨 두라고."

"아니, 이상한 생각을 주입시키려는 게 아냐. 나로 말하면 얘의 할아버지뻘이나 될 나이가 아닌가. 정말 노인이라고. 알겠나?"

작은 몸집의 노인이 말했다.

"정말이에요?"

스티븐이 물었다.

"그럼. 산디스웰에 가면 개구쟁이 손자놈이 둘이나 있다고. 내 나이가 얼마쯤 되어 보이느냐? 너의 할아버지가 빨간 외투를 입고 개를 데리고 사냥을 나서던 광경을 지금도 기억하고 있단다. 네가 태어나기도 전이었지."

"그래, 그건 이 애를 낳을 생각도 하기 전 이야기군."

디달러스 씨가 말했다.

"분명히 기억하고말고."

작은 몸집의 노인은 되풀이했다.

"그뿐만이 아니야. 너의 증조부 존 스티븐 디달러스에 관해서도 기

억하고 있단다. 이분이 또 걷잡을 수 없이 무모한 분이었지. 어때 잘 기억하고 있지?"

"3대에 걸쳐서…… 아니 4대짼가?"

함께 있던 사람들 중 한 사나이가 말했다.

"그럼, 존 캐시맨, 자네 나이가 거의 백 살쯤 되는 모양이군 그래."

"아니야, 사실을 말하자면……."

작은 몸집의 노인은 말했다.

"난 고작 스물일곱 살이야."

"나이란 말하자면 기분에 달려 있는 셈이지, 존."

디달러스 씨가 말했다.

"거기 잔 비우고 다시 한 잔 마시자고. 야, 팀인지 톰인지 모르겠다만 새로 한 잔씩 가져와. 확실히 나도 열여덟 살 기분이야. 여기 우리 아이는 내 나이의 반도 되지 않았지만 아직은 무엇을 해도 저 애보다 내가 낫지."

"너무 큰소리 하지 마, 디달러스. 자네도 차차 은퇴할 나이야."

아까 입을 열었던 신사가 말했다.

"천만의 말씀!"

디달러스 씨는 말했다.

"애를 상대로 노래 부르기 시합도 하고 장애물 넘기도 하고 함께 들에 나가 사냥개의 뒤를 쫓기도 하지만 지지 않아. 이래봬도 내가 이긴다니까."

"하지만 저 애는 자네를 쓰러뜨릴 수 있는걸."

작은 몸집의 노인은 말하면서 찰싹 자기의 이마를 때리고 술잔을 높이 쳐들어 쭉 들이켰다.

"어쨌든 아비만큼 훌륭한 사람이 되어 줄 거야. 그 정도밖엔 보장 못하지만."

디달러스 씨가 말했다.

"자네만큼만 된다면 괜찮은 편이지."

작은 몸집의 노인이 말했다.

"아무튼 고마우이, 존. 우리는 이렇게 살아도 남에게는 폐를 끼치지 않고 살았지."

디덜러스 씨는 말했다.

"아니야, 좋은 일도 많이 했지, 사이몬."

작은 몸집의 노인은 점잖게 말했다.

"이처럼 오래 살면서 좋은 일을 그렇게 많이 할 수 있었던 건 정말 고마운 일이야."

스티븐은 아버지와 그의 두 친구가 그들의 옛 추억을 위해 카운터에서 세 개의 술잔을 들어 올려 건배하는 것을 바라보았다. 운명의 심연이, 아니면 기질의 차이가 그와 그들을 갈라놓고 있었다. 자기의 마음이 그들의 마음보다도 훨씬 노쇠해 있는 듯이 느껴졌다. 자신의 심정은 마치 젊은 대지 위에 떠 있는 달처럼 그들의 다툼과 행복과 회한을 냉정하게 내리비치고 있었다. 그의 마음속에서는 생명과 청춘이 그들의 마음처럼 약동하지를 않았다. 그는 남과 사귀는 즐거움도, 씩씩한 남성의 건강한 힘도, 그리고 자식으로서의 애정도 느껴 보지

못했다. 그의 영혼 속에서 약동하는 것은 오직 차갑고 잔혹하고 사랑 없는 욕정뿐이었다. 그의 소년 시대는 죽어 버렸거나 소멸해 버렸고, 그와 더불어 단순한 즐거움을 맛볼 수 있는 영혼도 사라져, 그는 쓸쓸한 조각달처럼 삿대 없이 삶의 한가운데를 떠돌고 있을 뿐이었다.

그대의 얼굴이 창백함은
하루를 오르며 땅을 굽어보며
외로이 떠도는 데 지쳤기 때문인가?

그는 셸리의 단편 시 몇 줄을 혼자 중얼거리고 있었다. 이 시에서 노래하고 있는 슬픈 인간의 헛된 노력과 인간으로서는 할 수 없는 활동의 커다란 순환이 번갈아 찾아드는 사태를 주시하고 있자니 마음은 싸늘하게 식어만 갔다. 그는 자신의 허망한 슬픔도 잊고 있었다.

어머니와 아우와 사촌 동생이 고요한 포스터 광장 모퉁이에서 기다리는 동안, 스티븐은 아버지와 함께 계단을 올라 수위가 지켜 서 있는 주랑(柱廊)을 따라 걸어갔다. 그리고 큰 홀로 들어가 은행 카운터 앞에 선 후 30파운드짜리와 3파운드짜리 수표를 끄집어냈다. 이것은 경시대회에서 받은 장학금과 논문에서 탄 상금이었는데, 출납계는 지폐와 잔돈을 섞어 즉각 내주었다. 그는 덤덤한 기분으로 그걸 주머니에 집어넣고, 아버지와 이야기하던 친절한 출납계원이 폭이 넓은 카운터 저쪽에서 손을 뻗어 대성하기 바란다는 인사를 건넸을 때 그는 그 손을 잡아 주었다. 하지만 그는 두 사람이 하는 말에 참을 재간이 없어 거의 그 자리에 서 있을 수가 없었다. 그러나 출납계는 다른 고객은 신경도 쓰지 않고 지금은 시대가 달라진 만큼 재정이 허락한 남자아이에게는 최고의 교육을 받게 하는 것이 가장 현명한 방법이라고 말하였다. 디달러스 씨는 큰 홀 안을 이리저리 거닐면서 주위를 바라보기도 하고 천장을 쳐다보기도 하면서 스티븐이 빨리 가자고 재촉을 해도, 우리는 지금 옛날 아일랜드 의회의 하원에 들어와 있노라며 딴청을 피웠다.

"아아, 하느님의 가호가 있기를!"

그는 경건한 투로 빌었다.

"얘, 스티븐. 힐리 허친슨, 플루드, 헨리 그래튼, 찰스 켄달 부시(이들은 18세기 말엽 아일랜드 의회의 중추 격으로 모두가 웅변으로 유명했다) 등등의 그즈음 사람들과, 요즈음 아일랜드 민중의 지도자, 그게 망명 인사든 국내에 있는 사람이든, 이 둘을 비교하면 한숨이 나올 지경이야. 글쎄, 정말이지, 그분들은 이 따위 사람들과 묘지에 함께 묻히고 싶지도 않을 거란 말이야. 스티븐, 안된 이야기지만 요즘 사람들은 아름다운 7월에 멋진 5월의 아침과 떠돌아다니는 자들에 불과하단 말이야."

은행 주위에는 매서운 10월의 바람이 불고 있었다, 진흙투성이의 길 가장자리에 서 있던 세 사람은 얼굴이 질리고 눈물이 괴었다. 스티븐은 어머니가 얇은 옷을 입고 있는 것을 보자 며칠 전 버나드 가게의 진열대에서 20기니짜리 망토를 본 기억이 되살아났다.

"자, 이걸로 끝났다."

디달러스 씨가 말했다.

"다함께 식사나 하죠."

스티븐은 말했다.

"어디가 좋을까?"

"식사? 응. 어디로 가는 게 좋을까?"

디달러스 씨가 말했다.

"언더든으로 갈까?"

"예, 어디나 조용한 데가 좋겠어요."

"자, 가세요. 비싸면 어때요."

스티븐이 재빨리 말했다.

스티븐은 미소를 띠면서 신경질적인 잰걸음으로 앞장서서 성큼성큼 걸어갔다. 다들 그의 열성을 흐뭇해하면서 뒤지지 않게 따라갔다.

"제발 부탁이다, 좀 천천히 걷자꾸나. 무슨 단거리 경주를 하는 것이 아니잖아."

아버지가 말했다.

들뜬 소동의 계절이 재빨리 지나가고 있는 동안 상금은 스티븐의 손가락 사이에서 빠져나갔다. 식료품, 과자, 마른 과일 등의 큰 꾸러미들이 시내에서 운반되어 왔다. 날마다 그는 가족을 위해 찬거리를 준비하고, 밤마다 셋 또는 네 사람이 어울려 《잉고마(독일 작가 프리드리히 한이 쓴 멜로드라마)》니 《리옹의 상류 부인(에드워드 불워리튼의 낭만적 희극)》을 보러 극장으로 갔다. 상의 주머니 속에는 손님에게 권할 비엔나 초콜릿이 들어 있었고, 양복바지 주머니에는 은화와 금화가 불룩하게 들어 있었다. 그는 여러 사람들에게 줄 선물을 사고, 방을 꾸몄으며, 책꽂이를 정리하고, 사고 싶은 물건들의 가격을 열심히 조사했다. 그리고 가족이 각기 자기 임무를 담당하는 가정 안에서의 공화제를 입안하고, 가족에게 돈을 빌려 주고, 그 이자를 계산하는 것이 무엇보다도 즐거웠다. 할일이 없을 때는 마차를 타고 시내 여기저기를 헤맸다. 여기서 환락의 계절은 끝났다. 분홍빛 에나멜 통도 텅 비었고, 침실의 벽판자는 꼴사납게도 칠을 하다가 말고 그대로 있었다.

집안 살림은 다시 옛날로 되돌아갔다. 어머니는 스티븐이 낭비를 한다는 잔소리도 하지 않았다. 그도 종전의 학생 생활로 돌아가 새로운 계획은 깡그리 허물어졌다. 공화제도 끝장났고, 가족들에게 돈을 빌려 줄 수도 없었다. 그의 생활에 관해 그가 적은 규칙도 죄다 폐지되었다.

이 얼마나 바보스런 계획이었던가! 주위의 더러운 세파에 대하여 질서와 품위라는 방파제를 쌓고 호의와 적극적인 관심, 새로운 부자 관계의 법칙에 따라 마음속에 거듭 밀어닥치는 거센 파도를 가로막으려 했으나 허사였던 것이다.

스티븐은 자기 자신이 불모의 고립 속에 처해 있음을 분명히 깨달았다. 접근하려던 생활에 단 한걸음도 접근하지 못하였고, 자기 어머니와 식구들로부터 소외된 채 불안과 굴욕과 미움을 해소할 수도 없었다.

그는 마음속의 거센 동경심을 진정시키려 했고, 이것 앞에서는 그 밖의 모든 것이 서로 용납되지 않는 하찮은 일로만 생각되었다. 자

신이 큰 죄를 범하고 있는 것도 자기의 생활이 핑계와 속임수로 차 있다는 것도 개의치 않았다. 그는 다만 마음속에 꾀하고 있는 극악한 흉계를 실현하려는 야만적인 욕망 외에 무엇 하나 신선한 것이 없다는 생각이었다. 치사스러울 정도로 소상히 그려 보는 남모르는 음란한 광경을 비웃듯이 눈앞에 그려 보는 환상까지 즐기고 있었다. 밤낮을 가리지 않고 그는 외계(外界)의 비뚤어진 이미지 속을 헤치며 걸어 다녔다. 낮에는 고상하고 때 묻지 않은 순결한 것으로 보이던 어떤 형태가 밤이 되면 비뚤어진 수면의 어둠을 통해 그에게로 다가왔다. 그때 그녀의 얼굴은 음탕하고 교활하게 일그러져 눈에는 야수 같은 희열로 반짝였다. 그러다가 아침이 되면 암흑 속에서 펼쳐진 제전(祭典)의 희미한 기억이 날카롭고 파괴적인 감각과 더불어 그를 괴롭혔다.

스티븐은 다시 거리를 헤매기 시작했다. 하지만 조촐한 앞뜰도 창가에서 새어나오는 그리운 불빛도 이젠 그의 마음을 너그럽게 해 주지 못했다. 이따금 욕정이 잠잠하게 가라앉을 때면 몸을 피로하게 만드는 음란한 생각이 사라지고, 아늑한 권태가 찾아들면 메르세데스의 모습이 그의 기억의 배경을 스쳐갔다. 그는 다시금 자그맣고 뽀얀 집하며, 장미 울타리가 있는 더블린 산맥으로 통하는 길가의 정원을 그려 보았다. 그리하여 그는 자기가 이곳에서 그녀와 나란히 달빛 비치는 뜰에 서서 이별과 모험의 오랜 세월 뒤에 하자던 슬프고도 의젓한 거부의 몸짓을 회상하는 것이었다. 이런 순간에는 클로드 멜노트(《리용의 상류 부인》의 주인공)의 상냥한 말이 입술에 떠올라 그의 불안을 씻어 주었다. 이전에 그가 바라던 약속의 예감이, 그리고 지난날의 희망과 현재 사이에 놓여 있는 무서운 현실에도 불구하고 여전히 그가 마음속에 그리던 밀회의 예감이 부드럽게 그의 가슴에 떠올랐다. 그 밀회에 의해 그의 취약성과 소심과 무경험은 그로부터 사라져 갈 것이다.

이러한 순간이 지나면 마음을 피로하게 만드는 욕정의 불꽃이 다시 피어올랐다. 그의 피는 이제 끓어올랐다. 그는 질퍽거리는 어두운 거리를 이리저리 헤매며 깜깜한 골목과 남의 집을 기웃거리면서 무슨 소리를 들으려고 열심히 귀를 기울였다. 자기와 같은 다른 누구와, 즉 억지로라도 계집애를 끌어넣어 죄를 범하고는 같이 기쁨에 젖고도 싶었다. 무언가 깜깜한 존재가 어둠 속에서 버틸 수 없는 거센 힘으로 그에게 다그쳐 오는 것같이 느껴졌다. 이 속삭임 같은 미묘한 존재는 그를 홍수처럼 내리덮었다. 그는 경련이라도 일으킨 듯 두 주먹을 꼭 쥐고 몸에 스며드는 고통을 맛보면서 이를 악물었다. 그는 거리에서 두 팔을 번쩍 벌린 채 자기로부터 빠져나가려고 하면서 계속 자극을 주는, 이 정체 없이 점차 스러져가는 형태를 부여잡으려 했다. 그러자 오랫동안 목구멍을 짓누르고 있던 고함 소리가 입술을 차고 터져 나왔다. 그것은 지옥에서 신음하는 혼들의 절망에 찬 흐느낌처럼 그의 입으로 튀어나와 미친 듯 울부짖는 애원의 소리로 변해 나직이 사라졌다. 그것은 추악한 음욕을 갈구하는 절규이자 지저분한 화장실 벽에서 읽은 적이 있는 음란한 낙서의 메아리였다.

스티븐은 비좁고 추잡한 미궁 속의 거리로 헤매어 들어왔다. 추악한 골목길에서 떠들어 대는 목쉰 고함 소리, 싸움하는 소리, 주정꾼들의 길게 빼는 노랫소리가 들려 왔다. 그는 거침없이 성큼성큼 걸어 들어가며 유태인 거주지까지 들어왔나 하고 생각했다. 화려하고 긴 가운을 걸친 여인들과 소녀들이 한길을 가로질러 이쪽 집에서 저쪽 집으로 드나들었다. 그들은 무척 한가하게 보였으며 짙은 향수 냄새를 풍기고 있었다. 전신이 오싹해지며 눈앞이 아찔했다. 가스의 불꽃이 그의 어지러운 눈앞에서 안개 낀 하늘로 피어올라 마치 제단 앞에 켜진 불꽃처럼 타고 있었다. 문 앞과 밝은 현관에는 무슨 행사라도 있는지 아름답게 차린 여자들이 무리를 지어 모여 있었다. 그는 한길 한가운데 꼼짝 않고 서 있었다. 심장이 마구 뛰었다. 분홍빛 긴 잠옷을 걸친 젊은 여인이 그의 팔을 부여잡고 얼굴을 들여다보며 말했다.

"어서 오세요!"

여인의 방은 밝고 따뜻했다. 침대 곁의 큰 안락의자에는 굉장히 큰 인형 하나가 양쪽 다리를 벌리고 앉아 있었다. 스티븐은 태연한 척 무슨 말을 걸어 보려고 애를 태우면서, 여인이 잠옷을 벗고는 향수 냄새가 풍기는 머리를 자랑스러운 듯이 짐짓 멋지게 걷어 올리는 것을 바라보았다.

말없이 방 한가운데 서 있자니 여인이 다가와서 명랑하면서도 침착한 태도로 그를 끌어안았다. 여인이 통통한 두 팔로 그를 꼭 끌어안자, 그는 조용히 쳐다보는 그녀의 얼굴을 보면서 따스한 가슴이 잔잔한 기복을 일으키는 것을 느꼈다. 그리고 흥분이 되어 울음을 터뜨리고 싶었다. 기쁨과 안도의 눈물이 그의 만족스런 두 눈에 번쩍이며 입술을 벌렸으나 도무지 말을 할 수가 없었다.

그녀는 한쪽 손으로 그의 머리칼을 쓰다듬으며 그를 꼬마 악한이라고 불렀다.

"키스해 줘요."

그녀가 요구했다. 그는 키스하기 위해 얼굴을 굽히지 않았다. 그녀의 팔에 안겨 느긋한 애무를 받고 싶었던 것이다. 여인의 팔 속에서 그는 갑자기 대담해져 자신감을 느꼈다. 그러나 그의 입술은 절대 여인과 키스를 하기 위해 굽히려 하지 않았다.

갑자기 여인은 스티븐의 고개를 꺾으며 자신의 입술을 그의 입술에 대었다. 그는 말똥히 칩떠보는 그녀의 눈길에서 어떤 의미를 포착했다. 그것으로서 충분했다. 몸도 마음도 그녀에게 굴복해 버리고, 의식하고 있는 것은 다만 그녀의 부드럽게 벌린 은근한 압박뿐이었다. 그녀의 입술은 마치 애매한 언어의 그릇인 양 그의 입술에 대해서처럼 그의 두뇌에도 압력을 가했다. 그리하여 그 입술 사이에서 그는 아직껏 알 수 없는 감촉, 죄악 속의 도취보다도 은근하고 음향이나 향기보다도 더 부드러운 것을 느꼈다.

제 3 장

음산한 12월 어느 날 낮이 기울자 날쌘 땅거미가 익살스럽게 뒹굴며 찾아들었다. 음침한 교실의 네모진 창을 통해 밖을 내다보면서 스티븐은 먹을 것을 달라고 뱃속에서 쪼르륵거리는 것을 느꼈다. 저녁 식사는 스튜일 것이다. 후추를 맵게 뿌리고 밀가루를 듬뿍 섞은 물컹한 수프 속에 뾰족이 내민 무, 당근, 으깬 감자, 기름진 양고기 살점 등……. 그것을 가득히 내려 보내 달라고 위는 보채고 있었다.

곧 음침하고 은근한 밤이 오리라. 일찍 해가 저물고 나면 누런 가로등이 여기저기 켜지고 지저분한 사창굴을 비출 것이다. 그러면 그는 꼬불꼬불한 거리를 걸어, 두려움과 즐거움에 전신을 떨면서 점차 거기로 접근해 가서 갑자기 어두컴컴한 모퉁이를 굽어들 것이다. 그때 마침 창녀들은 자신들의 집을 나와 밤 준비를 하고, 낮잠에서 깨어난 권태로 길게 하품을 내뿜으며 머리칼에 핀을 고쳐 꼽기도 할 것이다. 그때 그는 갑자기 그녀들의 향수를 흩뿌린 살덩이가 죄악을 구하는 자신의 영혼으로 호소해 오는 것을 기다리면서 성큼 그녀들 곁을 지나칠 것이다. 그 호소를 기다리며 헤맬 때 욕정으로 마비된 그의 감각은 감각을 훼손시키고 욕되게 하는 모든 것을 매섭게 관찰할 것이다. 식탁보를 씌우지 않은 식탁 위에 엉겨 붙은 흑맥주의 거품 자국, 차렷 자세로 서 있는 두 병사의 사진도 그리고 화사한 포스터도 그는 놓치지 않을 것이다. 그리고 귀는 느릿느릿한 창녀들 고유의 인사말을 듣고 있을 테지.

"여보세요, 버티. 무슨 좋은 일 없어요?"

"아, 당신이에요?"

"10번, 새로 온 넬리가 상대할 거예요."

"어서 오세요, 서방님! 잠깐만 놀다 가세요."

그의 노트에 적어 둔 방정식은 공작 꼬리처럼 흩어져 있는 널찍한 꼬리를 서서히 활짝 펴기 시작했다. 눈과 별을 이루고 있던 지수(指數)를 제거하니까 방정식은 다시 천천히 접혀지기 시작했다. 나타났다가 사라지는 지수는 떴다 감았다 하는 눈과 같고, 떴다 감았다 하는 눈은 나타났다가 없어지는 별과 같았다. 별의 생애의 막대한 주기는 그의 피로한 마음을 먼 변두리까지 끌고 갔다가 중심으로 몰아오고, 멀리 들려오는 음악이 밖으로 갔다가 안으로 왔다가 하는 별의 뒤를 따른다. 무슨 음악일까? 그 음악은 점차 가까이 다가오고, 그는 그 언어 위를 헤매고 있었다. 그러자 그는 지쳐빠진 뽀얀 달을 읊은 셸리의 단편적인 언어를 떠올렸다. 별은 흩어지기 시작하고 보드라운 별 가루가 우주에서 구름처럼 내리뿜었다.

희미한 빛이 책갈피 위를 한결 더 희미하게 내리비치고 있었다. 거기에는 또 다른 방정식이 서서히 펼쳐가기 시작하고 그 넓은 꼬리를 설설 펴기 시작했다. 그것은 자신의 심령이 경험을 찾아나가 차례로 죄를 확대해 가서는 불타는 별의 불꽃을 튀긴 뒤 다시 오므라들어, 점차 빛이 바래져 스스로의 빛과 불을 잃어가는 것이었다. 그리하여 차가운 암흑이 혼돈된 온 천지를 메웠다.

차갑고 투명한 무관심이 스티븐의 마음을 지배했다. 최초의 격렬한 죄를 범하였을 때는 그의 생명의 물결이 자신의 육체에서 멀어져 가는 것같이 느껴지더니, 육체와 심령도 너무 거센 무절제로 해서 못쓰게 되지나 않을까 염려되었다. 그러나 생명의 파도는 그를 싣고 몸 밖으로 나갔다가 밀려드는 밀물을 타고 되돌아왔다. 몸의 어느 곳이나 영혼은 파손된 곳이 없고 양자 사이에는 은근한 평화가 맺어졌다. 정열이 사라져 버린 뒤의 혼돈은 자기 자신에 대해 냉정하고 무관심한 인식에 지나지 않았다. 스티븐은 몇 번이나 되풀이하여 큰 죄를 짓고 처음 범한 죄만으로도 영겁의 벌을 받을 것을 두려워하면서 계속 죄를 범함으로써 죄와 벌을 배가해 가는 것을 잘 알고 있었다. 나날의 세월도 공부도 사고도 죄의 보상은 될 수 없었고, 신성한 은총이 그의 영혼을 새롭게 만들어 줄 것을 기다리고 있었다. 그러면서 거지에게 적선을 하고는 거지가 베푸는 축복을 피해 도망치면서 무언가 실제적인 은총 수단을 손에 넣고 싶어 나른한 기분으로 희망하고 있는 데 지나지 않았다. 신앙은 완전히 사라지고 없었다. 영혼이 파멸되기를 원하고 있는데 기도가 무슨 소용이 있을까. 잠들어 있는 동안에 생명을 빼앗고 자비를 빌지 않는 동안 영혼을 지옥으로 떨어뜨리는 힘이 하느님께 있다는 것을 알고 있었지만, 어떤 오만과 공포가 그를 붙들어 매어 밤에 한 번도 하느님께 기도를 드릴 기회를 주지 않았다. 자신의 죄에 대해 느끼는 오만과 하느님을 사랑할 수 없는 공포심은, 모든 것을 보고 있고 모든 것을 알고 있는 하느님께 거짓 찬미를 드려도, 전부는커녕 일부도 속죄할 수 없을 만큼 자기의 좌절은 심각한 것이라고 그에게 말하고 있었다.

"그런데 에니스, 너에게 머리가 달려 있는 것은 내 지팡이에 손잡이가 달려 있는 거나 다름없다. 넌 무리수(無理數)란 무엇인지 그 설명도 못한단 말이냐?

그 엉터리 해답은, 그로 하여금 동급생에 대한 아직 다 사라지지 않은 경멸의 불씨가 되살아나도록 했다. 그는 남에 대해서는 수치심도 공포심도 느끼지 않았다. 일요일 아침, 교회 입구로 들어설 때 교회 문밖에서 모자를 벗고 네 줄로 열을 지어 보지도 듣지도 못하는 미사에 경건한 태도로 참석하고 있는 예배자들에게 그는 차가운 시선을 던졌다. 그들의 그 어리석고 경건한 머리에 바른 값싼 기름 냄새로 해서 그는 제단 앞에 기도하는 그들에게 반발했다. 그는 남과 같이 위선이란 악에 무릎을 꿇으면서 그들이 자기에게 쉬이 말려드는 것을 보고 그 순진성을 의심했다.

그의 침실 벽에는, 성모 마리아 신도회 학교의 감독 임명장이 두루

마리 식으로 걸려 있었다. 토요일 아침 신도회 예배당에 모여 간단한 성무 일과서를 낭독할 때 그의 좌석은 제단 오른쪽, 쿠션이 있는 끓어앉는 책상으로서, 여기서 그는 응송(應誦)하는 동안 내내 자기 열 중의 학생을 지휘했다. 거짓으로 자기 자리에 앉아 있어도 그를 괴롭히지는 않았다. 이따금 이 명예스런 자리에서 벌떡 일어나 여러 학생 앞에서 자기는 이 자리에 어울리는 자가 못 된다고 고백하고 예배실을 떠나고 싶은 충동을 느꼈지만, 그들의 얼굴을 한번 쳐다보기만 하면 그런 생각은 사라져 버리는 것이었다. 예언에 관한 시편 속의 여러 가지 영상은 그 불모의 오만을 가라앉혀 주었다. 마리아의 영광은 그의 혼을 사로잡았다. 그녀의 고귀한 혈통을 상징하는 감송향, 물약, 유향, 사람들의 그녀에 대한 예배가 오랜 세월에 걸쳐 서서히 성장해 온 사실을 상징하는 그녀의 값진 의상, 늦게 피는 화초와 늦게 자라는 나무들. 성무 일과의 마지막 무렵 일과를 읽을 차례가 되었을 때 그는 양심을 죽이고 웅얼거리는 소리를 내면서 읽었다.

"나는 레바논의 삼나무처럼, 시온산의 노송나무처럼 의기양양하다. 나는 가데스의 종려나무와 같이, 제리코의 장미와 같이 의기양양하다. 들판의 아름다운 올리브나무와 같이, 샘가의 플라타너스처럼 나는 의기양양하다. 계수나무처럼, 향유처럼 감미로운 향기를 풍기리라. 나는 그지없는 물약같이 달콤한 향기를 피우리라."

그의 죄는 그로 하여금 하느님의 모습을 못 보게 하였지만 그러나 죄인들의 피난처인 마리아에게로 한결같이 접근시키고 말았다. 그녀는 상냥하고 연민에 찬 눈으로 그를 지켜보는 듯하였고, 그 섬약한 육체에서 뿜어내고 있는 이상한 빛과도 같이 그녀의 신성함은 자기에게 접근해 오는 죄인들을 깔보지 않았다. 그가 단 한 번이라도 죄악을 팽개쳐 버리고 회개하고픈 충동을 느낄 수 있었다면, 그 충동은 그녀의 기사가 되고 싶다는 소망에서였다. 육체의 미칠 듯한 욕망이 가라앉은 뒤 그의 영혼이 머뭇머뭇 그녀의 거처로 되돌아가 '밝은 음악처럼 하늘을 이야기하고 평화를 내려주는' 샛별을 상징하는 그녀에게 다그쳐 간다면, 그것은 치사스럽게 더렵혀진 말과 음탕한 입맞춤의 자취가 아직도 사라지지 않은 입술을 통해 은근히 속삭여질 그 순간이었다.

불가사의한 노릇이었다. 어째서 이렇게 되는 것일까 하고 그는 생각했다. 그러나 점차 짙어 가는 교실 안의 땅거미는 그의 생각마저 감싸 버렸다.

벨이 울렸다. 선생님이 다음 시간의 산수 문제를 지적하고 나갔다. 헤론이 스티븐 곁에서 곡조가 맞지 않는 콧노래를 부르기 시작했다.

나의 훌륭한 친구 봄바도스

교정에 나가 있던 에니스가 되돌아와 이렇게 말했다.

"기숙사 사환 아이가 교장 선생님을 부르러 오고 있어."

스티븐 뒤에서 허우대가 늘씬한 학생이 손을 비비면서 말했다.

"그것 잘 됐군. 한 시간 꼬박 놀고 먹게 됐군. 교장 선생님은 두시 반 전에는 돌아오지 않아. 돌아오거든 네가 교리 문답을 퍼부으면 되는 거야, 디달러스."

스티븐은 의자 등에 몸을 기대어 노트에 낙서를 하는 한편 조잘대면서 그들의 잡담을 가로막곤 했다.

"그 따위 잡소린 그만하라구. 되지도 않는 소린 집어치우라니까."

교회의 딱딱한 교리 문구를 끝까지 파고들어 그 심원한 침묵에 이르고는 자기 죄에 관한 선고를 한결 심각하게 듣기도 하고 느끼기도 하는 데에, 그의 메마른 즐거움을 발견하는 것은 이상한 노릇이었다. 하나의 율법을 범하는 것은 모든 율법을 범하는 것이라는 성 야곱의 문장은 처음에는 과장된 말처럼 느꼈으나, 자기 자신의 암담한 처지에서 파고들어가 보니 그 진의를 알 수 있었다. 욕정이란 이 사악한 씨로부터 모든 크나큰 죄가 싹트는 것이었다. 자신에 대한 오만과 타인에의 멸시, 율법을 위배하는 쾌락을 추구하기 위해 소비할 금전에의 탐욕, 자기 손이 미치지 않는, 악덕을 저지르는 인간에 대한 선망, 그리고 경건한 사람에 대한 중상적인 속삭임, 음식에의 유혹, 자기의 갈망을 채울 수 없어 속이 쓰릴 때의 일그러진 분노, 자기의 전 존재가 그 속에 가라앉아 있는 정신과 육체의 진흙탕.

스티븐은 자리에 앉아 교장 선생님의 날카롭고 엄격한 얼굴을 바라보고 있는 동안 마음에 떠오르는 괴상한 의문 속을 헤매었다. 만일 어떤 사나이가 젊어서 1파운드의 돈을 훔쳐 그것을 밑천으로 막대한 부를 쌓았다면 그 부 가운데 얼만만큼을 되돌려 줘야 마땅한가? 훔친 1파운드만인가? 아니면 그동안에 쌓인 이자를 붙여 주어야 하는가? 아니면 그 막대한 부를 모조리 갚아야 하는가? 성직자 아닌 평신도가 영세를 줄 때 말도 하기 전에 물을 먼저 끼얹었다면 이 아이는 세례를 받은 게 될까? 광천으로 한 세례도 유효한가? 산상수훈(山上垂訓)은 첫째 심령이 가난한 자가 천국을 갖게 되리라고 약속한 무엇 때문인가, 만일 예수 그리스도가 몸체, 피, 혼, 신성들이 빵 속에서만, 그리고 포도주 속에서만 나타난다고 한다면 왜 빵과 포도주 두 개로써 성체의 성사가 정해져 있단 말인가? 성단에 바친 극히 작은 양의 빵이 예수 그리스도의 몸과 피 전체를 포함하고 있는가, 아니면 그 몸과 피의 일부만을 포함하는가? 성단에 바뀐 포도주가 초가 되고 빵이 썩어서 부서진다 해도 예수 그리스도는 본시 그 모양으로 하느님으로서 또는 사람으로서 나타날 것인가?

"야, 왔어, 왔어."

한 학생이 창가 자리에서 교장 선생님이 나오는 것을 보고 있었다. 다들 교리 문답서를 펴고 말없이 책 위에 고개를 숙였다. 교장 선생님이 들어와 교단 위에 자리를 잡았다. 뒷자리에 앉은 키가 큰 학생이 스티븐의 발을 슬쩍 차면서 뭐든 어려운 질문을 하라고 재촉했다. 그러나 교장 선생님은 수업을 위해 교리 문답서를 펴들려고는 하지 않았다. 그는 교탁 위에서 두 손을 마주잡고 이렇게 말했다.

"성 프란시스 사비에르의 축제는 토요일이지만 이분을 기념하는 묵상 기도는 수요일부터 금요일까지 계속되고, 금요일에는 기도가 끝난 뒤 오후 내내 고해를 듣기로 합니다. 특별히 고해 신부를 정한 학생은 그분을 바꾸지 않는 게 좋을 겁니다. 토요일 아침 9시에는 미사가 있고, 전교생의 영성체가 있습니다. 토요일과 일요일은 물론 휴일이지만 월요일까지 휴일이라고 생각하는 학생이 있을지 몰라요. 그와 같은 착각은 하지 않도록. 롤레스, 네가 그런 실수를 할 것 같구나!"

"제가 말입니까? 왜 그렇게 생각하시지요?"

엄격한 교장 선생님의 얼굴에 미소가 번지자 나직한 웃음소리가 잔물결처럼 학생들에게 퍼져 나갔다. 스티븐의 심장은 시들어가는 꽃처럼 공포로 서서히 오므라들어 위축되기 시작했다.

교장 선생님은 엄격한 말투로 계속했다.

"여러분 학교의 수호 성인인 성 프란시스 사비에르의 생애에 대해서는 다들 잘 알고 있을 것으로 생각합니다. 이분은 스페인의 유서 깊은 가문 출신으로서 성 이냐시오(예수회 창설가인 로욜라)의 최초 제자 중의 한 분이에요. 이 두 분이 만난 것은 파리였는데, 프란시스 사비에르는 그곳 대학에서 철학 교수로 있었지요. 젊고 재능이 뛰어난 귀족이자 학자인 이분은 우리들의 빛나는 교조(教祖)의 교의에 전신전령을 쏟았던 거예요. 그리하여 인도에 포교하기 위해 본인이 자청해서 그곳에 파견되었던 것입니다. 여러분도 아시다시피 그는 인도 최초의 전도자라고 일컬어지고 있습니다. 그는 동방의 여러 나라를, 아프리카에서 인도, 인도에서 일본으로 세례를 주어 가면서 순례하였습니다. 아무튼 한 달 동안에 만 명이 넘도록 이교도들에게 세례를 주었다고 합니다. 세례를 받는 사람들의 머리 위에 시종 오른손을 얹고 있었기 때문에 나중에 가서는 팔이 이상하게 마비되었다고 할 정도니까요. 그는 다시 하느님을 위해 많은 영혼을 인도하려고 애썼습니다만 삼주도(三州島, 중국 강동 바다에 있는 섬)에서 열병에 걸려 쓰러졌습니다. 위대한 성인, 성 프란시스 사비에르! 하느님의 위대한 병사(兵士)이셨지!"

교장 선생님은 여기서 잠시 쉬었다가 꽉 쥔 두 손을 눈앞에서 흔들며 이야기를 계속했다.

"그는 태산도 움직일 수 있는 신앙의 소유자였습니다. 불과 1개월 동안에 하느님을 위해 만명의 영혼을 인도할 수 있는! 이것이야말로 진정한 정복자인 것입니다. 우리 수도회의 모토, '하느님의 보다 큰 영광을 위하여'에 충실한 분이었습니다. 아시겠어요? 그분은 천국에 있는, 위대한 힘을 가진 성인입니다. 슬픔에 빠진 우리를 수습할 수 있는 힘, 우리들의 영혼을 위해서는 무엇을 기도한들 그것을 얻을 수 있는 힘, 아니 무엇보다도 우리가 죄를 저질렀을 때 우리들을 위해 회개하는 은총을 베푸시는 힘, 그와 같은 힘의 소유자이십니다. 위대한 성인, 성 프란시스 사비에르! 위대한 영혼의 인도자!"

교장 선생님은 움켜 쥐고 흔들던 두 손을 풀어 한 손을 이마에 대고 검고 엄격한 눈으로 좌우 학생들을 날카롭게 살펴보았다.

침묵 속에서도 그의 검은 두 눈은 황혼 속에서 번쩍거리며 황갈색 빛을 내뿜었다. 스티븐의 마음은 멀리 사막에서 불어오는 모래 폭풍을 예감한 듯 사막의 꽃처럼 시들었다.

"그대들 다만 사말(四末)의 일만을 기억하라. 그러면 영구히 죄를 범하지 않으리라……. 그리스도에 의해 맺어진 친애하는 어린 형제들이여, 이 말은 전도서 제7장 40절에서 인용한 것입니다. 성부와 성자와 성령의 이름으로, 아멘."

스티븐은 예배실 맨 앞줄에 앉아 있었다. 아날 신부는 제단 왼쪽 테이블을 향해 앉아 있었다. 신부의 얼굴은 파리했고 음성은 쉬어 있었다. 이상하게도 되살아나는 옛 스승의 모습은 스티븐의 마음속에 있는 넓은 운동장, 네모난 웅덩이, 큰 귤나무 가로수 저쪽에 있는 작은 묘지(자기는 그곳에 묻힐 것을 원했지), 앓고 누워 있는 병실 벽에 비치는 난롯불 그림자, 마이클 수도사의 슬픔에 젖어 있던 그 얼굴과 겹쳐져 갑자기 이런 기억이 떠오르자 그의 영혼은 한 소년의 영혼으로 되돌아가는 것이었다.

"그리스도로 맺어진 친애하는 어린 형제들이여, 우리는 오늘 속세의 번잡을 떠나 잠시 위대한 성인 중의 한 사람, 인도 최초의 전도자, 우리 학교의 수호 성인, 성 프란시스 사비에르를 높이 기리기 위해 여기에 모였습니다. 친애하는 어린 형제들이여, 여러분 중 그 누구도 이젠 기억에 떠올릴 수 없는, 아니 나 자신마저도 돌이켜 생각해낼 수 없는 먼 옛날부터 해마다 이 학교 학생들은 이 예배실에 모여 수호 성인의 축제일에 앞서 해마다 묵상기도를 드렸습니다. 시간이 흐르자 그에 따라 갖가지 변화도 있었습니다. 여러분 중 거의 모두가 그 변화를 느꼈을 것입니다. 수년 전 이 앞줄에 앉아 있던 많은 학생들은 아마 지금쯤 먼 나라에서, 불타는 듯한 열대 지방에서, 성직에서, 혹은 신학교의 교서에 몰두할 것이며, 또는 망망대해를 여행하고 있을 것입니다. 그중에는 벌써 거룩하신 하느님의 부름을 받아 저 세상으로 옮겨 가서 시종으로서의 임무를 벗어난 자도 있을 것입니다. 이렇듯 세월은 흐르고 좋은 일, 악한 일에 걸쳐 변화는 있더라도 위대한 성인에 대한 추억을 우리 학교 학생들은 한결 같이 기릴 것입니다. 학생들은 매년 가톨릭의 나라 스페인에서 가장 위대한 아드님 중의 한 사람의 명성을 만대에 전하기 위해, 우리네 성스러운 어머니인 교회가 마련한 축제일에 앞서 해마다 묵상 기도를 드리는 것입니다. 그런데 이 '묵상 기도'란 말의 뜻은 무엇이며, 이 행사가 하느님의 이름으로 사람들의 눈앞에, 진정한 그리스도 교도다운 생활을 희망하는 모든 사람에게 무척 유익한 것으로 널리 알려진 이유는 무엇일까요? 여러분, 묵상 기도란 인생의 고뇌에서, 현실 생활에서 잠시 떠나 우리 양심을 검토하고 신성한 종교의 신비에 대해 생각하고, 왜 우리는 이 세상에서 존재하는가를 한결 분명히 안다는 것을 뜻하는 것입니다. 요 며칠 동안, 나는 여러분께 최후의 네 가지에 관해 약간 말씀을 드리고자 합니다. 네 가지 것이란 교리 문답에서 보았듯이 죽음과 심판과 지옥과 천국을 말하는 것입니다. 우리는 요 며칠 동안 그것을 충분히 이해하기 위해 노력하며, 그것을 통해, 그것을 이해함으로써 우리의 영혼에 영속적인 복을 얻고자 하는 것입니다. 그리고 여러분, 우리들은 이 세상에, 오직 하나를 위해, 하느님만을 위해 파견되었다는 것을 상기해 주었으면 합니다. 이를테면 성스러운 하느님의 뜻을 성취하고 불멸의 우리 영혼을 구제하는 것입니다. 그 밖에 일체의 것은 무의미한 것입니다. 오직 하나, 즉 영혼의 구제만이 필요한 것입니다. 만일 전 세계를 손아귀에 넣더라도 목숨을 잃으면 무슨 쓸모가 있겠는가 하는 것입니다. 여러분, 그와 같은 손실을 메워 주는 것은

이 비참한 세상에는 아무것도 없다는 것을 믿어 주기 바랍니다. 그러므로 여러분, 이 며칠간은 공부든, 오락이든 세속적인 모든 생각들을 깡그리 씻어 버리고 모든 주의를 영혼에 집중해 주기 바랍니다. 묵상 기도를 드리는 수일 동안만은 정숙하고 경건한 태도를 유지하고, 모든 소란스런 오락을 멀리해 줄 것은 말할 나위 없습니다. 물론 상급생에게는 이와 같은 습관이 파괴할 수 없는 금과옥조란 것을 알고 있기 때문에, 특히 성모회나 천사회의 반장들과 간부들은 동료 학생들에게 모범을 보여 줄 것을 기대합니다. 따라서 성 프란시스를 기리는 이 묵상 기도회를 전심전력을 다해 성의껏 거행합시다. 그러할 때 하느님의 축복이 1년 내내 여러분 공부에 찾아들 것입니다. 그러나 무엇보다도 여러분이 후일, 이 학교를 떠나 멀리 떨어진 색다른 환경에 처했을 때 회상할 수 있는 것, 기쁨과 감사로써 되돌아보고 경건하고 영광스런, 열렬한 그리스도 교도로서 처음 생활 기반을 닦기 위해 이런 기회를 베풀어 준 것을 하느님께 감사드립니다. 만일 지금 이 자리에 신성한 하느님의 은총을 잃고 슬퍼해야 할 죄에 빠진 불행한 영혼이 있다면 이 묵상 기도가 그 영혼에게 큰 전환점이 될 것을 열렬히 믿고 또 기도하는 바입니다. 나는 하느님의 열렬한 시종, 프란시스 사비에르의 공덕으로 그와 같은 영혼을 진지한 회개로 이끌어 줄 것을, 그리고 또 금년 성 프란시스의 축제일에는 영성체가 하느님과 그 사람의 영혼 사이에 오래 계속될 계약이 맺어질 것을 하느님께 기도합니다. 올바른 자에게나 악한 자에게나 또 성자에게나 죄인에게나 다 같이 이 묵상 기도회가 한갖 기억할 뜻있는 행사가 되어 주기를 빕니다. 그리스도 안에 있는 어린 형제들이여, 나를 도와주세요. 그대들의 경건한 관심, 그대들 자신의 헌신, 그대들의 외적인 행위를 옳게 함으로써 나를 도와주세요. 여러분 마음속에 있는 세속적인 모든 사념을 씻어 버리고 오직 이 최후의 것, 죽음과 심판과 지옥과 천국에 대해서만 생각을 돌리기 바랍니다. 이 사말(四末)을 잊지 않는 자는 영구히 죄를 범하지 않을 것이라고 《전도서》에도 기록되어 있습니다. 사말을 기억하는 자는 항상 이것을 자기 눈앞에 그리며 행동하고 생각합니다. 그와 같은 사람은, 만일 이 지상에서 사는 동안 희생을 치르면 치를수록 닥쳐올 생활, 다가올 영원한 왕국에서는 백 배 천 배의 보상이 주어진다는 것을 믿고, 또 알고, 보다 선량한 생활, 보다 좋은 죽음을 맞이하는 것입니다. 여러분, 이 축복이 성부와 성자와 성신의 이름으로 여러분 한 사람 한 사람에게 같이 하기를 바라는 것입니다, 아멘."

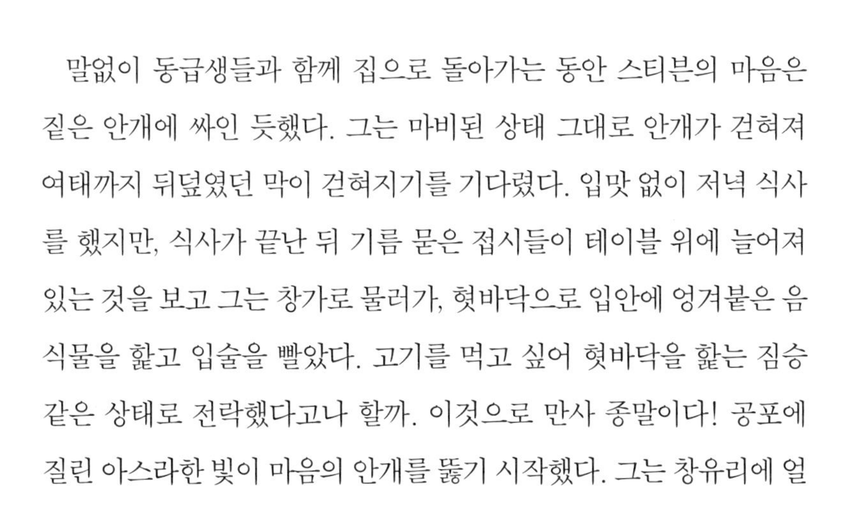

말없이 동급생들과 함께 집으로 돌아가는 동안 스티븐의 마음은 짙은 안개에 싸인 듯했다. 그는 마비된 상태 그대로 안개가 걷혀져 여태까지 뒤덮였던 막이 걷혀지기를 기다렸다. 입맛 없이 저녁 식사를 했지만, 식사가 끝난 뒤 기름 묻은 접시들이 테이블 위에 늘어져 있는 것을 보고 그는 창가로 물러가, 혓바닥으로 입안에 엉겨붙은 음식물을 핥고 입술을 빨았다. 고기를 먹고 싶어 혓바닥을 핥는 짐승 같은 상태로 전락했다고나 할까. 이것으로 만사 종말이다! 공포에 질린 아스라한 빛이 마음의 안개를 뚫기 시작했다. 그는 창유리에 얼굴을 대고 저물어 가는 거리를 지켜 보았다. 흐릿한 빛깔 속에 사람 그림자가 이리저리 지나치고 있었다. 더블린이란 지명이 그의 마음속에 무겁게 내리눌려, 그 세 글자가 소박하면서도 느릿느릿 끈덕지게 여기저기서 서로 밀치락거리고 있었다. 그의 영혼은 살이 찌고 굳어서 하나의 큰 비곗덩어리가 되어 아련한 공포에 질리면서 무섭고도 깜깜한 저녁 어둠 속으로 한결 깊이 잠겨 들었다. 한편 아직도 육체는 들뜨고 욕된 상태에 있었고, 흐릿한 두 눈으로 쏘아보며, 산란한 마음으로 인간답게 힘없이 우신(牛神, 이단적인 신)을 바라보고 싶어 찾아 헤매고 있었다.

다음날은 죽음과 심판에 관한 이야기가 있었고, 그것은 그의 영혼을 절망 상태에서 서서히 불러일으켰다. 설교자의 목쉰 소리가 그의 영혼 속에 죽음을 불어넣을 때 공포에 떠는 아련한 빛은 정신적 전율로 변했다.

그는 그로 인한 쓰라림을 맛보았다. 싸늘한 죽음이 수족에 닿자 그것이 심장으로 뻗어오르는 것을 알 수 있었다. 죽음이란 엷은 막이 두 눈을 가리고 머릿속에 번쩍거리는 몇몇 초점이 마치 등불이 꺼지듯 하나하나 꺼지면서 마지막 식은땀이 살갗으로 배어 올랐다. 빈사 상태에 있는 사지는 힘을 잃고, 말투는 알아 들을 수 없는 헛소리로 변하고, 심장의 고동은 점차 희미해져 이젠 거의 정복당했다. 호흡, 가련한 호흡, 불쌍하고 의지력 없는 인간의 영혼은 흐느껴 울다가 한숨을 지었다가 그르릉그르릉 울릴 뿐이었다. 구해 낼 길은 없다! 그가……바로 자신이……모든 것을 떠맡고 있는 그의 육체가 죽어간다. 몸뚱이와 함께 무덤으로 간다. 나무 궤짝에 넣어, 못질을 하고, 주검이 되어 인부들의 어깨에 메어져 집에서 들어내어 인간의 시야 밖으로, 땅 속 긴 구멍 속으로, 무덤 속으로 집어넣어진다. 그리하여 썩어서 득실거리는 구더기 밥이 되고, 배불뚝이 쥐들에게 먹히고 만다.

그리하여 친구들이 눈물을 흘리면서 침대 곁에 서 있는 동안 죄인의 영혼은 심판을 받는다. 아직 의식이 남아 있는 최후의 순간, 지상의 온갖 생활이 무수히 영혼의 눈앞을 지나쳐 영혼이 아직 반성할 겨를도 주지 않고 육체는 죽어 버리고 영혼은 겁에 질려 심판대 앞에 선다. 여태껏 자비로웠던 하느님이 이때만은 엄정한 자세를 취하리라. 하느님은 오래도록 참아 왔고 죄가 많은 영혼에 탄원하여 회개할 시간을 영혼에게 준 후 잠시 용서해 주었다. 이제 그 시한도 끝이 났다. 지나간 시간은 죄를 범하고 향락을 즐기는 시간. 하느님과 하느님의 신성한 교회의 경고를 비웃기 위한 것. 하느님의 권위에 도전하고 하느님의 명령을 어기고 동포의 눈을 속이고 차례차례 죄를 범하면서 자기의 타락을 남의 눈에 띄지 않게 숨기는 시간. 그러나 그 시간은 이미 지났다. 자, 지금부터는 하느님 차례이다. 그러나 하느님의 눈을 가리거나 속일 수는 없다. 모든 죄는 그 숨어 있던 곳에서 나타날 것이다. 하느님의 뜻을 정면으로 거역하는 반역죄도, 우리의 썩어 빠진 본성을 타락시키는 불쌍한 죄도, 가장 하잘것없는 자잘한 결함에서부터 가장 가증스러운 극악 무도한 죄에 이르기까지. 이때 위대한 황제였다는 것, 위대한 장군이었다는 것, 놀라운 발명자였다는 것, 학자 중에서도 가장 학식이 풍부한 자였다는 것이 도대체 무슨 소용

이 있단 말인가? 하느님의 심판대 앞에서는 모든 인간이 다 같다. 하느님은 다만 선인에게는 보답을 하고 죄인에게는 벌을 주신다. 인간의 죄를 심판하는 데는 한순간이면 족하다. 육체가 죽어지면 불과 일순에 영혼은 심판대에 서게 된다. 한 사람의 심판이 끝나면 그 영혼은 혹은 지복(至福)의 가정으로, 또는 연옥의 감방으로, 아니면 울음을 터뜨리며 지옥으로 떨어진다.

그것뿐이 아니다. 신의 정의는 다시 인간들 앞에서 입증이 되어야만 한다. 개개의 심판이 끝나면 그 뒤에 일반적인 심판이 남는다. 세상의 종말이 닥쳐왔다. 최후의 심판날이 눈앞에 박두한 것이다. 하늘의 별들이 바람에 나부끼는 무화과나무의 열매가 떨어지듯 땅 위에 떨어진다. 우주의 거대한 발광체인 태양은 새까맣게 되고, 달은 피와 같이 붉기만 하고 창공은 두루마리처럼 말려들 것이다. 천국 군대 총수 천사장 미카엘은 하늘을 배경으로 그 영광스럽고도 무시무시한 모습을 우뚝 드러낸다. 한 발은 바다로, 또 한 발은 뭍을 디디고 시간의 죽음을 알리는 천사장의 금관 나팔 소리를 울린다. 천사가 세 번 부는 나팔 소리는 전 우주를 가득 메운다. 현재 시간은 있고 과거에 시간이 있었으나 앞으로 시간은 존재하지 않는다. 마지막 취주를 들은 온 우주의 인간 영혼은, 부한 자나 가난한 자나, 지체 있는 자나 미천한 자나, 슬기로운 자나 우매한 자나, 선량한 자나 사악한 자나 모조리 심판의 골짜기를 향해 일제히 모여든다. 이 세상에 살던 모든 인간의 영혼, 앞으로 태어날 뭇 인간의 영혼, 아담의 뭇 아들과 딸들이 이 마지막 날에 모여들 것이다. 그리고 보라, 최후의 심판자는 찾아온다! 그분은 이제 겸손한 하느님의 어린 양도, 나사렛의 온유하신 예수도, 슬픈 인간도, 하느님의 목자도 아니다. 지금 크나큰 권력과 위엄을 지닌 그분이 구름을 타고 다가오는 것이 보이지 않는가. 아홉 계급의 천사들, 즉 천사와 대천사들, 권천사, 능천사와 역천사, 좌천사와 주천사, 지천사, 치품천사의 시중을 받으며 전능의 신, 영원의 하느님은 찾아오고 있다. 하느님은 말씀하신다. 그 말소리는 우주의 가장 먼 끝에서도 들리고 한없이 깊은 심연 속에서도 들린다. 최후의 심판자, 그 선고에는 어떠한 이의도 있을 수 없고 또 할 수도 없는 것이다. 하느님은 정의의 사람들을 자기 곁으로 불러 그들을 위해 마련된 천국, 영원의 지복으로 들어가라고 명령하신다. 그분은 사악한 인간들을 물리치면서 노여움에 찬 소리로 이렇게 외친다.

"그대 저주받은 자여, 내 곁을 물러서라. 악마와 그 사자들을 위해 마련된 영겁의 불 속으로 들어가라."

아마, 이때 불쌍한 죄인은 그 얼마나 고통을 맛볼 것인가? 친구는 친구로부터 떠나고 자식은 어버이로부터 떠나고 남편은 아내로부터 떠나야 한다. 가련한 죄인은 지상의 친지들에게, 순진하고 경건하다고 그가 비웃던 사람에게, 그에게 충고하여 올바른 길로 인도하였던 사람들에게, 친절한 형제, 상냥한 자매에게, 그를 깊이 사랑해 주던 어머니 아버지에게 두 팔을 벌려 애원한다. 그러나 이미 때는 늦다. 정의의 사람들은 이제 뭇사람들의 눈 앞에 흉측하고 사악한 성격을 띠며 나타난다. 그리하여 가증스럽고 저주받은 영혼으로부터 외면할 뿐이다. 아아, 위선자들이여, 아아 그대들 하얗게 칠을 한 무덤이여, 아아! 그대들 내부의 영혼은 오욕된 죄악의 늪처럼 불길하면서 세상에 대해서는 부드럽게 미소띤 얼굴을 보이는 위선자들이여, 이 무서운 심판의 날이 오면 어떻게 할 것인가?

한데 이날은 올 것이고 반드시 올 것이며 또 와야만 한다. 그것은 죽음의 날, 심판의 날이다. 죽는다는 것은 인간에게 주어진 운명이고 죽은 뒤는 심판이 있다. 죽음은 확실한 사실이다. 다만 그 시기와 방법이 불확실하지만. 오랜 병 탓이거나 아니면 뜻밖의 사고 탓으로 하느님의 아들은 인간이 예측 못 하고 있을 때 돌연히 찾아온다. 그러므로 언제 죽을지 모른다는 각오 아래 항상 준비해 두어야 한다. 죽음은 우리 모두의 종말이다. 우리 첫 조상들이 범한 죄로 말미암아 이 세상에 마련된 죽음과 심판은 지상에 있는 우리의 존재를 가로막는 어두운 문이자, 알 수 없는 세계, 보지 못한 세계로 통하는 문, 그 문을 통해 모든 영혼은 오직 홀로 형제도 없고 어버이나, 스승도 없이 오직 혈혈 단신으로 몸을 떨면서 지나가야 할 문인 것이다. 이런 생각을 늘 마음에 새기고 있는 한 우리는 죄를 범할 수가 없다. 죄 지은 자들이 두려워하는 죽음도 인생의 지위에 따라 의무를 다하고, 아침 저녁 기도에 참석하고 이따금 성찬을 누리며 선행과 자비를 베풀고 올바른 길을 걸어온 자에게는 축복받는 순간이다. 경건하고 신앙이 두터운 가톨릭 교도, 정의의 사람들에게는 죽음은 공포가 될 수 없다. 영국의 대작가 애디슨이던가, 그는 임종할 때 사악한 젊은 워릭 백작을 불러, 그리스도 교도가 어떻게 죽음을 맞이하는지 자기의 죽음 현장을 보여 주려 했다. 마음속으로부터 이와 같이 말할 수 있는 것은 그 사람, 즉 경건하고 신앙심이 두터운 그리스도 교도뿐인 것이다.

아아, 무덤이여, 그대의 승리는
어디에 있는가?
아아, 죽음이여, 그대의 침(針)은
어디에 있는가?

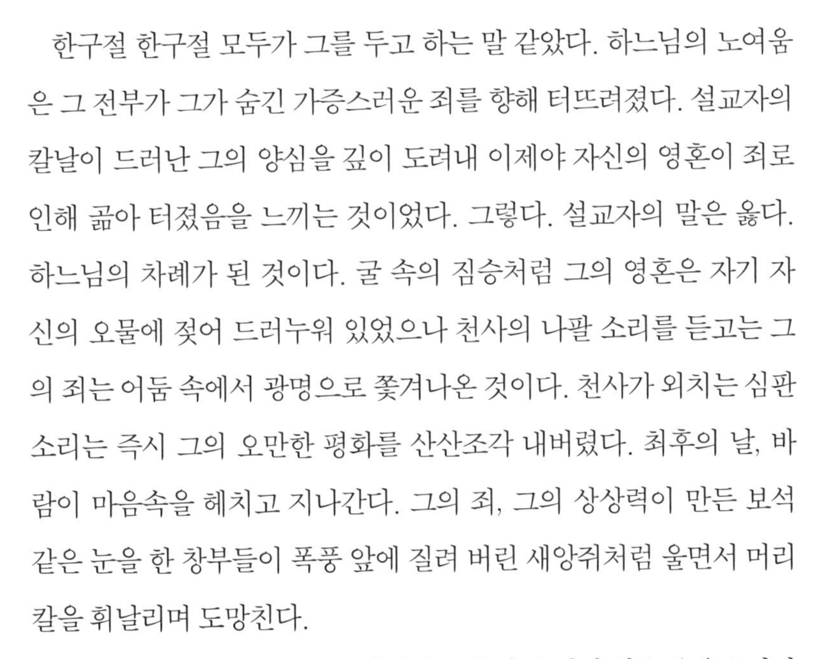

한구절 한구절 모두가 그를 두고 하는 말 같았다. 하느님의 노여움은 그 전부가 그가 숨긴 가증스러운 죄를 향해 터뜨려졌다. 설교자의 칼날이 드러난 그의 양심을 깊이 도려내 이제야 자신의 영혼이 죄로 인해 곪아 터졌음을 느끼는 것이었다. 그렇다. 설교자의 말은 옳다. 하느님의 차례가 된 것이다. 굴 속의 짐승처럼 그의 영혼은 자기 자신의 오물에 젖어 드러누워 있었으나 천사의 나팔 소리를 듣고는 그의 죄는 어둠 속에서 광명으로 쫓겨나온 것이다. 천사가 외치는 심판 소리는 즉시 그의 오만한 평화를 산산조각 내버렸다. 최후의 날, 바람이 마음속을 헤치고 지나간다. 그의 죄, 그의 상상력이 만든 보석 같은 눈을 한 창부들이 폭풍 앞에 질려 버린 새앙쥐처럼 울면서 머리칼을 휘날리며 도망친다.

광장을 가로질러 집으로 돌아가려는데 한 소녀의 밝은 웃음소리가 타는 듯한 스티븐의 귓전에 들려왔다. 여리고 화사한 그 음성은 나팔 소리보다도 한결 강하게 그의 마음을 울려 그는 고개를 들 용기도 없이 다른 길로 돌아 걸어가면서 엉클어진 관목 그늘을 쏘아보았다. 충격을 받은 마음속에 치사한 생각이 샘솟듯이 온 정신을 적셨다. 에마의 모습이 눈앞에 나타나 그의 시선에 부딪히자 수치심이 홍수처럼 쏟아졌다. 그간 마음속으로 그가 그녀를 상대로 무슨 짓을 하고 있었으며, 그의 짐승 같은 욕정이 그녀의 천진난만함을 어떻게 찢고 짓밟았던가를 그녀가 알게 될까 겁났다. 그것이 소년다운 애정이란 말인가? 그것이 기사도란 말인가? 아니면 그걸 시라고 할 수 있을까? 그가 저지른 추잡스러운 행동 하나하나가 바로 그의 코밑에서 악취를 뿜었다. 난로 연통 속에 감춰 두었던 검댕이투성이 봉지 속에 든 그림을, 치사하고 음란한 그림을 눈앞에 보면서 몇 시간 동안을 누워 혹은 생각으로 혹은 행동으로 죄를 범하던 일. 원숭이 같은 산짐승들과 보석처럼 반짝이는 눈을 한 창녀들이 몰려 있는 괴상한 꿈. 죄악을 고백하는 기쁨에 젖어 갈겨 쓴 쪽지를 며칠 동안 남몰래 간직하고 다니다가 깜깜한 야밤에 들가로 나가 풀밭 속에나, 어느 문짝 밑에나, 아니면 푹 들어간 담 틈에 끼워 혹시 지나치던 계집애가 우연히 보고 살짝 집어 읽어 주지나 않을까 하고 생각하던 일. 미쳤어! 미쳤어! 내가 이런 짓을 할 수 있다니. 추잡스러운 추억들이 머릿속에 뭉게뭉게 피어오를 때 싸늘하게 식은땀이 이마에서 배어 올랐다.

수치스러운 번뇌가 스쳐간 뒤 그는 한심스러운 상태에서 자기 영혼을 가다듬어 일으키려고 애를 썼다. 하느님과 성모는 너무도 먼 거리에 있다. 하느님은 너무도 위대하고 너무도 먼 거리에 있다. 하느님은 너무도 위대하고 너무도 엄격하고, 성모는 너무도 순수하고 너무도 신성하다. 그는 넓은 들판에서 에마의 곁에 선 채 겸허한 눈물을 뿌리며 고개를 숙이고 그녀의 소맷자락에 키스하는 장면을 상상했다.

하늘의 연푸른 바다를 한 점 구름이 서쪽을 향해 떠내려 가고 있었다. 밝고 부드러운 저녁 하늘 아래 질펀한 들판에서 그들 두 사람이, 과오를 범한 아이들이 서 있었다. 그들의 잘못은, 두 아이의 잘못이라고는 하나 하느님의 권위를 크게 손상시켰다. 그러나 그 훈훈한 정경이 '바라보기만 해도 위태로운 지상의 아름다움과는 달리, 그 상징인, 새벽 하늘의 샛별 같으신' 성모를 손상시키지는 않았다. 그를 바라보는 성모의 눈길에는 노여움과 책망의 빛이라고는 없었다. 그녀는 두 사람의 손과 손을 마주 잡게 하고 그들의 마음속에 다음과 같이 속삭였다.

'손을 잡아요, 스티븐과 에마. 천당은 지금 싱그러운 밤이에요. 그대들은 과오를 범했지만 어디까지나 나의 아이들인걸. 하나의 마음이 또 하나의 마음을 사랑하는 거예요. 손을 마주 잡아요. 나의 소중한 아이들. 그리하면 그대들은 함께 행복을 누리고, 그대들 마음은 서로 사랑하게 될 거예요'

예배실에는 내려진 차일을 통해 새어나오는 어두컴컴한 붉은 빛이 가득 차 있었다. 그리고 차일과 창문 턱 사이에서 비쳐든 한 줄기 파르스름한 광선이, 제단 위의 양각 놋쇠 촛대에 창날같이 들이비췄다. 그러자 촛대는 전투에 시달린 천군들의 갑옷처럼 번뜩였다.

예배당과 뜰과 교사(敎舍)에는 비가 내리고 있었다. 그것은 영원히 소리없이 계속 내릴 것이다. 물은 조금식 차올라서 풀과 덩굴을 뒤덮

고, 나무와 집들을 뒤덮고, 기념비와 산꼭대기를 뒤덮을 것이다. 모든 생물은 소리도 없이 질식할 것이다. 새와 사람과 코끼리나 돼지는 물론 아이들까지도 온 세상이 뒤엉켜 흘러가는 속에 소리없이 떠내려 가는 시체. 40일 낮, 40일 밤을 비는 계속 퍼부어 물은 급기야 모든 땅 위를 뒤덮고 말 것이다. 그렇게 될지도 모른다. 되지 않을 이유가 어디 있는가?

"지옥이 탐욕을 뻗치고 한없이 입을 연다…… 예수 그리스도에 의해 맺어진 친애하는 어린 형제들이여, 《이사야서》 5장 14절을 인용한 것입니다. 성부와 성자와 성령의 이름으로, 아멘."

설교자는 줄 없는 시계를 사제복 주머니에서 꺼내어 잠시 들여다보더니 앞 테이블 위에 살짝 내려 놓았다. 그리고 조용한 어조로 이야기를 시작했다.

"여러분, 아담과 이브는 최초의 조상입니다. 여러분은 이 두 사람이 사탄과 그 부하인 반역적 천사들의 타락으로 인해 생긴 천국의 공백을 메우기 위해 창조되었다는 것은 알고 있을 것입니다. 사탄은 아침의 아들이자 황홀히 빛나는 힘찬 천사입니다. 그러나 그는 타락했습니다. 그는 타락했고, 그와 함께 천국의 군세의 3분의 1이 타락했습니다. 타락한 그는 반역의 천사와 더불어 지옥에 내던져졌습니다. 그의 죄가 무엇인지 우리는 알지 못합니다. 신학자들은 그것은 오만에서 오는 죄였다고 생각합니다. 논 세르비암(non serviam), 즉 '나는 섬기지 않으리'라는 사악한 생각을 잠시 품은 것이라고 합니다. 그 한순간이 그를 파멸로 내몰았습니다. 그는 찰나의 죄많은 사념에 의해 신의 권위를 손상하고, 신은 그를 천국에서 지옥으로 영원히 내던지신 것입니다. 아담과 이브는 이때 하느님의 손으로 만들어졌고, 다마스쿠스의 에덴 동산에 놓여졌습니다. 여기는 달빛과 채색으로 눈부시게 빛나는 정원으로서 식물이 무성했습니다. 풍요한 대지는 이 두 사람에게 혜택을 베풀었습니다. 짐승들과 새들은 그들에게 기꺼이 봉사하는 종복이었습니다. 우리의 육신이 이어받고 있는 병과 빈곤과 죽음 같은 재앙을 그들은 몰랐습니다. 거룩하고 관대한 하느님은 그들을 위해 할 수 있는 모든 일을 다하셨습니다. 그런데 하느님이 그들에게 준 조건이 하나 있었습니다. 그것은 하느님의 말씀에 대한 복종입니다. 그들은 금단의 열매를 먹어서는 안 되는 것이었습니다. 아아, 학생 여러분, 그들은 또 실수를 했습니다. 한때는 찬란한 천사였고, 아침의 아들이었다가 이제는 가증스런 악마로 전락해 버린 사탄이 들짐승 중에서도 가장 능글맞은 뱀으로 탈바꿈하여 찾아왔던 것입니다. 그는 이 두 사람을 시기하였습니다. 거룩한 천사였다가 천국에서 쫓겨난 그는 진흙으로 만들어진 인간이 그가 지은 죄로 말미암아 영원히 잃어버린 유산을 소유한 것을 보고 도무지 참을 수가 없었습니다. 그는 두 사람 중 보다 연약한 여자에게로 와서 웅변의 독을 그녀의 귀에 쏟아 넣고 이와 같이 약속했습니다. 아아, 이 얼마나 무서운 약속이겠습니까! 만일 그녀와 아담이 금단의 과일을 먹기만 하면 하느님같이 될 수 있다, 아니 바로 창조주가 될 수 있다는 약속이었습니다. 이 엄청난 유혹자의 흉계에 이브는 말려들고 말았습니다. 그녀는 사과를 먹고 그것을 아담에게 주었습니다. 그러나 아담도

그녀에게 거역할 용기를 갖고 있지 않았습니다. 사탄의 독에 젖은 혓바닥은 목적을 보기좋게 해치웠습니다. 두 사람은 타락하고 말았습니다. 이때 하느님의 소리가 낙원에 울려나와 스스로 창조한 생물인 인간을 꾸짖으셨습니다. 그리하여 만군(萬軍)의 우두머리 미카엘은 손에 불칼을 들고 죄인인 두 사람 앞에 나타나 그들을 에덴 동산에서 이 세상으로 몰아냈습니다. 질병과 분투, 잔학과 실망, 노동과 신고에 가득 찬 이 세상으로 이마에 땀을 흘리며 빵을 구하라고 쫓아낸 것입니다. 하지만 이때 하느님은 그 얼마나 자비를 베푸셨는지! 하느님은 우리들의 타락한 조상을 애처롭게 생각하여 때가 차면 그들을 지옥에서 구출하여 다시 한 번 하느님의 아들로 삼아 하늘 왕국의 상속자로 만들어 주실 분을 파견하겠노라고 약속하셨습니다. 그 타락한 인간의 구세주는 하느님의 독생자요, 가장 축복받는 삼위일체의 두 번째 분이시고, 영원한 말씀이 될 것이라는 약속도 하셨습니다. 그분은 오셨습니다. 동정녀 성모 마리아가 낳으신 분입니다. 유대 지방의 가난한 마구간에서 태어나 30년 동안 사명의 시기가 올 때까지 미천한 목수로서 살았습니다. 이윽고 인간에 대한 사랑이 극진한 그는 세상으로 나아가 만인에게 새로운 복음에 귀를 기울이도록 호소했습니다. 그들은 귀를 기울였을까요? 그렇습니다. 귀를 기울였습니다. 그러나 들으려고 하지 않았습니다. 그는 세상에 흔한 범죄자처럼 체포되어 포박당하고, 백치처럼 비웃음을 받으며, 세상에 알려진 도둑에게 자리를 양보하기 위해 곁으로 밀쳐져 5천 대나 매를 맞고, 가시관을 쓴 채 유대인 폭도와 함께 로마 병사들에게 끌려, 시가지로 내몰리며 옷이 벗겨진 채 처형대에 올라가서는 창으로 옆구리를 찔렸습니다. 그리하여 상처 입은 우리 주님의 몸에서는 피가 끊임없이 흘러내렸습니다. 그런데 이와 같은 상황에서도, 지극히 고난에 찬 순간에도, 자비심이 많으신 우리 구세주께서는 인류를 불쌍히 여기고 계셨습니다. 그리하여 그 장소, 갈보리 언덕에 가톨릭 교회를 세웠습니다만, 지옥의 권세일지라도 이것을 이기지는 못할 것이라고 약속했습니다. 그는 이것을 영원한 반석 위에 세우고 은총과 성찬과 희생을 베풀어, 만일 대중들이 그의 교회의 말씀을 지킨다면 영생으로 들어가리라, 그러나 모든 것이 그들을 위해 약속되어 있으나 여전히 죄를 짓는다면 그들에게 남는 것은 영원한 괴로움뿐일 것이라고 약속하였습니다. 영원한 괴로움, 즉 지옥을 말입니다."

설교자의 말소리가 낮아졌다. 그는 말을 멈추고 잠시 합장을 하고 다시 손을 떼어 이야기를 시작했다.

"그런데 여기서 잠시, 노하신 하느님의 정의가 죄인들에게 영원한 죄를 가하기 위해 존재하게 된, 저 저주받은 자의 살 곳은 어떠한가, 생각해 봅시다. 지옥이란 비좁고 어둡고 악취 풍기는 감옥입니다. 악령과 망령들이 득실거리는 곳으로 불과 연기에 가득 차 있습니다. 이 비좁은 감옥은 하느님의 율법을 거역한 인간들을 벌 주기 위해 하느님께서 특별히 마련한 것입니다. 인간의 감옥은 몹쓸 죄수일지라도 적어도 몸을 움직일 만한 자유는 있습니다. 비록 그것이 네 벽면에 싸인 감방이라 할지라도, 감옥의 쓰라린 뜰안뿐이라 할지라도, 그러나 지옥에서는 그럴 수도 없습니다. 거기서는 망령의 수효가 너무도 많기 때문에 죄수들은 이 무서운 감옥 속에 쌓여 있습니다. 그리고 감옥의 벽은 두께가 4천 마일이나 된다고 합니다. 저주받은 사람들은 단단히 묶여 꼼짝달싹도 할 수 없으므로 축복받은 성자, 성 안셀름(이탈리아의 신학자. 캔터베리 대주교를 지냄)이 그 우화집에서 말하는 바와 같이 눈을 좀먹는 구더기마저 집어낼 수 없는 것입니다. 그들은 깜깜한 암흑 속에 드러누워 있습니다. 왜냐하면 지옥의 불은 빛을 발하지 않기 때문입니다. 바빌로니아의 화덕이 하느님의 명령으로 열은 빼앗겼지만 빛은 간직하고 있듯이, 지옥의 불은 하느님의 명령으로 거센 열기를 가지고 영원한 암흑 속에서 타오르고 있습니다. 그것은 끝없는 암흑의 폭풍, 까만 불꽃, 불타는 유황의 새까만 연기입니다. 그리하여 저주받은 자들의 몸뚱이는 그 한가운데에 쌓여 거의 공기도 안 통하는 질식 상태에 있습니다. 파라오의 나라를 덮친 재앙 가운데서도 오직 암흑의 재앙이 제일 무서웠다고 합니다. 그렇다면 단 3일이 아니라 영원히 계속될 지옥의 암흑은 뭐라고 이름지어야 하겠습니까? 이 비좁고 어두운 감옥의 무서움은 그 악취로 해서 한층 더 무시무시할 것입니다. 최후의 날의 가공할 업화가 이 세상을 말끔히 씻어 줄 때 이 세상의 온갖 오물과 잡동사니, 찌꺼기는 모락모락 썩은 냄새를 피우는 거대한 하수구로 흘러들듯이 지옥으로 흘러들어온다는 것입니다. 그리고 막대한 양의 유황이 타면서 참을 수 없는 악취를 뿜어내어 온 지옥을 메운다고 합니다. 그리고 지옥으로 떨어지는 자는 그 자체가 또한 온 세계를 오염하고도 남을 해로운 악취를 뿜어낸다고 성 보나벤투르(중세 이탈리아의 스콜라학파의 한 사람)는 말하고 있습니다. 이 세상의 공기와 같은 맑고 깨끗한 공기도 오랫동안 잠가 두면 더럽혀져 견딜 수가 없게 됩니다. 그러니까 지옥의 더러운 공기가 얼마나 엄청난 것인가를 생각해 보세요. 무덤 속에서 썩어, 변질하여 뻗어 있는 젤리처럼 걸쭉한 시체를 상상해 보세요. 이 같은 시체가 불꽃에 그을리고 유황불에 타서 구역질이 날 지경으로 변질되어 독하고 숨막히는 악취를 뿜고 있는 광경을 상상해 보세요. 게다가 이 메스꺼운 악취가, 뭉게뭉게 피어오르는 검은 연기 속에 차곡차곡 쌓여 냄새를 풍기는 시체, 썩어가는 인간의 시체에서 생겨난 거대한 수억의 곰팡이, 그 쌓여진 수억의 곰팡이에 의해 몇 억 배, 몇 십억 배로 늘어난 악취를 상상해 보세요. 이 모든 광경을 마음속에 그려 보면 지옥의 가공할 악취는 다소 상상이 갈 줄 압니다. 그런데 이 악취는 확실히 무서운 것이지만 지옥에 빠진 인간들이 받는 최대의 육체적 고통은 될 수 없습니다. 잠시 손가락 끝을 촛불에 대 보세요. 그러면 불의 고통이 어떤가를 알 수 있을 겁니다. 하지만 우리가 알고 있는 지상의 불은 인간에게 생명의 불씨를 보전하기 위해, 인간의 유익한 업을 돕기 위해, 그의 복지를 위해 하느님이 창조하신 것입니다. 하지만 지옥 불은 그 성질이 달라서 회개할 줄 모르는 죄인을 벌하기 위해 하느님이 창조하신 겁니다. 지상의 불은 덮쳐드는 물건이 타기 쉬우냐 어려우냐에 따라 다소 타는 시간에 차이가 있습니다. 그러므로 인간의 발명 재능은 불의 활동을 억제하고 또 배제하는 화학 설비를 발명하는 데까지 성공했습니다. 그러나 지옥에서 타는 유황은 말할 수 없는 광포성을 가지고 영원히 계속 불타도록 특별히 고

안된 것입니다. 게다가 이 지상의 불은 불이 붙자마자 동시에 타 버리므로, 불기운이 거세면 거셀수록 타는 시간은 짧아집니다. 그런데 지옥 불은 언제까지나 탈 수가 있고 거의 믿을 수 없을 정도로 마구 타오르면서도 그 불기운이 영원히 계속된다는 특성이 있습니다. 또 지상의 불은 아무리 거세고, 널리 퍼져나간다 하더라도 항상 그 범위는 제한되어 있습니다. 그런데 지옥의 불바다는 무한하여 경계도 없고 끝도 없고 깊이도 없습니다. 기록에 따르면, 어느 병사의 질문을 받은 악마가 답하기를 온통 불타고 있는 한 산더미를 그냥 바다에 집어 던져 넣더라도 산은 눈깜짝할 사이에 한 조각 밀초와 같이 타버린다고 털어놓더라는 거예요. 그리고 이 무서운 불은 지옥에 떨어진 죄수들의 육체를 그 외부에서 괴롭힐 뿐만 아니라 죽은 영혼들은 제각기 하나의 지옥이 됩니다. 영혼의 내부, 그 오장육부가 한없이 불꽃으로 타오르기 때문이지요. 아아, 이 처참한 망령들의 운명이란 그 얼마나 무서운 것입니까? 혈관에서 피가 마구 끓어오르고 두개골 속에서는 뇌가 끓어오릅니다. 가슴에서는 심장이 발갛게 타서 터져 나오고, 장은 불타는 대롱의 뜨거운 덩어리로 뭉치고, 부드러운 눈알은 물렁물렁 녹아내린 불덩이처럼 불꽃을 피웁니다. 그러나 이 불의 힘과 질과 무한함에 대해 여태 내가 말해 온 것은 하느님의 영혼과 육체를 벌 주기 위해 고안한 수단으로써 그것이 가지고 있는 거센 힘에 비하면 아무것도 아닙니다. 그것은 하느님의 노여움에서 직접 뿜어내는 불로, 그 자체의 활동이 아니고 하느님이 복수하시기 위한 도구로써 작용하는 겁니다. 세례의 물이 육체에 의해 영혼을 깨끗이 씻어 주듯이 형벌의 불꽃은 육체에 의해 정신을 괴롭힙니다. 육체의 온갖 감각이 괴롭힘을 당하고 이에 따라 영혼의 모든 기능이 괴롭힘을 당하는 것입니다. 눈은 꿰뚫어 볼 수 없는 암흑에 의해, 코는 메스꺼운 악취에 의해, 귀는 절규와 비명과 저주하는 소리에 의해, 미각은 오염되고 불결한 부패를, 말할 수 없이 숨막히는 오물에 의해, 촉각은 발갛게 달아오른 꼬챙이와 대못으로 그리고 불꽃의 매서운 혓바닥에 의해 괴롭힘을 당하는 것입니다. 그리하여 5관의 온갖 고통을 통해 불사의 영혼은 영원히 철저한 고통을 당합니다. 그 불은 결국 전능하신 신이 분노에 찬 권위로써 깊은 지옥에 지른 것이며, 하느님의 분노의 입김으로 영원히 더욱더 사나워집니다. 마지막으로 이 감옥의 고통은 지옥으로 떨어진 자들이 함께 있기 때문에 한결 더 괴롭게 된다는 것을 생각해 봅시다. 지상에서도 나쁜 무리와 함께 있음은 심히 유해한 것으로, 식물도 자체에 위해를 가하는 그 무엇으로부터 본능적으로 물러섭니다. 그런데 지옥에서는 모든 규칙이 그 반대입니다……. 가족이니, 국가니, 인연이니, 친척이니 하는 생각은 있을 수 없습니다. 망령들은 서로들 소리를 지르고 비명을 올리며 그들의 고통과 노여움은 자기와 마찬가지로 괴로워하며 노한 자의 존재에 의해 점점 더 거세어지는 것입니다. 인간다운 분별은 깡그리 없어집니다. 헐떡이며 괴로워하는 죄인들의 울부짖음은 거대한 심연의 가장 먼 귀퉁이에까지 울려 퍼집니다. 망령들의 입에는 하느님을 저주하는 모독적인 말로 가득 차고, 괴로움을 당하는 친구를 저주하는 말로 가득 차고, 같이 죄를 지은 동료 망령들에 대한 저주의 소리로 가득

참니다. 옛날에는 어버이를 죽인 자, 즉 아버지에게 살해의 손을 뻗친 자를 벌줄 때는 그를 부대에 넣어 바다에 던졌는데, 그때 부대 속에 장닭 한 마리, 원숭이 한 마리, 뱀 한 마리를 넣어 주는 습관이 있었지요. 오늘에 와서는 참혹하게 보이는 이 법을 제정한 입법자는, 징그럽고 가증스런 짐승들과 함께 삶으로써 범죄자를 처벌하려는 의도에서 그렇게 한 것입니다. 하지만 이들 말 없는 짐승의 노여움 따위는 지옥에 빠진 망령들이 갈증에 시달리는 혓바닥, 알알거리는 산멱통에서 새어나오는 분노에 찬 원성에 비한다면 아무것도 아닌 것입니다. 이때 그들이 이 비참한 참상에서 허덕이는 동료들이야말로 자기의 죄를 부추긴 자들이며, 자기 마음속에 악한 생각과 악한 생의 시를 뿌린 것은 그들의 말이었고, 자기를 죄에 몰아넣은 것은 그들의 음탕한 암시였으며, 미덕의 오솔길로부터 자기를 유혹해 낸 것이 그들의 눈길이었다는 것을 알고 있기 때문에 망령들은 이들 동료에게 다가가 나무라고 꾸짖고 저주합니다. 하지만 그들은 어찌할 방법이 없고 아무런 희망도 없는 것입니다. 이제 회개한다 해도 벌써 때가 늦은 것입니다. 이제 마지막으로 이들 망령들을 유혹한 편, 유혹당한 편의 쌍방에게 다함께 주어지는 고통, 즉 악마와의 동거에 대해 생각해 보기로 합시다. 이들 악마는 지옥에 떨어진 자를 그들의 존재와 그리고 그들의 비난이라는 두 가지 방법으로 괴롭히는 것입니다. 이런 악마들이 얼마나 무서운 것인가는 우리가 상상할 수도 없는 것입니다. 시에나의 성 캐서린은 일찍이 악마를 만나 보고는, 단 1초 동안이라도 이 괴물을 만나야 한다면 차라리 평생토록 빨갛게 불타는 석탄길을 택하겠다고 기록하였습니다. 악마는 기왕에 천사였으므로 지난날 아름다웠던, 그만큼 추악한 모습으로 변한 것입니다. 그들은 자기들을 파멸로 몰아넣은 망령들을 조롱하고 비아냥거립니다. 지옥에서 양심의 소리를 지르는 것은 다름 아닌 이 더럽혀진 악마들입니다. 어째서 죄를 범했는가? 어떻게 친구들의 유혹에 귀가 쏠렸는가? 왜 경건한 행동과 선량한 일에서 옆길로 벗어났는가? 왜 죄를 지을 듯한 기회를 피하지 못했는가? 왜 악한 친구를 멀리하지 않았는가? 왜 음탕한 습관, 불순한 습관을 버리지 않았는가? 왜 고해 신부의 충고에 귀를 기울이지 못했던가? 처음 한 번 허락하고 난 뒤, 아니 두 번, 세 번, 네 번, 백 번 그 이상일지라도 나쁜 길을 참회하여 하느님을 돌보지 않았는가? 그대의 죄를 사면해 주려고 그대가 회개할 것을 기다리고 있는 그분에게 말이다. 그러나 이제 회개할 때는 지났다. 지금도 시간은 있고 기왕에도 시간은 있었다. 그러나 이제 시간은 없어졌다. 시간은 남몰래 슬며시 죄를 짓기 위해 있는 것, 태만과 오만에 흐르기 위해 있는 것, 규칙을 위배하고 싶어 존재하는 것, 들판에 사는 짐승같이 살아가기 위해 있는 것이었다. 아니 들판의 짐승보다도 더 못한 것. 왜냐하면 그들은 다만 짐승에 지나지 않고 그들을 이끌어 나갈 이성이 없으니까. 과거에는 그런 시간이 있었지만 앞으로는 시간이 영영 없을 것이다. 하느님은 실로 갖가지 소리로 이야기를 했으나 그대는 그 어느 것도 귀담아듣지 않았다. 마음속에 도사린 오만과 노여움을 분쇄하지 않았고, 신성한 교회의 가르침에도 따르지 않았으며, 종교의 의무를 다하지 않았다. 간악한 친구를 버리지

않았고, 갖은 위험한 유혹을 피하지 않았다…… 이것이 고문하는 형리들의 주장이며 증오와 원망의 소리입니다. 증오라고 말했지만 그 말이 옳아요! 왜냐하면 이들 악마들까지도 죄를 지었을 때는 천사의 본성과 양립할 수 있는 죄, 이를테면 지성의 반역이라는 죄를 지은 데 지나지 않으니까요. 그러나 그들 더럽혀진 악마들까지도 타락한 인간이 정령의 신전(사람의 육체를 말함)을 짓밟고, 더럽히고 그 자신을 모독하고 타락시키는 입에 담을 수 없는 이 죄를 바라볼 때 밉살스럽고도 원망스런 나머지 얼굴을 돌릴 수밖에 없습니다. 아아, 그리스도에 의해 맺어진 친애하는 어린 형제들이여, 우리는 이와 같은 말을 들어야 할 궁지에 몰리는 운명이 되지 않기를! 그와 같은 운명이 되지 않기를 나는 하느님께 열렬히 빕니다. 그 무서운 보복이 가해지는 최후의 그날, 오늘 우리 예배당에 모인 사람들 중의 단 한 사람도 '그대 저주받은 자여. 내 곁을 떠나 악마와 그 시종들을 위해 마련된 영겁의 불 속으로 뛰어들라!'라는, 심판자로부터 영원히 그의 시야에서 사라지고 명령을 받는 처참한 무리 중에 끼여들지 않도록 기원합니다."

그는 예배당 복도를 걸어 내려오고 있었다. 다리가 후들거리며 머리는 악마의 손에 잡힌 듯이 역시 떨리고 있었다. 복도 벽에는 외투와 레인코트가 마치 형틀에 매달린 죄수들처럼 머리도 없이 물방울을 뚝뚝 떨어뜨리며 괴상한 꼴로 매달려 있었다. 한걸음 한걸음 걸어감에 따라 그는 벌써 죽었다는 생각이 들고, 동시에 자기의 영혼은 육체라는 껍질에서 빠져나가 자신은 지금 우주 속으로 곤두박질친다는 생각이 들었다.

그는 서 있을 수가 없어 몸뚱이를 내던지듯 책상에 털썩 앉아서 건성으로 책을 펴 가만히 들여다보았다. 한마디 한마디가 모두 그에게 하는 말이었다. 이것은 진실이었다. 하느님은 전능하시다. 하느님은 지금도 그를 부를 수가 있다. 이와 같이 책상 머리에 앉아 있는 순간에도 부를 수가 있다. 그 호출을 의식할 겨를도 없는 사이에 하느님은 그를 부를 것이다. 그래? 어떨까? 그의 육체는 탐욕스런 불꽃이 혓바닥처럼 날름거리며 다가오는 것을 느끼자 살이 졸아들고, 숨막히는 공기가 소용돌이치며 말려들었다. 그는 죽었던 것이다. 그렇다, 그는 심판을 받고 있다. 불꽃이 그의 육체를 스쳐갔다. 첫 번째 물결. 그리고 또 물결. 그의 머리는 열이 오르기 시작했다. 또 하나의 물결. 그의 두뇌는 마구 끓어오르며 거품을 뿜었다. 불꽃이 그의 머릿속에서 마치 화관처럼 터져 나와 사람의 소리처럼 비명을 질렀다.

"지옥! 지옥! 지옥! 지옥!"

가까이에서 말소리가 들렸다.

"지옥에 관한 것이었소."

"머리에 쏙쏙 들어갔겠지."

"그렇습니다. 우리들 모두 간이 콩알만해져서."

"너희들에게는 그렇게라도 해 주어야 돼. 그렇게 겁을 주지 않으면 공부를 안 하니까 말야."

그는 책상 앞에 앉아 힘없이 의자에 기댔다. 아직 죽지는 않았다. 하느님은 다시 그를 용서해 주었다. 그는 아직도 학교라는 익숙한 세

계 속에 있었다. 테이트 선생님과 빈센트 헤론이 창가에 서서 이야기를 나누면서 농짓거리를 하다가 쓸쓸히 내리는 비를 바라보기도 하고 머리를 내젓기도 하고 있었다.

"비가 개었으면 좋겠는데. 4, 5명의 학생과 말라 하이드 근처로 자전거 하이킹을 할 예정이라네. 이렇게 비가 오니 길은 무릎까지 질펀거릴 거야."

"그칠지도 모르겠어요, 선생님."

잘 알고 있는 소리, 흔히 듣는 말, 그 소리가 멎자 교실 안은 조용히 가라앉고, 그 고요 속에 학생들이 묵묵히 점심을 먹는 소리, 소 떼가 얌전히 풀을 뜯는 듯한 소리가 가득 차 그것이 그의 앓고 있는 영혼을 어루만져 주었다.

아직도 시간은 있었다. 오오, 성모 마리아, 죄인들의 피난처여. 저를 위해 손을 뻗쳐 주십시오! 오오, 순결한 동정녀여! 죽음의 신념으로부터 저를 구하여 주소서!

영어 시간은 역사에 관한 질문으로부터 시작되었다. 왕족들, 충신들, 음모가들, 주교들, 다들 그들의 이름이란 장막 뒤를 말없는 유령처럼 스쳐갔다. 다들 죽었다. 그리고 심판을 받았다. 영혼을 잃는다면 온 세계를 얻은들 무슨 소용이 있으랴! 급기야 깨달았다. 인간의 생활이 그를 둘러싸고 평화스런 그 속에서는 개미 떼 같은 사람들이 사이좋게 일을 하고, 같은 반의 학생이 팔꿈치로 그를 쥐어박아 그는 가슴이 울렁거렸다. 선생님의 질문에 대답할 때 그는 자신의 목소리가 겸양과 회개의 고요한 가락으로 차 있는 것을 느꼈다.

그의 영혼은 회오와 평화의 보다 깊은 밑바닥으로 잠겨들었다. 벌써 공포에 대한 괴로움은 사라지고 한결 더 잠겨들자 아련한 기도를 토하였다. 그렇다, 아직도 용서받고 있다. 마음속으로 회개하면 용서를 받는 거다. 그때 하늘에 계신 사람들은 지난날을 속죄하기 위해 그가 하는 일을 보고 있으리라……. 한평생, 일생의 순간순간을, 오직 기다려 주세요.

"모든 것을 말이에요, 하느님! 모든 것을, 모든 것을!"

심부름꾼이 문 앞에 와서 예배당에서 고해의 청문이 시작되었노라고 전했다. 네 학생이 교실을 나섰다. 그리고 다른 학생들이 복도를 걸어가는 소리가 들렸다. 으시시 심장에 오한이 스쳐갔다. 산들바람처럼 부드러웠으나 그는 마치 귀를 기울이고 엿듣는 것처럼, 소리를 내지 않고 괴로움을 참으면서 심장의 근육에 귀를 대고 있는 것처럼, 그것이 죄어드는 것을 느끼면서 심실(心室)의 소리를 엿듣고 있는 듯한 느낌이었다.

피할 길은 없다. 고해를 해야만 한다. 여태껏 한 일, 머릿속에서 생각한 일, 쌓이고 쌓인 죄를 말로써 표현해야만 한다. 그러나 어떻게? 어떻게?

"신부님, 저는……."

생각만 해도 그 일은 싸늘하게 번쩍거리는 가느다란 칼날처럼 그의 여린 살갗 속으로 파고들었다. 고해. 그러나 학교 예배당에서는 못하겠다. 모든 것을 고해하리라. 행위와 생각으로서 저지른 모든 죄를 진지하게. 하지만 학교 친구들 앞에서가 아니고, 거기서 말고. 거기가 아니고 어딘가 어두운 장소에서 수치스러운 죄를 말하고 싶었다. 그리하여 그는 학교 예배당에서는 고해할 용기가 없다고 해서 노하지 말아달라고 하느님께 갈구하며 겸손한 마음으로 주위에 있는 친구들에게 말없이 용서를 빌었다.

시간은 흘렀다.

그는 다시 예배당의 맨 앞줄에 자리 잡았다. 바깥의 어두워가는 빛이 침울한 주홍빛 차일을 통해 서서히 새어드는 데 따라 마지막 날의 태양이 저물고 모든 혼령이 심판을 받으려고 모여드는 것처럼 느껴졌다.

"나는 주의 목전에서 끊어졌다……. 이것은 그리스도에 의해 맺어진 친애하는 어린 형제들이여, 《시편(詩篇)》 30장 23절에서 인용한 것입니다. 성부와 성자와 성령의 이름으로, 아멘."

설교자는 조용하고 상냥한 투로 이야기를 시작했다. 그의 얼굴은 친절하게 보였으며, 그는 양쪽 손가락 끝을 가지런히 모으고 엉성한 새장 같은 모양을 만들었다.

"오늘 아침 우리들이 지옥에 관해 생각했을 때 우리의 성스러운 창립자는 그 정신 수양이란 저서 속에서 장소의 구성이라 부르고 있는 대목을 검토해 보려 했습니다. 이를테면 심적 감각에 의해 상상 속에 그 무서운 장소와 거기에 떨어진 뭇죄인들이 참고 견뎌야 할 육체적 고통의 물질적 성격을 상상해 보려고 힘썼습니다. 오늘 저녁은 잠시 지옥에서 당할 정신적인 고통에 대해 생각해 보도록 합시다. 죄란 것은, 아시겠습니까? 이중의 범죄 행위입니다. 그것은 우리네 썩어빠진 본성을 자극하여 저열한 본능, 조잡하고 야비한 것을 따르려는 천박한 동의를 말합니다. 그것은 동시에 우리의 고상한 본성의 충고를 무시하고 신성하고 순수한 모든 것, 이런 이유에서 큰 죄는 지옥에서 두 가지 형태의 벌, 말하자면 육체적·정신적 두 가지 벌로써 처벌을 받습니다. 그런데 이와 같은 모든 정신적 고통 중에 가장 큰 것이 상실의 고통입니다. 사실상 그것은 너무 크기 때문에 다른 모든 고통보다도 월등히 큰 고통이 되는 것입니다. 교회의 거룩한 박사, 천사와 같은 박사라고 일컬어지는 성 토마스는 가장 혹독하고 영구적인 벌은 인간의 지력이 깡그리 하느님의 빛에서 가리워지고 그 감정이 하느님의 선에 대해 굳이 얼굴을 돌리는 것이라고 말하고 있습니다. 알고 있는지 모르나 하느님은 무한히 선한 존재이며 따라서 이와 같은 존재를 잃는다는 것은 한없이 고통스러운 손실인 것입니다. 우리는 이 세상에서 이런 손실이 어떤 것인가를 그다지 분명히 알지 못하고 있지만 지옥에 떨어진 자들은 커다란 고통을 겪으면서 자기들이 잃어버린 손실을 뼈저리게 깨닫고는 그것을 자기의 과실로 잃었다는 것, 그리고 그것은 영원히 잃고 말았다는 것을 깨닫게 됩니다. 죽음의 바로 그 순간, 육체적 속박은 산산이 허물어지고 영혼은 바로 하느님에게로, 영혼 그 자체의 중심으로 치닫듯이 하느님에게로 날아갑니다. 알고 있는가? 학생 여러분! 우리들의 영혼은 하느님과 함께 하기를 열망하고 있습니다. 우리는 하느님으로부터 태어났고 하느님에 의해 살고 하느님께 복종하고 있습니다. 하느님은 그 신성한 사랑인 모든 인간의 영혼을 사랑해 주시며, 모든 인간의 영혼은 그 사람

속에서 살고 있다. 이렇게 하는 수밖에 인간이 다른 무엇을 하겠는가? 우리가 들이키는 모든 숨, 우리 뇌수의 모든 사고, 우리 생활의 순간순간이 하느님의 다하지 않은 선으로부터 흘러나오는 것입니다. 그리하여 어머니에게는 자식들과 헤어지는 것이 고통이며, 친구가 친구 곁을 떠나는 것이 고통이라면, 슬픈 영혼에 있어서 가장 높고 선한 존재로부터, 무에서 영혼을 끌어내어 존재하게 하고, 이것을 생명 속에 받들며 가이없는 사랑으로써 사랑해 주시는 애정 깊은 창조주로부터 추방당한다는 것이 얼마나 고통스러우며 얼마나 뼈아픈 고민인가를 생각해 보십시오. 그러므로 이 영원한 최고의 선(善)으로부터, 하느님으로부터 떨어져 나와 있다는 것, 그리고 이 분리에서 오는 고통을 느끼며 이제 되돌릴 수 없다는 사실을 잘 인식하고 있다는 것, 이 '포에나 담(poena damni)', 이를테면 상실의 고통이야말로 하느님의 창조물인 영혼이 견디어 내기 힘든 가장 큰 고통입니다. 지옥에 떨어진 영혼을 괴롭히는 두 번째 고통은 양심의 가책입니다. 마치 썩어 문들어진 시체에서 구더기가 생기듯이 망령에는 죄가 썩어서 끊임없는 회한, 세 가지의 침을 가진 구더기가 생긴다고 합니다. 이 참혹한 구더기가 최초에 찌르는 것은 지난날의 쾌락에 대한 추억입니다. 아아, 이 얼마나 무서운 추억인가! 온갖 것을 집어삼키는 불바다 속에서 오만한 왕은 그의 궁전의 화려한 모습을 떠올립니다. 슬기로우나 사악한 사나이는 그의 서가와 연구 도구를, 심미적인 쾌락을 좋아하는 자는 그의 대리석과 그림과 그 밖의 갖가지 미술품을, 식탁의 쾌락을 즐기던 자는 그의 사치스런 향연과 섬세한 취미로써 조리

한 요리와 고르고 고른 맛난 포도주를 생각할 것입니다. 구두쇠는 그가 몰래 감춘 황금을, 도둑은 부정으로 얻은 부를, 분노와 복수심에 찬 무자비한 살인자는 그가 저지른 유혈과 포악한 사건을, 더러운 간음자는 기쁨에 젖어 저지른 말할 수 없이 흉한 쾌락을 떠올릴 것입니다. 그들은 이 모든 것을 회상하고는 자기 자신과 자기의 죄를 혐오할 것입니다. 왜냐하면 이와 같은 모든 쾌락은 오랜 세대에 걸쳐 지옥의 불길에 한없이 시달리는 망령들에게는 실로 보잘것없는 것으로 생각될 수 있기 때문입니다. 지상의 생에 있어 아무런 가치도 없는 것 때문에, 불과 몇 조각 안 되는 쇠붙이 때문에, 허망한 명예 때문에, 육체적 위안 때문에, 신경의 흥분 때문에 스스로 하늘의 복락을 잃었다고 생각할 때 그들의 심정은 얼마나 분하고 울화가 치밀겠습니까? 그들은 숨김없는 회한의 정에 시달리고 말 것입니다. 이것이 양심이라는 구더기의 둘째 침입니다. 자기가 저지른 죄에 대해 이젠 후회해도 소용없는 실없는 슬픔인 것입니다. 하느님의 정의는 이같은 불쌍한 자들의 오성(悟性)이 끊임없이 그들의 허물인 죄를 의식하도록 강요하고 있으며, 나아가 성 아우구스티누스가 지적했다시피, 하느님은 죄에 관한 자기의 지시를 그들에게 심어 줌으로써 마치 하느님의 눈에 비치는 그대로 그들 눈에도 엄청나게 추한 모습으로 나타나는 것입니다. 그들은 자기 죄의 온갖 추잡함을 보고 후회하지만 벌써 때는 늦고 그들이 무시했던 좋은 기회를 한탄하고 슬퍼할 뿐입니다. 이것이 양심이란 구더기의 마지막, 그리고 가장 심하고 가장 잔혹한 가시인 것입니다. 양심은 이렇게 말할 것입니다. '회개할 시간과 기회

가 있었음에도 불구하고 그대는 그것을 하지 않았다. 그대는 양심에 따라 신앙심이 깊게 길러졌다. 그대에게는 자신을 도와주는 교회의 비적과 은총의 사면이 있었다. 그대에게는 설교를 해 주고, 길을 잃었을 때는 데려다 주고, 아무리 번번이, 아무리 가증스러워도 그대가 고해를 하고 회개만 한다면 죄를 사해 주는 하느님이 있었다. 그런데도 그대는 그러하지 않았다. 그대는 신성한 종교를 비웃고 고해실에 등을 돌리고 점점 깊이 죄의 수렁 속으로 빠져들어 허우적거렸다. 하느님은 그대에게 호소와 위협과 간구로 돌아오라고 하였다. 아아, 이 얼마나 부끄러운 일이며, 이 얼마나 비참한 짓이냐! 우주의 지배자께서 진흙으로 만들어진 그대에게, 그대를 만든 하느님을 사랑하라! 하느님의 율법을 지켜달라고 간청을 해야 하다니. 그래도 그대는 응하지 않았다. 만일 그대가 아직도 울 수가 있고 온 지옥을 그대의 눈물로 온통 적실 수 있다 하더라도, 지상 생활에서 진정으로 회개할 때 한 방울의 눈물만으로 가져올 수 있었던 것을 지금은 큰 바다와 같이 후회하더라도 그대에게는 얻을 수 없는 것이다. 지금 그대는 회개를 하기 위해 한순간이라도 지상의 생활을 허용해 달라고 애원하고 있다. 하지만 소용없는 짓이다. 시간은 흘러갔다. 영원히 사라진 것이다.' 이것이 지옥으로 떨어진 망령들의 마음속을 게걸스럽게 갉아 대는 구더기, 양심의 3중 가시입니다. 따라서 망령들은 불 같은 노여움에 타면서 자기가 저지른 어리석은 행동을 저주하고, 그들을 이 같은 파멸로 몰아넣은 나쁜 친구를 저주하며, 지난날은 그들을 유혹하고 지금은 영원히 그들을 조롱하는 악마를 저주합니다. 아니, 급기야는 가장 높으신 존재까지를 욕하고 저주합니다. 그들이 하느님의 정의와 힘을 피해 도망칠 수는 없기 때문입니다. 지옥에 떨어진 죄인들이 받아야 할 그 다음의 정신적 고통은 확대성의 고통입니다. 이 지상의 생에 있어서 인간들은 수많은 악을 저지를 수 있지만 그 모든 악을 한꺼번에 행할 수는 없습니다. 하나의 악이 다른 악을 중화시키고 반대로 작용함은 마치 하나의 독이 다른 독을 중화시키는 것과 비슷합니다. 그와는 반대로 지옥에서는 하나의 고통은 다른 고통과 상쇄되기는커녕 오히려 극심하게 만듭니다. 뿐만 아니라, 정신적 능력은 육체적 감각보다도 한결 완전하므로 정신적 능력은 그만큼 더 괴로워합니다. 모든 감각이 제나름의 고통을 당하듯이 모든 정신적 능력도 고통을 당하게 됩니다. 공상은 그 무서운 이미지에 의해, 감정의 능력은 번갈아 일어나는 절망과 노여움에 의해, 마음과 지력은 저 무서운 감옥을 지배하는 외적 암흑보다도 한결 무서운 내적 암흑에 의해, 이들 망령을 사로잡는 악의는 무력하기는 해도 한없이 확대되는 악, 언제까지나 지속되는 악이며, 만일 우리의 엄청난 죄와 거기에 대한 하느님의 증오를 고려하지 않는 한, 거의 이해할 수 없을 정도로 무시무시하고 극악한 상태인 것입니다. 이 확대성의 고통과 대립하면서도 공존하는 것으로는 격렬성의 고통이 있습니다. 지옥은 악의 중심이 되는데, 아시다시피, 사물은 그 중심이 말단보다는 한결 격렬하게 됩니다. 지옥의 고통을 조금이라도 누그러뜨려 줄 만한 대립물이나 혼합물은 아무것도 없습니다. 아니, 그 자체가 선한 것이라도 지옥에서는 악한 것이 됩니다. 동료는 다른 곳에서는 고통을 받는 자의 위로의 원천이 되지만 여기서는 끊임없는 고통의 씨가 됩니다. 지성의 주된 미덕으로서 몹시도 열망하게 되는 지식도 여기서는 무지 이상으로 미움을 받습니다. 만물의 영장으로부터 숲 속의 미천하기 그지없는 식물에 이르기까지 모든 생물이 갈망하는 빛마저 여기서는 가장 싫어하는 대상이 됩니다. 지상의 생활에서 우리의 슬픔은 그다지 오래 계속되지 않거나 그다지 심한 것이 못 됩니다. 왜냐하면, 습관 탓으로 천성이 슬픔을 이겨 내거나, 슬픔 그 자체의 무게로 해서 자연히 가라앉아 천성이 슬픔을 종식시키기 때문입니다. 그러나 지옥에서는 고통이 습관으로 인해 극복되지는 않습니다. 왜냐하면, 지옥의 고통은 무시무시하게도 격렬하고 변화무쌍하며, 하나의 고통은 다른 고통으로부터 불을 옮겨받아, 점화된 고통은 더 거센 불꽃을 피우기 때문입니다. 게다가 이런 고통에 굴복함으로써 그 본성은 이 거세고 다양한 고문으로부터 피해 나갈 수가 없습니다. 왜냐하면, 영혼은 재난 속에서 떠받들어지고 보전됨으로써 그 고통은 더 심해집니다. 고통이 한없이 확대되고 고뇌가 엄청나게 격렬해지며 고문이 한없이 다양하게 변화하는 것, 이것이야말로 죄인에게 격분하는 하느님의 위엄이 요구하는 바로 그것입니다. 이것이야말로 썩어 문드러진 저열한 쾌락을 위해 경시되고 무시되어 온 성스러운 하느님이 요구하시는 바로 그것입니다. 이것이야말로 죄인들의 죄를 보상하기 위해 흘리고, 극악무도한 자에 의해 짓밟힌 순결한 하느님의 어린 양의 피가 강력히 요구하는 그것입니다. 저 무시무시한 지옥의 고통 중에서 마지막 그리고 다시없는 고통은 지옥의 영원성입니다. 영원! 아아,

이 얼마나 무시무시하고 엄청난 말인가. 영원! 인간의 마음이 어떻게 그걸 이해할 수가 있겠습니까? 게다가 아시겠습니까? 그것은 고통에 찬 영원인 것입니다. 비록 지옥의 고통이 그다지 무서운 것이 아니라 할지라도 그것은 영원히 계속되는 것입니다. 영원히 계속되면서도 그 고통은 아시다시피 몹시도 격렬하고 견디기 어려우며 확대적인 것입니다. 한 마리 벌에 쏘인 상처라도 영겁에 걸친다면 견디기 어려운 무서운 고통입니다. 그렇다면 지옥의 갖가지 고통을 영원히 참아낸다는 것은 어떻겠습니까? 영원! 영겁에 걸쳐 한 해 한 세대가 아니고 영구히, 이 무서운 뜻을 상상해 보시오. 해변가의 모래는 늘 보고 있는 것입니다. 그러나 작은 그 알알은 얼마나 미세한 것입니까! 어린 아이들이 놀면서 한 주먹 집은 그 작은 모래 주먹 속에는 얼마나 많은 모래 알알이 들어 있습니까! 그런데 높이가 수백만 수천만 마일이 되어 저 하늘 꼭대기까지 닿으며 그 넓이가 수백만 마일로 세상 끝까지 이르며, 그 두께가 수백만 마일이 되는 모래산을 상상해 보시오. 그리고 이 수많은 미세한 모래알의 거창한 산더미가 나무의 잎사귀같이, 창창대해의 물방울같이, 새들의 깃과 같이, 물고기의 비늘같이, 짐승들의 털같이, 넓디넓은 대기 속의 원자의 수와 같이 많음을 상상해 보십시오. 그리고 백만 년이 지날 때마다 참새가 이 산에 날아와 모래알 한 알을 물고 간다고 하면 몇백만 세기, 몇천만 세기 후에 이 새들은 이 모래산의 1평방 피트를 물어 나르겠습니까? 몇 영세(永世) 후에 참새는 이 모래산 전부를 물어 나를 수 있겠습니까? 그렇게 장구한 시간이 흐른 끝일지라도 영겁의 시간 중의 단 한순간

도 지나가 버렸다고는 볼 수 없는 것입니다. 이와 같이 몇천만억 년을 지나서도 영원은 겨우 그 첫발을 내디딘 데 지나지 않습니다. 이 모래산을 깡그리 물어 나른 뒤 또 모래산이 생기고 참새가 다시 날아와 이 모든 모래알을 한알, 한알 물어 날라, 이와 같이 하여 하늘의 별만큼, 대기 속의 원자의 수만큼, 바다 속의 물방울만큼, 나무의 잎새만큼, 새의 깃털만큼, 물고기의 비늘만큼, 짐승들의 털만큼, 그만큼 많은 횟수에 걸쳐 모래산이 쌓였다가 사라지고, 쌓였다가 사라지더라도, 이 헤아릴 수 없는 방대한 산의 무수한 생성과 소멸의 종말까지도 영원은 불과 한순간도 끝났다고는 할 수 없는 것입니다. 이와 같이 생각만 해도 눈앞이 아찔해지는 영세(永世)의 시간이 끝났어도 영원은 아직 출발도 하지 않았다고 할 수 있습니다. 어느 성인(우리 수도회 중의 한 사람이었다고 생각됩니다만)이 언젠가 지옥의 형상을 볼 수 있는 기회를 가졌다고 합니다. 그때 그는 어둡고 고요한, 들리는 것이라고는 큰 시계의 째깍거리는 소리뿐인 휑한 넓은 홀 안에 서 있는 기분이었다고 진해지고 있습니다. 그 성인에게 이 시계 소리는 마치 '에버 ever, 네버 never, 에버, 네버' 하며 되풀이하는 것 같았다는 것이에요. 언제까지나 결코, 언제까지나 지옥에 머무르고 결코 천국에는 갈 수 없습니다. 언제까지나 하느님의 존재로부터 차단되고 결코 낙원을 보지 못하여 언제까지나 불꽃에 살라지며, 독충에 물리고, 빨갛게 단 큰 못에 찔리며, 결코 그 고통을 벗어날 수 없습니다. 언제까지나 양심의 가책에 허덕이고 기억은 노여움에 미쳐 날뛰며 마음은 암흑과 절망에 가득 차 결코 벗어날 수가 없습니다. 언제까지나 악귀를 저주하며, 자기네 감언에 말려들어 어리석게도 타락한 이 처참한 무리들을 고소하고 있는 그들을 저주해야만 하며, 결코 축복받은 영혼의 휘황찬란한 의복을 볼 수는 없습니다. 언제까지나 불꽃의 심연에서 이 쓰라린 고민을 벗어날 수 있는 한순간을, 겨우 한순간이라도 베풀어 주십사 하고 하느님을 향해 외쳐야만 합니다. 결코 한순간도 하느님의 용서를 받을 수는 없습니다. 언제까지나 괴로워해야 하며 결코 즐거운 시간은 가질 수 없습니다. 언제까지나 지옥에서 허덕여야 하며 결코 구원을 받지 못할 것입니다. 언제까지나 결코, 언제까지나 결코. 이 얼마나 무서운 죄라 하겠습니까! 끊임없는 고통의 영겁, 한 올의 희망도 없고 일순의 휴식도 없는, 끝이 없는 육체적 정신적 고민에 찬 영겁, 한없이 격렬한 고민의 영겁, 한없이 변화하는 가책의 영겁, 영구히 파먹으면서 그것을 영구히 지속하는 고문의 영겁, 한순간이 그 자체인 끝없는 슬픔인 영겁, 이것이야말로 큰 죄를 범하고 죽은 자들에게 전능하고 정의에 찬 하느님이 명령하시는 무서운 형벌인 것입니다. 그렇습니다. 정의의 하느님이 말입니다! 인간은 항상 인간으로서밖엔 머리를 쓰지 못하기 때문에 겨우 한 가지 슬픈 죄에 대해 지옥의 불 속에서 영원히 계속 되는 무한한 벌을 하느님이 내리시는 것을 보고 놀랍니다. 인간의 이와 같은 생각은 육체의 거리를 환상과 인지(人智)의 몽매로 말미암아 눈이 어두워 큰 죄의 추악성을 이해 못하기 때문입니다.

인간의 이와 같은 생각은 가벼운 죄라 할지라도 그것이 얼마나 추잡한 근성의 것인가를 이해 못하기 때문입니다. 전능하신 조물주는

오직 한 번의 거짓말, 한 번의 노한 표정, 아직 한순간의 제멋대로의 태만과 같은 가벼운 죄를 벌하지 않고 그냥 둔다면, 전쟁·질환·강탈·범죄·죽음·살인과 같은 이 세상의 모든 악과 처참한 사태를 전멸할 수 있다 하더라도 그러지는 못하기 때문입니다. 생각뿐만 아니라 행동에 나타난 것을 막론하고 죄야말로 신의 율법을 유린하는 것이며, 하느님이 만일 이와 같은 유린자를 벌하지 않는다면 하느님은 그때부터 하느님이 아닙니다. 그리고 인간은 이것을 알지 못하고 있습니다. 오직 하나의 죄, 불과 한순간의 지성의 반역에 의한 오만, 그것이 사탄과 천사들 대군의 3분의 1을 영광의 자리에서 타락시키고 말았습니다. 단 한 가지의 죄, 오직 한순간의 어리석고 심약한 행동이 아담과 이브를 에덴 동산에서 내쫓아 이 세상에 죽음과 괴로움을 가져오게 만들었습니다. 이 죄의 갖가지 결말을 보상하기 위해 하느님의 단 한 분인 아드님은 이 땅 위로 내려와 살면서 고통을 받고 세 시간 동안이나 십자가에 매달려 가장 괴로운 죽음을 당한 것입니다. 아아, 예수 그리스도에 의해 맺어진 친애하는 어린 형제들이여! 우리는 이 선량한 속죄양을 해치고 그의 노여움을 불러일으켜야 되겠습니까? 그 찢어지고 잘라진 시체를 짓밟아도 좋단 말입니까? 슬픔과 자애로 가득 찬 그 얼굴에 침을 뱉아서야 되겠습니까? 우리도 냉혹한 유태인이나 야비한 군인들처럼 저 조용하고 상냥한 구세주를 조롱해서야 되겠습니까? 그분은 우리들을 위해, 저 무섭고 슬픈 포도즙 틀을 홀로 밟으신 분이 아닙니까! 모든 죄에 찬 말들은 주님 허리의 상처가 됩니다. 온갖 죄많은 행동은 주님의 머리를 찌르는 가시가 됩니다. 죄임을 알면서 거기에 굴복하는 갖가지 추잡한 사념은 저 신성하고 자애로운 심장을 꿰뚫는 예리한 창인 것입니다. 안 됩니다, 안 됩니다! 성스러운 권위에 이처럼 깊은 상처를 주는 것, 영원한 괴로움을 벌받는 일, 하느님의 아드님을 다시 십자가에 못박아 그를 조롱하는 결과를 가져오는 일 등등은 어떤 인간도 할 수 없습니다. 나는 오늘 나의 이 서투르기 그지없는 말들이 하느님의 은총 속에 있는 사람은 성스러운 마음이 더욱 굳어지고, 겁을 내어 물러서려는 자들을 한결 강하게 하고, 이미 길을 잃고 헤매는 불쌍한 영혼을 (만일 그런 사람이 여러분 속에 있다면) 은총의 자리로 되돌리는 데 도움이 되기를 하느님께 기도드립니다. 우리들이 우리의 죄를 회개하기를 하느님께 기도드립니다. 여러분도 함께 기도해 주십시오. 나는 지금 여러분 모두에게 이 근엄한 예배당에서 하느님 앞에 무릎을 꿇고 나를 따라 회오의 기도를 되풀이해 주기를 바랍니다. 하느님은 저기 대성당에 계시면서 인류에의 사랑에 불타고, 고통에 허덕이는 자들을 위로하십니다. 두려워하지 마시고 아무리 많은 죄, 아무리 더러운 죄라 할지라도 그대들이 회개만 하면 용서를 받을 수 있습니다. 세속적인 체면으로 주저해서는 못 씁니다. 하느님은 죄인이 영겁의 죽음을 당하는 것보다 그가 회개하여 살아갈 것을 바라는 자비로운 주님이십니다. 하느님은 그대들을 하느님 앞에 부르고 계십니다. 그대들은 하느님의 것입니다. 하느님은 그대를 무에서 창조하셨습니다. 그리고 오직 하느님만이 사랑할 수 있는 깊은 사랑으로 그대를 사랑하고 계십니다. 그대가 아무리 하느님을 거역하여 죄를 지

었다 하더라도 하느님의 두 팔은 그대를 받아들이기 위해 펴고 계십니다. 하느님께로 가십시오, 불쌍한 죄인들이여. 가련하고 허망하고 허물을 저지르는 죄인이여. 지금이야말로 은혜를 베푸는 때, 지금이야말로 그때인 것입니다."

주교는 일어서서 제단 쪽을 향해 저무는 저녁 햇빛 속에서 성체 앞 계단에 꿇어앉았다. 예배당 안에 있는 모든 사람이 같이 꿇어앉아 아무런 소리 하나 없이 조용하기를 기다렸다. 이윽고 머리를 쳐들고 회개의 기도를 한 구절씩 열렬히 되풀이했다. 학생들은 한 구절씩 그의 뒤를 따라 외어 갔다. 스티븐은 혀가 입안에 달라붙어 떨어지지 않아 머리를 숙이고 마음속으로만 기도를 드렸다.

"오오, 주여!……."

"오오, 주여!……."

"마음으로부터 회개합니다……."

"마음으로부터 회개합니다……."

"당신을 거역한 것을……."

"당신을 거역한 것을……."

"그리하여 저의 죄를 미워합니다……."

"그리하여 저의 죄를 미워합니다……."

"여느 온갖 악보다도 더……."

"여느 온갖 악보다도 더……."

"주를 슬프게 하기 때문에……."

"주를 슬프게 하기 때문에……."

"당신이야말로 내 모든 사랑에……."

"당신이야말로 내 모든 사랑에……."

"어울리는 분입니다……."

"어울리는 분입니다……."

"저는 마음을 굳혔습니다……."

"저는 마음을 굳혔습니다……."

"주의 성스러운 은총으로……."

"주의 성스러운 은총으로……."

"다시는 당신을 거역하지 않고……."

"다시는 당신을 거역하지 않고……."

"저의 생활을 고치겠나이다……."

"저의 생활을 고치겠나이다……."

저녁 식사가 끝나자 스티븐은 영혼과 단둘이 되기 위해 방으로 물러갔으나, 발을 떼어 놓을 때마다 그의 혼은 한숨을 내쉬면서 끈끈한 어둠 속으로 올라갔다. 그는 문 앞 층계참에 멈춰 서서 손잡이를 잡고 얼른 문을 열었다. 그는 겁에 질려 서 있었고, 영혼은 그의 내부에서 괴로워하면서 그가 문턱을 넘어설 때는 죽음이 자기 이마에 와닿지 않게시리, 어둠 속에 사는 악귀들에게 덮쳐들 힘을 주시지 말도록 마음속에서 기도하고 있었다. 그는 또 입구에서 무언가 암흑이 동굴 같은 느낌이 들어 연방 머뭇거리고만 있었다. 언제나 보던 얼굴이, 눈이 거기에 있었다. 그것들이 기다리면서 그를 지켜보고 있었다.

"우린 잘 알고 있어. 죄는 어차피 세상에 드러나고 말 일이지만, 정신적 절대자를 확인하기 위해 노력하도록 스스로를 유도하려고 애를 쓰는 어느 누구나 상당히 어려움이 있게 되리라는 걸 말야. 우리는 물론 그걸 너무나 잘 알고 있었어."

이렇게 중얼거리는 얼굴들이 지켜보며 기다리고 있었다. 중얼거리는 얼굴들이 깜깜한 동굴 벽에 서성거리고 있었다. 그는 신체적, 정신적으로 몹시도 겁에 질려서 대담하게 고개를 들고 확고한 발걸음으로 실내를 뚜벅뚜벅 걸어 들어갔다. 하나의 입구, 하나의 방, 같은 방, 그는 어둠 속에서 중얼거리듯 피어오르는 이런 말에는 아무런 뜻도 없는 것이라고 자기에게 타일렀다. 이것은 다만 문을 열어젖혀 놓은 자기 방에 지나지 않았다.

그는 문을 닫고 얼른 침대로 걸어가 그 옆에 꿇어앉아 두 손으로 얼굴을 감쌌다. 손은 싸늘하면서 축축하고 사지가 차고 노곤했다. 육체의 불안과 싸늘함과 피로가 그를 둘러싸고 생각하는 힘마저 잃게 했다. 왜 자신은 여기서 저녁 기도를 드리는 아이들처럼 꿇어앉아 있는가? 자신의 영혼과 단둘이만 있고 싶어서, 자기의 양심을 시험해 보기 위해, 자기 죄와 직접 대면하기 위해, 죄를 저지른 때의 방법과 상황 등을 회상하기 위해, 그 수많은 죄를 회개하고 눈물짓기 위해 울 수는 없었다. 수많은 그 죄를 낱낱이 기억해 낼 수가 없었다. 그는 다만 마음과 육체의 아픔, 존재, 기억, 의자, 지력, 살갗이 저려들고 어디까지나 피로해 있음을 느낄 뿐이었다.

비겁하고 죄로 더럽혀진 육체라는 문을 통해 덮쳐들어 생각을 흐트리고 양심을 흐리게 하는 것은 악마였다. 그는 주저주저 자기의 악함을 용서해 달라고 하느님께 빌면서 침대로 올라가 모포로 몸을 꼭 둘러싸고 다시 두 손으로 얼굴을 감쌌다. 죄를 지었다. 자신은 하늘을 거역하고 하느님 앞에서 엄청난 죄를 지었으므로 하느님의 아들이라고 말할 자격도 없다.

스티븐 디달러스가 그와 같은 짓을 저질렀을 리가 있겠는가? 그의 양심은 대답하면서 한숨을 쉬었다. 그렇다. 자신이 그런 짓들을 했음에 틀림없다. 남몰래, 추잡스럽게, 거듭거듭 죄를 범하고도 회개하지 않고, 고집스레 내부의 영혼은 살아 있는 썩은 덩어리면서 성체 앞에서는 경건하게 가면을 쓸 수 있을 만큼 후안무치한 존재였다. 그런데도 왜 하느님에게 맞아 죽지 않았을까? 불결한 죄의 집단이 그를 둘러싸고 그에게 입김을 토하며 사방에서 그를 굽어보고 있었다. 그는 기도를 드리며 자기가 범한 많은 죄들을 잊으려고 손발을 굳게 죄고 눈을 꼭 감고 있었으나 그의 영혼의 지각은 잠들지 않고 아무리 눈을 감아 보아도 죄를 저지른 장소가 눈앞에 선하며, 굳게 닫힌 귀를 통해 소리가 들려왔다. 그는 한껏 의지력을 동원하여 듣지도 보지도 않으려고 애를 썼다. 그는 온몸이 떨리고 영혼의 지각이 마비될 정도로 기도를 계속했다. 잠깐 동안 지각이 멎었다가 다시 되살아났다. 그는 앞을 보았다.

억센 잡초와 엉겅퀴와 쐐기풀이 무성한 들판. 거칠게 자란 수풀 속에 오그라진 깡통들과 딴딴하게 굳었거나 썩은 인분이 여기저기 흩어져 있었다. 모든 배설물로부터, 곧게 뻗어 있는 회록색 잡초 사이를 통해 아른거리는 아지랑이가 늪의 빛처럼 피어올랐다. 그 빛처럼

아른거리고 더러운 악취가 깡통에서 딴딴하게 굳은 오래된 인분에서 슬슬 피어올랐다.

그 들에는 짐승들이 살고 있었다. 한 마리, 세 마리, 여섯 마리. 짐승들이 여기저기서 나다녔다. 사람 얼굴을 한, 염소 비슷한 짐승, 이마에 뿔이 나고 가느다란 수염이 듬성듬성, 생고무처럼 희읍스름한 것들, 여기저기서 긴 꼬리를 뒤에 늘어뜨리고 걸어 다닐 때 짐승들의 매서운 눈초리에는 악의 빛이 번득였다. 노골적이며 잔인한 적의로 말미암아 늙고 뼈대가 드러난 얼굴에는 회색이 감돌고 있었다. 그중 한 마리는 늑골 주변에 다 해진 플란넬 조끼를 걸쳤고, 또 한 마리는 무성히 자란 잡초에 수염이 걸려 단조로운 소리로 푸념을 했다. 이들 짐승이 메마른 입술에서 가냘픈 소리를 내며 느긋이 원을 그리고 들판을 뛰놀며 풀숲을 헤치고 긴 꼬리를 질질 끌 때 많은 깡통들이 땡가달땡가달 소리를 냈다. 그들은 원을 그리며 서서히 달려 점차로 원을 좁혀 그를 둘러싸자, 둘러싸자 하면서 입술에서 가냘픈 소리를 내며, 윙윙거리는 그들의 꼬리가 인분의 범벅이 되어 무서운 얼굴을 쳐들 때…….

사람 살려!

그는 미친 듯이 모포를 자기 몸에서 걷어치우고 머리에서 목까지 드러냈다. 이것이 그에게는 지옥이다. 그가 범한 죄에 어울리게끔 제쳐놓았다가 하느님이 보여 주는 거다. 악취가 코를 쏘고 짐승같이 악의에 찬 음탕하고 산양 같은 악귀들의 지옥이었다. 그를 위해 마련된 곳이었다.

그는 침대에서 뛰쳐나왔다. 코를 찌르는 악취가 목구멍을 메우고 간장을 짓눌러 속이 메스꺼웠다. 공기를! 천국의 공기를! 구역질이 나면서 금방 머리가 아찔해져 창가로 비틀비틀 걸어갔다. 세면대 가까이 이르자 온몸에 경련이 일기 시작했다. 그는 싸늘해진 얼굴을 우악스럽게 붙잡고는 괴로워하면서 속에 든 것을 모두 토해냈다.

발작이 가라앉자 허우적거리며 창가로 가 창문을 열고 의자에 앉은 채 팔꿈치를 창틀 위에 걸쳤다. 비는 이제 완전히 그쳤다. 불빛이 점점으로 반짝이는 사이를 수증기는 흐르고 그 속을 안개 덩어리가 피어올랐다. 하늘은 아스라이 반짝이며 고요하기만 하고 공기는 마치 소나기에 젖은 숲 속처럼 싱싱했다. 안온함과 흔들리는 불빛과 은근한 향기 속에서 그는 마음속으로부터 기도했다.

"주님은 하늘 나라의 영광에 싸여 지상으로 내려오시려고 하였사오나 저희들이 죄를 범했습니다. 그리하여 주님은 위용을 감추시고 광채를 가리시지 않고서는 우리들을 쉬이 찾아오실 수가 없었사옵니다. 왜냐하면 주님은 하느님이셨기 때문에. 그러므로 주님께서는 가냘픈 모습에다 힘없이 오셔서, 주님 대신으로 창조하신 당신을, 우리들의 처지에 알맞은 인간의 아름다움과 영예를 가지신 당신을 대신 보내셨습니다. 그리하여 지금, 사랑하는 어머니시여, 당신의 얼굴과 모습은 영원에 관해 말씀해 주십니다. 그것은 이 지상의 아름다움과는 달리 바라보아도 위험하지 않고, 당신의 상징인 샛별같이 빛을 뿜으며 절묘한 가락을 울리고, 순결을 숨쉬며 천국을 이야기하면서 평화를 쏟아 주십니다. 오오, 하루의 선구자! 순례의 불빛이여! 여태 우리를 이끌어 주셨듯이 언제까지나 우리를 이끌어 주옵소서. 깜깜한 어둠 속에 외로운 황야를 넘어 우리의 주님 예수에게로 우리를 데려다 주옵소서. 우리네 집으로 인도해 주옵소서."

그의 눈은 젖어 있었고, 삼가 하늘을 우러러보며 잃어버린 순결을 구하여 눈물지었다.

밤이 오자 그는 집을 나왔으나 축축하고 어두운 밤 공기를 쐬며 뒤에서 문이 잠기는 소리를 듣자, 기도와 눈물로 가라앉아 있던 양심이 다시 찌르기 시작했다. 고해를 하라! 고해를 하라! 눈물과 기도로 양심을 진정시키는 것만으로는 부족하다. 성령의 봉사자 앞에 무릎을 꿇고 숨긴 죄를 진심으로 회개하지 않으면 안 된다. 바깥 문이 그를 맞아들일 때, 다시 문턱을 넘어서기 전에, 저녁 식사 준비가 되어 있는 주방의 식탁을 다시 보기 전에, 그는 꿇어앉아 고해를 하지 않으면 안 된다. 그것은 매우 간단한 일이다.

양심의 쓰라림이 가라앉자 그는 어두운 거리를 재빨리 걸어갔다. 이 거리의 보도에는 수많은 포석이 깔려 있고, 이 거리에는 많은 통로가 있으며, 그리고 세계에는 많은 거리가 있다. 그러나 영원에는 끝이 없다. 나는 큰 죄를 지었다. 단 한번이라도 큰 죄다. 그것은 눈깜짝할 사이에 일어난다. 그렇지만 어쩌면 그렇게 빨리 일어날 수 있을까? 눈으로 보거나 볼 생각을 하기 때문이지. 눈은 처음엔 보고 싶은 생각도 없는데 보게 된다. 이때 순식간에 일은 일어나고 만다. 그런데 육체의 그 부분은 알고 있을까? 아니라면 어떻게 된 걸까? 뱀이라면 들에서도 가장 교활한 동물이니까. 그것은 원하기만 하면 순식간에 이해할 수 있는 능력을 가지고 있음에 틀림없다. 이윽고 자기 욕망을 한순간 한순간 죄 많게도 연장해 가는 것이다. 그것은 느끼고 알고 또 욕망을 가진다. 이 얼마나 무서운 일인가! 저와 같이 짐승처럼 이해하고 짐승처럼 욕구할 수 있는 육체의 동물적인 부분으로 창조한 것은 누구일까? 그때 그것은 자기 자신인가, 아니면 하찮은 영혼에 조종되는 비인간적인 존재일까? 자기 생명의 골수를 갉아먹고 정욕의 점액으로 길러낸 느린 뱀과 같은 생명을 생각하니 그의 영혼은 메스꺼웠다. 아아, 왜 이럴까? 아아, 어째서? 그는 이와 같은 생각에서 몸을 떨고 모든 것과 모든 인간을 창조한 하느님이 두려워지며 자기의 초라함을 느꼈다. 미친 짓이다. 이런 생각을 하는 사람이 어디 있단 말인가? 그리하여 깜깜한 어둠 속에서 자신이 미천하고 보잘것없다는 생각에 몸을 떨면서 그는 자기를 수호해 주는 천사에게 자기의 머릿속에 연방 속삭이는 악마를 칼을 휘둘러 내쫓아 달라고 마음속으로 빌었다.

그 속삭임이 그치자 그는 그때 자기의 영혼이 생각에 있어서, 말에 있어서, 행위에 있어서 자신의 육체로서 무서우리만큼 큰 죄를 지었다는 사실을 분명히 깨달았다. 고해하라! 모든 죄를 고해해야만 한다. 하지만 자기가 저지른 행위를 신부님께 어찌 말로써 고백할 수가 있겠는가? 해야만 한다. 하지 않으면 안 된다. 하지만 그것을 입밖에 내어 설명을 하다니, 그런 수치스러운 짓을 어떻게 한담? 도대체 어떻게 그런 치사스러운 짓을 한단 말인가? 미친 짓이다. 고해하라! 아아, 정말 다시 자유로워지고 결백해지기 위해서 고백하는 거다. 아마도 신부님은 알아 주실 거다. 아아, 하느님!

자기를 기다리는 이로부터 피한다는 인상을 주지 않기 위해 잠깐도 멈춰 서지 않으려고 애쓰면서, 그리고 갈망하며 찾아가는 바로 그 자에게 접근하는 것을 두려워하면서 그는 불빛이 희미한 거리를 자꾸만 걸어갔다. 하느님이 사랑으로써 지켜 줄 때 은총에 젖어 있는 영혼이란 얼마나 아름다운 것일까!

지저분한 계집아이들이 보도의 연석 위에서 각자 바구니를 뒤에 넣고 앉아 있었다. 축축한 머리칼이 그녀들의 이마 위에 젖어 있었다. 이 계집아이들은 진창 속에 웅크리고 있어 얼른 보기에는 아름답지가 않았다. 하지만 그녀들의 영혼은 하느님이 보호해 주시고 그 영혼이 은총의 그늘에 있는 한 그녀들은 찬란히 빛난다. 하느님이 그녀들을 사랑하고 보살펴 주는 것이다.

자신은 타락해 버렸고, 이 계집아이들의 영혼이 자기의 영혼보다 하느님 앞에서는 한결 숭고하다는 생각이 들자 거칠고 굴욕적인 입김이 그의 영혼 위를 삭막하게 불어 왔다. 그 바람은 그의 머리 위를 스친 후 다른 수천만의 영혼을 향해 다시 불어 갔다. 하느님의 은총은 이들 영혼 위에 때로는 거세게 때로는 부드럽게 내리비친다. 마치 별들이 때로는 밝게 때로는 희미하게 명멸하듯이, 그리하여 반짝이는 영혼은 명멸하면서 지나쳐 가고 일렁거리는 바람 속에서 사라진다. 하나의 영혼이 사라져 갔다. 그 작은 영혼은 바로 그의 것이었다. 그것은 한번 번쩍하다가 이윽고 꺼지고는 남의 기억에서 잊혀지고 영영 사라져 버린다. 종말, 어둡고 싸늘하고 허망한 폐허뿐이었다.

장소에 관한 의식이, 빛도 없고 감각도 없고, 생명도 없는 망막한 시간의 흐름을 초월하여 서서히 그에게로 되살아났다. 숨막히는 정경이 그의 주위에 나타났다. 귀에 익은 말투며, 가게 앞의 가스등이며, 생선과 술과 톱밥 냄새며, 사나이들과 아낙네들의 움직임으로 구성된 장면이었다. 한 노파가 석유관을 들고 길을 가로지르려 하였다. 그는 몸을 구부리고 근처에 성당이 있느냐고 물었다.

"성당이라고요? 예, 있고말고요. 처치 가(街)의 성당이 있지요."

"처치라고요?"

노파는 석유관을 다른 손에 옮겨 쥐면서 길을 가리켜 주었다. 그녀가 숄 자락 아래로 그 냄새나는 주름진 오른손을 내밀었을 때, 그는 허리를 더욱 굽히고 들으면서 할머니의 음성에서 설움과 위안을 느꼈다.

"고맙습니다."

"천만에."

높은 제단에 있는 촛불은 꺼져 있었지만 향냄새는 아직도 은은히 본당 내에 떠돌았다. 신앙심이 깊은 듯이 보이는 수염이 난 노동자들이 옆문으로 덮개를 들어냈고, 성당지기가 얌전한 몸짓과 온화한 말소리로 지시를 했다. 신앙심이 독실한 몇몇 신자들이 옆 제단 앞에서 기도를 드리기도 하고 더러는 고해실 가까운 의자에 꿇어앉아 있었다. 그는 주춤주춤 가까이 다가가 성당 맨 뒤에 있는 의자에 꿇어앉아, 성당 안의 아늑하고 정숙하며, 싱그럽고 향기로운 분위기를 마음속으로부터 고맙게 여겼다. 그가 꿇어앉은 널빤지는 좁고 낡은 것이

었고, 그 가까이 꿇어앉아 있는 사람들은 겸손하게 그리스도를 따르는 자들이었다. 예수 역시 가난한 집안에서 태어나 목수의 집에서 일을 했고, 널빤지를 자르고 대패질을 하고, 처음 가난한 어부들에게 하느님의 왕국을 이야기해 주고, 온유하고 마음이 겸허한 사람이 되라고 뭇사람들을 가르쳤다.

그는 두 손으로 얼굴을 감싸쥐고, 자기 옆에서 꿇어앉아 있는 사람들처럼 온유하고 겸허하게 되도록, 그리고 그들의 기도와 같이 자기의 기도도 하느님이 받으실 수 있는 것이 되기를 원했다. 그는 그들 옆에서 기도를 드렸으나 그것은 어려운 일이었다. 그의 영혼은 죄로 더럽혀져 있었고, 그로서는 예수께서 신비한 방법으로 애초 자기 곁에 불러들인 사람들, 즉 목수들, 고기잡이들, 목재를 다루어 세공을 하거나 참을성 있게 그물을 손보는 비천한 생업의 가난하고 소박한 사람들처럼, 소박한 희망을 품고 감히 용서를 빌 용기는 없었다.

허우대가 늘씬한 사람의 그림자가 좌석 사잇길을 걸어오자 고해자들이 서성거리기 시작했다. 마지막 순간에 그가 날쌔게 힐끗 쳐다보니 긴 회색 수염과 카푸친 수도회 신부의 갈색 사제복이 눈에 띄었다. 신부는 곧 실내로 들어가 모습을 감추었다. 두 사람의 고해자가 일어서더니 양쪽에서 고해실로 들어갔다. 나무 미닫이가 닫히고 은은히 들려오는 속삭임이 정숙한 분위기를 어지럽히고 있었다.

그의 혈관 속에서 피가 끓기 시작했다. 마치 잠결에 불러내 자기 운명을 선고받게 된, 무거운 죄를 지은 도시와 같이. 불가루가 떨어지고 잿가루가 부드럽게 떨어져 인가에 내렸다. 사람들은 잠에서 깨어나 뜨거운 공기에 괴로워 들끓었다. 미닫이가 열리고 고해자가 청문석 옆에서 나타났다. 저편 도어가 열렸다. 최초의 고해자가 무릎을 꿇었던 자리로 한 여인이 조용한 모습으로 슬쩍 들어갔다. 나직한 속삭임이 다시 들리기 시작했다.

지금이라도 성당에서 빠져나갈 수 있다. 일어서서 성큼 걸어나가 어두운 거리로 재빨리 달리고 달려서 빠져나가면 된다. 이제라도 치욕에서 도망칠 수 있었다. 아아, 이것이 다른 어떤 무서운 죄일지라도 그 죄만 아니면 좋겠는데! 비록 살인죄라 할지라도! 불티 가루가 떨어져 그의 온몸에 닿았다. 수치스러운 생각, 수치스러운 말, 수치스러운 행위, 끊임없이 내리는 뜨거운 재처럼 수치심은 그를 휘덮었다. 그것을 말로 표현해야 하다니! 영혼은 질식하여 무력해지고 급기야 사라지고 말 것이다.

미닫이가 열렸다. 고해자가 청문석 저쪽에서 나왔다. 이쪽 미닫이가 열렸다. 나직이 속삭이는 소리가 고해실에서 수증기처럼 새어나왔다. 여인의 목소리였다. 나직이 속삭이는 조각 구름, 나직이 속삭이는 수증기가 속삭이다 사라져 버린다.

그는 나무 팔걸이의자 뒤에 살짝 숨어 자기 가슴을 주먹으로 겸허하게 두드렸다. 남은 물론 하느님과도 화해를 하자. 이웃을 사랑하자. 자신을 만들고 사랑해 주시는 하느님을 사랑하자. 남과 더불어 함께 꿇어앉아 기도를 드리고 행복해지자. 하느님은 그 자신이나 남까지도 내려다보시면서 모두를 사랑해 주시리라.

선량해지는 것은 쉬운 일이다. 하느님의 멍에는 달갑고도 가볍다.

죄를 범하지 않는 것이, 언제까지나 고독하게 지내는 편이 좋다. 왜냐하면 하느님은 어린아이를 사랑하시고 아이들이 자기 곁으로 접근하는 것을 용서하시기 때문에, 죄를 범하는 것은 무서운 일, 슬픈 일이다.

하지만 하느님을 진정으로 회개하는 불쌍한 죄인들에게는 깊이 자비를 베풀어 주신다. 아아, 이것은 사실이다. 이것이야말로 정말 자비인 것이다.

미닫이가 갑자기 열렸다. 아까 그 고해자가 나왔다. 다음 차례는 그다. 그는 공포에 질리면서 자리에서 일어나 정신없이 고해실로 들어갔다.

드디어 때가 다가왔다. 그는 조용히 어둠 속에 꿇어앉아 머리 위에 걸려 있는 하얀 십자가를 우러러보았다. 하느님은 그가 회개하는 것을 보실 것이다. 모든 죄를 다 털어놓자. 그의 고해는 오랜 시간이 걸릴 것이다. 그리되면 성당에 있는 누구나가 다 자신이 어떤 죄인인가를 알게 되겠지. 알려서 안될 것이 무엇이겠는가. 사실 그대로인데 말이야. 하지만 하느님은 만일 그가 회개를 한다면 용서하신다고 약속하셨다. 그는 회개를 하고 있는 것이다. 그는 두 손을 꽉 쥐고, 쥔 손을 하얀 형상을 향해 내뻗고는 눈을 감고 기도를 드렸다. 전신을 떨면서 마치 길을 잃은 짐승과 같이 머리를 흔들며, 울먹울먹 기도를 드렸다.

"회개하나이다! 회개하나이다! 아아, 회개하나이다!"

끽 소리가 나며 미닫이가 열리고 그의 심장이 덜컥 뛰었다. 늙은 신부 얼굴이 격자문 안에 보였으나 그로부터 얼굴을 돌리고 한 팔로 턱을 괴었다. 그는 성호를 긋고, 죄를 지은 자이지만 자비를 베풀어 주십사 애원했다. 그리고 머리를 숙인 채 고해 기도를 되풀이했다. 그의 가장 무거운 죄란 말에서 말이 막혀 소리가 나오지 않았다.

"지난번 고해로부터 얼마나 지났소?"

"퍽 오래 되었습니다, 신부님."

"한 달쯤?"

"더 되었습니다, 신부님."

"석 달?"

"더 되었습니다, 신부님."

"여섯 달?"

"팔 개월이나 됩니다, 신부님."

스티븐의 고해는 시작되었다. 신부가 물었다.

"그 후 어떤 일을 기억하고 있습니까?"

그는 자기 죄를 고해하기 시작했다. 미사에 참석하지 않은 일, 기도를 드리지 않은 일, 거짓말을 한 일…….

"그 밖에는?"

노한 죄, 남을 시기한 죄, 포식, 허영, 불복종…….

"그 밖에는?"

이제는 할 수 없었다. 그는 속삭이듯이 말했다.

"전, 음란한 죄를 저질렀습니다."

신부는 여전히 얼굴을 돌린 채 있었다.

"혼자서?"

"예……. 그리고 다른 친구들과."

"여자들하고?"

"예, 신부님."

"기혼녀하고?"

그는 그에 대해서는 모르겠노라고 대답했다. 그의 죄가 그 입술에서 하나하나 떨어져 내림에 따라 상처처럼 곪아 있는 그의 영혼에서 수치로 얽힌 방울이 되어 악덕에 더럽혀진 흐름과 같이 흘러내리기 시작했다. 마지막 죄가 추잡하게도 느릿느릿 흘러나왔다. 이제 더 이야기할 건더기는 없었다. 그는 깊이 머리를 숙였다.

신부는 한쪽 손으로 자꾸 얼굴을 문질렀다. 이윽고 한쪽 손으로 이마를 짚고 격자문에 기대 서서 여전히 시선을 돌린 채 서서히 이야기하기 시작했다. 그의 말소리는 지쳐 있었고 늙은 티가 역력했다.

"그대는 아직 어리다. 따라서 죄짓는 일은 하지 말기를 나는 부탁하고 싶다. 무서운 죄다. 그런 짓은 육체를 망치고 영혼을 망친다. 그리고 수많은 범죄, 불행의 원인이 되기도 한다. 그러니까 제발 부탁이다, 그런 짓을 하지 않도록. 수치스럽고 사내답지 않은 일, 그런 하잘것없는 습관 때문에 어떻게 될 것인지, 어떤 봉변을 당할 건지 그대는 모르고 있다. 그런 죄를 범하는 한 그대는 하느님 앞에서는 한푼의 가치도 없는 사람이 된다. 성모 마리아에게 구원을 빌어라. 마리아님은 구해 주실 테니까. 죄를 범하고 싶은 마음이 들거든 성모에게 기도하여라. 틀림없이 구원을 주실 테니까. 온갖 죄를 남김없이 고해

해야 한다. 그대 같으면 꼭 그러할 것이다. 그러나 죄악으로 하느님을 노하게 하는 것을 하느님의 은총에 기대 결코 하지 않겠다고 하느님께 약속하겠지. 그것을 엄숙히 하느님께 약속해 주겠지?"

"예, 신부님."

늙고 지친 신부의 음성은 메말라 떠는 그의 심장에 상쾌한 빗줄기처럼 쏟아졌다. 참으로 달고 서러웠다.

"그렇게 하게나, 가련한 그대여. 악마가 그대를 그릇된 길로 이끌었다. 악마가 그대의 육체를 욕되게 하려 할 때는 악마를 지옥으로 되쫓아 버려야 한다……. 우리의 주님을 증오하는 더러운 악귀를. 그런 죄를 범하지 않겠다는 것을 그와 같은 더러운 죄는 이제 범하지 않겠다고 하느님께 약속하여라."

그는 눈물과 하느님의 자비의 빛으로 눈이 보이지 않아 머리를 숙이고, 엄숙한 용서의 말을 듣고는, 신부가 사죄한다는 표시로 그의 손을 머리 위로 드는 것을 보았다.

"하느님이 그대를 축복해 주리라. 나를 위해 기도하라."

그는 꿇어앉아 회개의 서약을 하면서 어두운 성당 한 구석에 앉아 기도를 드렸다. 그의 정화된 마음의 기도는 마치 백장미의 꽃술에서 피어오르는 싱그러운 향기처럼 하늘로 치솟았다.

질척거리는 거리는 화려했다. 그는 보이지 않는 은총이 자기의 사지에 스며들어 몸을 가볍게 해 주는 것을 느끼면서 힘찬 걸음걸이로 자기 집을 향했다. 아무튼 나는 고해를 했고, 하느님은 용서해 주셨다. 그의 영혼은 다시 한 번 아름답고 깨끗하고 행복에 젖게 되었다.

만일 하느님이 그것을 바라신다면 죽음도 아름다울 것이다. 은총에 기대어 여러 사람들과 함께 평화와 미덕과 자제의 생활을 영위한다는 것은 아름다운 일이다.

그는 기쁜 나머지 입도 열지 않고 부엌 난로 곁에 앉아 있었다. 이 순간까지만 해도 아름답고 평화스러운 생활이 어떤 것인가를 그는 몰랐다. 등불 주위에 핀을 꽂아 놓은 네모난 녹색 종이가 부드러운 그림자를 던졌다. 찬장에는 소시지와 흰 푸딩이 담긴 접시 하나, 그리고 선반에는 달걀이 있었다. 학교에서 성체 배령을 마친 뒤의 아침 식사를 위해 마련된 것이리라. 흰 푸딩과 달걀과 소시지와 홍차. 결국 인생이란 이 얼마나 소박하고 아름다운 것인가! 그 인생이 지금부터 시작된다.

비몽사몽간에 그는 잠이 들었다. 꿈을 꾸는 듯한 기분으로 그는 잠을 깨고 아침인 것을 알았다. 그들 속에 섞여 그도 행복과 수줍음에 싸여 꿇어앉았다. 제단에는 향기로운 흰꽃이 가득히 쌓여 있었다. 그리하여 아침 햇빛 속에서, 흰꽃 사이의 푸르스름한 촛불이 마치 그의 영혼처럼 밝고 고요히 비쳤다.

그는 동급생들과 함께 제단 앞에 꿇어앉아 제단보를 손으로 잡았다. 그 모양은 마치 산 사람의 손으로 이루어진 난간 같았다. 신부가 성체 배령자 앞을 차례차례로 지나가는 기척을 들었을 때 그의 두 손은 떨리고 그의 영혼도 떨었다.

"우리 주님의 몸이."

꿈은 아닐까? 죄를 씻은 그는 두려운 마음으로 꿇어앉아 있었다.

혓바닥에 성체를 받으면 깨끗이 씻긴 육체에 하느님이 들어와 주시리라.

"영원한 생명으로 인도하리. 아멘!"

새로운 삶! 은총과 미덕과 행복한 생활! 이것은 사실이다. 곧 깨어버릴 꿈은 아니다. 지난날은 흘러갔다.

"우리들의 주님의 몸이."

성체 용기가 그의 앞에 이르렀다.

제 4 장

일요일은 성삼위일체(聖三位一體)의 심오한 뜻에, 월요일은 성령에, 화요일은 수호 천사들에게, 수요일은 성 요셉에게, 목요일은 성체의 성사에, 금요일은 수난의 예수에게, 토요일은 동정녀 성모 마리아에게 바쳐졌다.

아침마다 스티븐은 성상 앞에서, 아니면 의식에 참가하여 자신을 정결히 하였다. 그의 하루 일과는, 순간순간의 생각과 모든 행동을 로마 교황의 거룩한 뜻에 일치하도록 이른 아침 미사에 참석하는 것으로부터 시작되었다. 싸늘한 아침 공기는 그의 흔들리지 않는 신앙을 점점 더 굳건히 해 주었다. 그는 제단 옆에 있는 몇몇 사람들 사이에 꿇어앉아 서표를 꽂은 기도서를 들고 신부가 올리는 기도를 눈으로 읽다가 잠시 눈을 들어, 언제나 신약과 구약 성경을 상징하는 두

개의 촛불 사이, 희미한 공간에 법의를 걸치고 서 있는 사람을 쳐다보았다. 그리고 자기는 지금 지하 묘지에서 드리는 미사에 참석하고 있다는 상상을 해 보았다.

그는 매일 하는 신앙생활의 규정을 세웠다. 절규와 기도로써 연옥에 있는 영혼을 구하기 위해 수많은 날과 무수한 달, 그리고 수많은 세월을 아낌없이 쏟았다. 하지만 서무일과에 의한 개전의 기도를 이렇듯 무수히 올리는 정신적인 승리도 그의 독실한 기도에 대해 충분한 보답을 하지 않았다. 왜냐하면 괴로워하는 영혼을 위해 이렇게 기도를 드림으로써 얼마만큼의 형벌 기간을 면제받을 수 있는가를 그는 결코 알지 못했기 때문이다. 게다가 연옥의 불 —그것이 지옥의 불과 다른 점은 오직 영겁의 것이 아닌 데 있다—한가운데서는 자기의 회개도 한방울 수증기 역할도 되지 못하는 것으로 생각되었다. 그는 여공(餘功)의 범위를 점점 넓혀, 날마다 자기의 영혼을 가다듬곤 했다.

그는 하루 종일 자기 위치에 알맞은 일에 몰두하여 신앙의 힘을 중심으로 회전키로 했다. 그래서 자기 생활은 영원으로 접근한 것 같은 생각이 들었고, 모든 생각, 언어, 행위, 의식의 모든 요구를 찬란히 천국에 울려 줄 수가 있었다. 그리하여 이따금 이 직접적인 반향의 감각이 너무도 생생해서 신앙에 젖은 자기 영혼이 마치 금전 등록기를 손가락으로 누르고 있는 느낌을 받았으며, 자기의 거래 액수가 곧 천국에서 나타나는 것 같았다. 하긴 그것은 숫자가 아니고 저 멀리 피어오르는 향의 연기나, 한 줄기 화사한 꽃으로 나타나는 것이었지만.

묵주를 헤아리며 끊임없이 드리는 그의 기도는—그는 꿰지 않은 묵주알을 바지 주머니에 넣고는 거리를 걸으면서 세고 있었다—빛깔과 향기와 이름도 없는, 이 세상 꽃 같지 않은 아름다운 꽃으로 변하는 듯하였다.

그가 하루에 세 번 묵주 기도를 드린 것은 신앙의 세 가지 덕목 속에 자기 영혼이 굳건해지기를 바라는 마음에서였다. 이를테면 그를 창조하신 '성부'에의 신앙에서, 그를 위해 속죄하신 '성자'에의 희망에서, 그리고 그를 정결하게 하신 '성령'에의 사랑에서였다. 그리하여 이 세 번 드리는 3중의 기도는 마리아의 기쁨과 슬픔과 영광에 가득 찬 신비의 이름으로, 마리아를 통해 '성삼위'에게 바쳤다.

1주일 동안 스티븐은 성령의 일곱 가지 행운이 영혼에 찾아들어, 지난날 영혼을 더럽히던 일곱 가지 죄를 내쫓아 버려 달라고 기도했다. 그리고 일곱 가지 행복이 자기에게 찾아들 것을 확신하였으며 각각 정해진 그 날짜에 기도를 드렸다. 하긴 지혜와 이해력과 지식이 본질적으로 다르므로 그것을 각각 달리 기도 드리는 것이 때로는 이상하기도 했지만. 그러나 자기 신앙의 미래를 향한 발전 단계에서는 죄 많은 영혼이 그 허약성에서 향상하여, 지복(至福)의 삼위일체, 제삼위에 의해 높은 경지에 이르고 계몽되리라 믿었다. 그는 한편으로 두려움을 지닌 채 이 사실을 확신했다. 보이지 않는 성령이 머무르는 신성한 어둠과 정적으로 말미암아 죄를 범하는 것은 절대 용서 못할 짓이다. 그리하여 불꽃 같은 주홍빛 법의를 걸친 사제는 이 영원하고 신비적이며 불가사의한 존재인 신에게, 1년에 한 번씩 미사를 드리는 것이다.

그가 읽은 신학서에는 삼위일체의 본질과 관계가 은근히 제시되어 있었다. '성부'는 영겁의 옛날부터 마치 거울 속에 비춰 보듯이 그 성스러운 대업을 응시하고 계시며, 그리하여 영원의 '성자'와 '성령'을 낳으시고, '성령'은 영원한 옛날 '성부'와 '성자'로부터 태어나…… 이와 같은 구도는 위엄이 넘치는 불가지성(不可知性)으로 하여 그의 마음속에 쉽게 받아들일 수 있는 것이었다. 그것은 하느님이 영겁의 옛날부터, 그가 이 세상에 생을 누리기 훨씬 전부터, 아니 이 세상이 존재하기 훨씬 전부터 그의 영혼을 사랑하고 계셨다는 단순한 사실보다는 한결 쉽게 받아들일 수 있는 것이었다.

그는 사랑과 미움이라는 말이 무대나 단상에서 엄숙하게 오가는 것을 들어 왔고, 책에도 거창하게 씌어 있는 것을 본 적도 있었기 때문에, 자기 영혼이 사랑과 미움을 어느 경우에서나 품을 수 없는 것은 웬일인가, 자기의 입술이 확신을 가지고 사랑과 미움에 관한 말을 할 수 없음은 웬일인가 하고 의심쩍어했다. 짧은 노여움이 이따금 그를 엄습했지만 그것을 지속적인 정열로 삼지 않았으며, 자기의 육체가 마치 살갗을 벗기듯이 쉽게 그 감정에서 벗어나는 것을 느끼곤 했다. 그는 어떤 미묘하고도 속삭이는 듯한 검은 존재가 자기 내부로 스며들어 일순 사악한 욕망을 불태우는 것을 느꼈으나, 이것도 그의 손아귀를 빠져나와 다만 투명하고 무관심한 그의 마음만이 뒤에 남는 것이었다. 그래서 이것이야말로 자기 영혼에 머무르는 오직 하나의 사랑, 오직 하나의 미움같이 느껴졌다.

그러나 그는 이제 사랑의 실재(實在)를 믿지 않을 수 없었다. 하느님 자신이 영원의 옛날부터 성스러운 사랑으로써 그의 영혼을 사랑하고 계셨기 때문이다. 그의 영혼이 신학의 지식으로 풍부해짐에 따라 전 세계가 하느님의 힘과 사랑으로, 균형이 잡힌 커다란 하나의 표현으로 형성되어 가는 것을 알 수 있었다. 생은 한순간 순간의 성스러운 선물로서, 예를 들어 작은 나뭇가지 끝에 달린 한 개의 잎을 보더라도 그의 영혼은 감동한 나머지 하느님을 칭송하고 감사해야 했다. 세계가 아무리 공고하고 복잡한 실체라 할지라도 그의 영혼에 대해서는 성스러운 힘과 사랑의 보편적 원리를 보여 주는 이외의 아무것도 아니었다. 그의 영혼이 인정하는 이 모든 자연 속의 성스러운 뜻에서의 의미는 의심할 여지가 없는 것이었으므로, 그는 자기가 무엇 때문에 계속 살아가야 하는가를 거의 이해할 수가 없었다. 아무튼 이것이 그의 진의의 일부이고 보면 어느 누구보다도 그토록 무겁고 추잡한 죄를 범하고 하느님의 뜻에 위배한 자신은, 사람에게 그 유용성에 대해 의문을 품을 자격이 없다고 생각했다. 영원하고 전능하시며 완전한 이 실재를 의식함으로써 그의 영혼은 안온하고 겸허한 것이 되어 다시 미사·기도·성사·고행 등 신앙의 무거운 짐을 짊어졌다. 사랑의 오묘한 신비에 관해 깊이 생각하게 된 이래 그는 처음으로 새로 태어난 생명의 율동 같은, 또는 영혼 그 자체의 미덕과 같은 따스한 율동을 자기 내부로부터 느꼈다. 종교화에서 볼 수 있는 환희에 찬 모습, 좌우로 높이 쳐들어 벌린 두 손, 실신 직전에 처해 있는 사람같이 벌리고 있는 입술과 눈, 그것은 그에게는 창조주 앞에서 겸허하고 황홀한 경지에서 기도는 영혼의 영상이었다.

그러나 그는 미리부터 종교적 교양의 위험성에 관해 경고를 들어 왔으므로, 고난에 찬 성자의 삶을 배우는 것보다 끊임없는 금욕에 의해 과거의 속죄에 힘쓰며 아무리 사소한 신앙상의 의무도 거부하는 일이 없었다. 그는 하나하나의 감각에 엄격한 규율을 가했다. 시각의 금욕을 위해서는 늘 눈을 내리깔고 거리를 걸었고, 좌우 전후를 보지 않는 것을 규율로 삼았다. 그의 눈은 또한 여자의 시선도 모두 피했다. 그는 읽고 있는 문장 도중에서 갑자기 눈을 들어 책을 닫듯이, 청각의 금욕을 위해서는 마치 그즈음 변성기에 있는 자기 소리를 스스럼없이 마구 내질렀고, 노래나 휘파람은 부르지 않고, 숫돌에 칼 가는 소리, 부젓가락으로 재를 긁어모으는 소리, 나뭇가지로 융단을 두드리는 소리 따위 등 따갑고 귀에 거슬리는 소음을 피하지 않았다. 그러나 후각에 대한 금욕은 사정이 한결 까다로웠다. 그는 악취에 대해서는 인분이나 타르 같은 냄새든 자기 몸의 냄새든(그 두 가지를 비교하여 실험까지 해 봤을 정도다) 본능적으로 혐오하지 않았기 때문이다. 결국 그의 후각을 괴롭히는 냄새는 오직 하나, 오래 묵혀 둔 오줌 냄새 같은 썩은 물고기 냄새라는 것을 알고는 기회만 있으면 이런 냄새를 맡기로 했다. 미각의 금욕을 위해서는 식사 때 엄격한 식습관을 실천에 옮기고, 단식은 교회에서 시키는 대로 했으며 식사 중에는 일부러 딴 생각을 함으로써 갖가지 음식 맛에서 생각을 돌리려 했다. 그러나 그가 가장 열심히 연구한 것은 촉각에 대한 금욕이었다. 자고 있을 때 자세를 바꾸는 일은 의식적으로 아예 하지 않았고, 의자에 앉을 때는 가장 몸이 불편한 자세를 취했으며, 가려운 것과 아픈 것을 참기로 했고, 난로 가까이에 가지 않았으며, 미사 도중 내내 복음서를 읽는 시간 외에는 꿇어앉아 있었다. 세수를 하고도 수건으로 닦지 않고 바람에 쐬어 말리려고 하였으며, 묵주 기도를 드릴 때 말고는 언제나 달리기 선수처럼 두 팔로 양 허리를 꽉 짚어 손을 호주머니 속에 넣거나 뒤로 돌려 깍지를 끼는 일이 없었다.

큰 죄를 짓고 싶은 유혹 같은 것은 느끼지 않았다. 그런데 이렇게 여러 가지로 고행과 자기 억제의 수련을 끝내고도 유치하고 하잘것없는 결점에 쉬이 휘둘리는 자신을 보고 놀라지 않을 수 없었다. 어머니 재채기 소리를 듣는다든가, 기도를 하는 동안에 방해를 받을 때 생기는 화를 억제하기 위해서는 기도나 단식도 아무 소용이 없게 되었다. 이런 초조한 충동을 누르려고 하니 고된 의지와 노력이 필요했다. 동시에 여태까지 흔히 보아온, 선생님들 표정에서 입을 오므리고 입술을 깨물고 얼굴에 홍조를 띠는 등 사소하고 엄숙한 표정이 머리에 떠올랐다. 그는 그것을 자기 표정과 비교하여 이토록 겸허하게 되려고 애를 쓰는 데도 결국 허사가 되고 마는 것에 낙담했다. 다른 사람의 극히 평범한 생활에 자기 생활을 융화시키는 것은 단식이나 기도보다도 어려웠고, 그것을 만족할 만큼 실천해 보려 했으나 늘 실패로 끝났다. 그런 짓을 하고 있자니 결국 영혼에는 회의와 주저만 가득 찼고, 신앙마저 메말라갔다. 영혼이 그와 같은 거친 한 시기를 지나칠 때 성체마저도 그 원천이 말라붙는 듯했다. 자잘한 허물을 주저주저 범하면서도 진정으로 회개하지 않을 때 고해는 오히려 하나의 도피 수단이었다. 성체를 배령하고서도 그가 성사에 참배한 뒤에 이따금 느끼던 순결한 무아경의 황홀한 경지는 체험할 수 없었다. 예배 때 그가 사용했던 책은 성 알폰서스 리구오리(1696~1787, 이탈리아 성직자)가 저술한, 지금은 벌써 기억에서 사라져 버린 낡은 기도서로서, 글자도 희미해지고 종이도 누렇게 변색이 된 책자였다. 그 책을 읽자니 성가의 운율과 기도 소리가 서로 어울려 드는 듯하여, 열띤 사랑과 순결한 신앙이 메말라 버렸던 시대가 또다시 그의 심령 속으로 되살아나는 것 같았다. 귀에는 들리지 않는 하나의 소리가 그의 영혼을 애무하고, 갖가지 명성과 갖가지 영광을 말해 주며 '결혼하러 가도록 일어나서 오너라' 하고 명령하며 '신부여, 아마나에서 표범산을 보아라(아가서, 4장 8절).' 하고 명령하는 것 같았다. 그러자 그의 영혼은 역시 들리지 않는 소리로 그 애무에 몸을 내맡기면서 이와 같이 대답하는 듯했다. '인터 우베라 메아 콤모라비투르(Inter ubera mea commorabitur, 그는 내 품 가운데라는 뜻의 라틴어).'

젊은 예술가의 초상

기도와 명상 사이에서 또다시 속삭이기 시작하는 끈덕진 육체의 소리로 영혼이 다시 휘말려드는 것을 느끼자, 온몸을 맡겨 버릴까 하는 생각은 위험스런 매력으로 변했다. 그러나 순간적인 생각 속에서, 오직 한 번만이라도 그 유혹에 동의함으로써 여태 자신이 닦아온 모든 일이 죄다 허사가 된다는 생각을 하자 자기에게는 힘이 있다는 강력한 느낌이 들었다. 마치 맨발로 선 자신을 향해 서서히 파도가 밀려오는 것을 느꼈는데, 열띤 자기 피부에 처음으로 잔물결이 와 닿기를 기다리는 그런 느낌이었다. 그때 그 차가운 물결에 닿아 죄많은 동의를 할 찰나, 그 스스로 휩싸여드는 물결에서 멀리 떠나 메마른 갯가에 서 있는, 혹은 갑작스런 의지의 힘, 뜻밖의 기도로 인해 구원받았다는 사실을 깨닫는 것이었다. 은물결 같은 파도가 멀리 물러가는 것을 보고, 다시 그것이 자기 발목 근처로 밀려들기 시작하는 것을 보는 것이었다. 그러자 그의 영혼은 자기가 굴복한 것도 아니고 모든 것이 허물어진 것도 아니라는 사실을 깨닫고 힘과 만족의 새로운 전율에 몸을 떨었다.

이와 같이 몇 번이나 유혹의 물결을 피하고 있자니, 그는 스스로 잃어버릴세라 간직했던 은총이 조금씩 자신으로부터 빠져나가고 있지 않나 하는 걱정이 들었다. 또 자신의 사면에 관한 확신이 차차 희미해져 가고, 자기 영혼이 부지불식간에 타락해 버린 것이 아닌가 하는 막연한 공포가 이는 것이었다. 유혹을 당할 때마다 하느님께 기도를 하고, 기도를 하여 얻은 은총은 싫든 좋든 하느님이 주신 것이라고 자신에게 타이름으로써 그는 간신히 자기 은총에 관한 종전의 의식을 회복했다. 유혹은 거듭되고 그것이 극히 치열하였으므로, 지금까지 들어 온 성자들의 시련이 얼마나 옳은 말이었던가를 그는 알 수 있었다. 거듭되는, 그리고 치열한 그 유혹은 영혼의 성이 함락되지 않아, 악마가 그것을 함락시키려 광분하고 있다는 증거였다.

스티븐은 자기 회의와 마음에 거리끼는 것을 고해했을 때—기도할 때 조금 한눈을 팔았다든가, 하잘것없는 일로 노했다든가, 아니면 약간 변덕스러운 언동을 보였다든가—사면이 주어지기 전에 곧잘 신부로부터 지난날의 생활에서 범한 죄를 말하라는 명령을 받아왔다. 그래서 그는 겸허하고 스스러운 기분에서 그 죄를 말하고 다시 한 번 회개를 하였다. 아무리 깨끗한 생활을 하고, 아무리 미덕과 완전성을 성취한다 하더라도 그 죄로부터 완전히 벗어날 수는 없다고 생각하니, 마음이 겸허해지고 스스러워지는 것이었다. 자기가 죄를 범했다는 불안한 기분은 늘 그에게서 떠나지를 않았다. 고해하고 회개하여 용서를 받고, 고해하고 회개한 뒤 다시 용서받는 일이 헛되이 되풀이 될 것이다. 그렇다면 아마 지옥을 두려워하여 허겁지겁 서두른 최초의 고해가 잘못된 것이 아닌가? 절박한 운명만을 근심하여 쏟은 나머지 자신의 죄를 절실히 슬퍼하지 않았던 게 아닌가? 아니야, 그렇지 않다. 그는 알고 있다. 그의 고해는 참된 것이었고, 자신의 죄를 절실히 슬퍼하고 있다는 다시없는 증거로서, 자신의 일변한 생활이 있지 않은가!

"나는 나의 생활을 개선했다. 그렇게 생각하지 않아?"

하고 그는 자기 자신에게 물었다.

교장 선생님은 햇빛을 등지고 창가에 서서, 한쪽 팔꿈치를 갈색 차양에 기대고 있었다. 그리고 이야기를 하는 중간중간에 미소를 지으면서 또 하나의 차양 끈을 매만지고 있었다. 스티븐은 그의 앞에 서서 잠시 기나긴 여름 햇살이 지붕 위에서 기울어져 가는 것을 보기도 하고, 신부다운 교장 선생님의 손끝이 정교하게 움직이고 있는 것을 보기도 했다. 교장 선생님의 얼굴은 완전히 그늘에 덮여 있었으나 그

의 등 뒤에서부터 저물어가는 햇살이 깊이 팬 관자놀이와 머리의 곡선을 비쳐주고 있었다. 스티븐은 교장 선생님이 근엄하고 상냥한 목소리로 방금 끝난 휴가에 관한 이야기, 해외에 있는 이 수도회 소속의 학교, 선생님들의 전근 등 화젯거리를 말할 때, 그의 말투와 억양을 귀로 쫓고 있었다. 친밀감이 어린 말소리는 유창하게 이야기를 엮어가고 있었다. 스티븐은 이야기가 끊어지는 곳에서 공손히 질문을 하여 이야기를 더 끌어 나가야겠다고 생각했다.

이런 잡담이 서론에 불과하다는 것을 알고 있는 그는 그 다음에 계속될 이야기를 기다리고 있었다. 교장 선생님의 호출을 받고 그는 무슨 용무인가 하고 여러 모로 생각해 보았고, 교장 선생님이 들어오기를 기다리는 초조하고 지루한 시간에 그의 시선은 응접실 벽에 걸린 엄숙한 그림을 바라보면서 이것저것 추측한 끝에 이 호출의 뜻을 대강 짐작할 수 있었다. 그리하여 어떤 예기치 않은 사태라도 일어나 교장 선생님이 오지 않았으면 하고 생각하는 터에 손잡이 돌리는 소리와 법의 스치는 소리가 들렸다.

교장 선생님은 도미니크 수도회에 관한 이야기, 프란체스코 수도회에 관한 이야기, 성 토머스와 성 보나벤투라의 우정에 관한 이야기를 하기 시작했다. 그는 또 자기가 생각하기에 카푸친 수도회의 복장은 아무래도 좀 지나치다는 말도 했다.

스티븐은 교장 선생님의 관대한 미소에 대한 답례로 미소를 지어 보였으나, 적극적으로 의견을 말하지 않고 입술을 애매하게 움직여 보였을 뿐이었다.

"근대에 와서 카푸친 수도사들 사이에서도 그 복장은 폐지하고, 다른 프란체스코회와 같이 하는 것이 어떠냐는 이야기도 있지."

"하지만 수도회 안에서는 지금대로 하실 모양이군요?"

스티븐이 말했다.

"응, 그야 그렇지."

하고 교장 선생님이 말했다.

"수도회에서는 현재 그대로 상관이 없지만 밖으로 나가게 되면 그런 옷일랑 벗어버리는 게 좋다고 생각해."

"확실히 거추장스러울 거예요."

"물론 그렇지. 벨기에에 있을 때 그들이 옷자락을 무릎 위까지 걷어 올리곤 자전거를 타는 걸 보았는데 참으로 꼴불견이었지. 벨기에에서는 그걸 '레 쥐프(스커트)'라고 부르더군."

발음이 아주 이상했으므로 스티븐은 무슨 말인지 알아듣지 못하고 다시 물었다.

"뭐라고 하셨어요?"

"레 쥐프."

"오!"

스티븐은 교장 선생님의 얼굴에 그늘이 져서 보이지 않는 미소에 대해 자기도 응답하며 웃어 보였다. 나직이 중얼거리는 듯한 악센트가 들려왔을 때 교장 선생님의 미소가 환영처럼 그의 마음을 스쳐갔기 때문이었다.

그는 눈앞에서 스러져가는 하늘을 가만히 지켜보면서 저녁 냉기와

희미한 황혼 빛깔을 반기고 있었다. 왜냐하면 그것이 홍조를 띤 자기 볼을 감싸 주었기 때문이었다.

여인의 장신구와 보드랍고 섬세한 옷감은 그의 마음에 항상 부드러운 죄의 향기를 불러일으켰다. 어릴 적에 그는 말을 모는 밧줄은 화사한 명주끈이라고만 상상하였으므로, 기름에 묻은 마구(馬具)의 가죽을 처음 만졌을 때 충격을 받았다. 떨리는 손으로 처음 여자의 매끈한 스타킹을 만졌을 때도 충격을 받았다. 왜냐하면 아무리 책을 읽더라도 알고 있는 것은 자기란 존재에 관한 메아리 또는 예언 같은 것뿐이었고, 부드러운 생명을 살고 있는 여인의 영혼이나 육체에 관해서 그가 생각할 수 있는 것은 오직 상냥한 말씨와 장미와 같이 부드러운 어구(語句)를 통해서였기 때문이다.

그러나 교장 선생님이 한 말은 솔직한 것이 못 된다는 생각이 들었다. 신부는 이런 화제를 경솔히 입에 올려서는 안 된다는 것을 그는 알고 있었으니까. 하지만 신부가 이런 말을 고의로 가볍게 내뱉었으며 그늘에 가려진 두 눈으로 자기 얼굴을 유심히 살펴보고 있다는 느낌이 들었다. 예수회 회원들이 능청맞다는 이야기도 읽은 적이 있었지만, 자기가 확인해 본 것이 아니라 하여 지금까지 문제 삼지 않아 왔다. 교사들은 아주 매력 없는 인물인 경우에도 그에게는 언제나 지적이면서 성실한 신부, 체육을 좋아하는 활달한 감독 등으로 생각되었다. 그는 이들을, 냉수마찰을 하고 예쁜 린네르 내의를 입는 보통 인간으로 생각했다. 클론고스와 벨베데어에서 함께 생활하던 오랜 기간 동안 그는 두 번, 죄를 짓지 않고 벌을 받은 적이 있었으나, 벌을 받아야 마땅한 경우를 몇 번이나 모면한 적이 있다는 것도 알고 있었다. 그러나 그동안에도 내내 그는 선생님으로부터 경솔한 말을 들은 일은 단 한 번도 없었다. 그리스도 교회를 가르쳐 주고 훌륭한 생활을 하라고 권해 준 것도 그들이었고, 그가 슬픈 죄를 저질렀을 때 은총으로 되돌려 준 것도 그들이었다. 그가 클론고스에서 망나니였던 시절에도 그들 앞에서는 언제나 주춤했으며, 벨베데어에서 그 자신이 애매한 처지에 있었을 때에도 그들의 존재는 그로 하여금 스스로를 부끄럽게 했다. 이런 생각은 학교생활이 끝나던 해까지 달라붙어 사라지지 않았다. 그는 한 번도 온순한 태도에서 벗어난 적이 없었고, 온화하고 순종하는 습관을 버리라고 난폭한 동급생들로부터 유혹을 당했지만 말려들지 않았다. 선생님의 말 중에 의아스런 대목이 없지는 않았으나, 그런 회의를 터놓고 표명한 적도 없었다. 요즘 와서는 교사들의 판단이 그의 귀에는 유치하게 들리게 되었고, 그 때문에 자신의 익숙한 세계로부터 서서히 벗어나기 시작한 것이다. 이런 말은 이제 들을 수 없게 될 것이다 하여 애석한 생각이 들기까지 했다. 어느 날 학생들이 성당 근처 오두막에서 신부를 둘러싸고 이야기를 한 적이 있는데, 그때 신부가 이런 말을 하는 것을 들었다.

"내가 믿는 바에 의하면 머콜리 경은 평생 동안 한 번도 중죄를 짓지 않은 분이야. 고의로 범한 중죄 말일세."

이윽고 학생들은 신부에게 빅토르 위고는 프랑스 최대의 문인이냐고 물었다. 신부는, 위고는 가톨릭교도였을 때 쓴 것에 비하면 배교(背敎) 후의 작품은 그 반에도 미치지 못한다고 대답했다.

"하지만 프랑스의 뛰어난 비평가들은 대부분이, 위고가 위대한 것은 틀림없지만 루이 뵈요(19세기 프랑스 저널리스트. 법왕 지지파) 만큼 순수한 문체는 아니었다고 생각하는 것 같아."

하고 신부는 말했다.

신부의 말을 듣고 약간 달아 올랐던 스티븐의 볼은 다시 가라앉았으나, 눈은 여전히 뿌연 하늘을 쏘아보고 있었다. 갖가지 의혹이 그의 마음속을 어지럽게 뒤흔들어 그를 불안하게 했다. 아련한 기억이 그의 눈앞을 스쳐갔다. 몇몇 정경, 몇몇 인물은 그를 알아보았으나 생생한 앞뒤 사정은 아무래도 선명치가 않았다. 클론고스에서 경기를 구경하면서 운동장을 걷고 있는 광경, 크리켓 모자 속에서 과자를 꺼내 먹는 광경, 상류 사회 부인네들과 자전거 가도를 걸어 다니고 있는 몇 사람의 예수회 회원. 클론고스 특유의 사투리가 스티븐의 가슴 깊숙이 메아리를 울렸다.

응접실의 정적 속에서 이와 같이 지난 옛날의 메아리를 귀담아듣고 있는 찰나, 그는 교장 선생님이 목소리를 가다듬어 이야기를 시작하는 것을 깨달았다.

"오늘 군을 부른 것은, 스티븐, 몹시 중대한 문제에 관해 이야기를 하고 싶어서였네."

"예."

"자네에게 성소(聖召)가 있다는 생각을 한 적이 있는가?"

스티븐은 예, 하고 대답하려고 입술을 벌리다가 얼른 말을 멈추고 말았다. 교장 선생님은 대답을 기다리다가 말을 덧붙였다.

"이를테면 여태껏 마음이나 영혼 속에서 수도회에 들어가고 싶다는 기분이 든 적이 있는지 한번 생각해 보게."

"이따금 생각했어요."

하고 스티븐은 말했다.

교장 선생님은 차일 끈을 한쪽으로 늘어뜨리고 두 손을 모아 그 위에 육중히 턱을 괴고는 생각에 잠겼다.

"이런 학교에서는 한 사람 아니면 두세 사람 정도 하느님의 부르심에 응하여 성직자의 생활로 불려가곤 하지."

하고 교장 선생님은 말했다.

"그와 같은 학생은 경건한 점에서나, 좋은 모범을 보이는 점에서나 여느 학생과는 두드러지게 표가 나는 법이지. 모든 사람에게 존경받고 신심회 지도자로 추천되고. 자네가 바로 그렇다네. 성모 신심회의 반장이기도 하고. 아마 이 학교에서 하느님이 소명을 내리고 싶으신 학생은 자네인가 보네."

교장의 자부심에 찬 말소리가 한결 무게를 띠자 스티븐의 심장도 따라서 두근거렸다.

"이 소명을 받는다는 것은 전능의 신이 인간에게 주는 최고의 명예라네."

하고 신부는 말했다.

"이 지상의 어떤 왕이나 황제도 하느님의 사제와 같은 권력은 가지고 있지 않지. 하늘의 천사나 천사장, 성인 아닌 성모 자신도 이 신이 준 사제 권리를 가지지 못해. 교권, 죄를 묶고 풀어 주는 힘, 악마를 내쫓는 힘, 하느님이 창조하신 생물로부터 그들을 지배하는 악마를 내쫓는 힘, 하늘에 계신 위대한 신이 제단 앞에 내려오셔서 빵과 포도주의 형상을 취하시게 하는 힘이요 권능이기도 하단다. 자, 어떠냐, 스티븐, 굉장한 권세가 아니냐!"

자부심에 가득찬 호소가 가슴에 메아리치는 것을 느끼자 스티븐의 볼은 다시 달아올랐다. 천사들, 성인들까지 경의를 베풀 무서운 힘을 조용히 겸허하게 발휘할 사제로서의 자기 모습을 얼마나 꿈에 그려 왔는가! 그의 영혼은 이와 같은 희망을 은근히 그려 왔다. 그는 젊고 조용한 태도를 지닌 자기 자신이 사제로서 날렵하게 고해실로 들어갔다가, 제단으로 올라갔다가, 향을 피우고, 꿇어앉고, 그밖에 온갖 사제로서의 행위를 집행하는 모습을 그려 보았다. 사제의 직분은 현실과 가장 가까우면서도 거리가 멀기 때문에 퍽 마음에 들었다. 명상 속에서 살아온 이 망막한 생활에서 그는 자기가 알고 있는 갖가지 사제의 음성, 태도 등을 흉내 내어 보았다. 그 어느 누구처럼 무릎을 옆으로 굽혀 보기도 하고, 그 어느 누구처럼 향로를 조금 흔들어 보았고 또 신도들에게 축복을 하고 제단으로 갈 때 법의 위쪽이 조금 벌어지게도 해 보았다. 그러나 상상 속에서 해 보는 이 아련한 정경 중에서도 그가 가장 기쁘게 생각한 것은 자기 자신이 부사제의 역할을 맡는 것이었다. 모든 막연한 화려함이 자기 인격에 집중해 오고, 의식 때 명확하고 적극적인 직무를 자기가 도맡는 것을 상상하는 것은 즐거운 일이 못 되므로, 그는 의식의 진행자란 위엄 있는 위치에서 물러선 것이다. 그는 성무(聖務) 가운데서도 가벼운 역할을 동경했다. 이를테면 장엄한 미사 때 부사제의 법의를 입고 신도들의 시선에서 벗어나 제단에서 떨어져 서서 예복으로 어깨를 덮고 그 자락으로 축성된 성체를 담은 파테나를 감싼다든가, 성찬이 끝났을 때 금빛 제의를 입고 부사제로서 집행자의 한 단 아래에 서서 두 손을 모으고 얼굴을 신도들에게 돌려 '가세요, 미사는 끝났습니다'라고 읊조릴 수 있었으면 좋겠다고 생각했다. 만약 그가 지금껏 사제로서의 자기 모습을 그려보았다면 그것은 아이들의 미사 전서(典書)에 있는 미사의 그림 같은 것으로서, 성찬의 천사 외에는 신자 하나 없는 교회에서 장식도 없는 제단을 향해 겨우 자기 또래의 시종을 데리고 서 있는 모습이었다. 막연한 성찬이나 비석의 의식 때에만 그의 의지는 현실과 합치하려는 듯했다. 그가 항상 무위 속에 얽매이게 되는 것은 무엇 하나 뚜렷이 정해진 의식이 없기 때문이었다. 하긴 그 결과 노여움과 오만을 침묵으로 얼버무리든지 아니면 적극적으로 주고 싶던 포옹을 반대로 받게 되는 쓰라린 처지에 빠지는 일이 있기는 했지만.

그는 공손한 태도로 입을 다물고 교장 선생님이 권유하는 말에 귀를 기울이고 있었는데, 그 말 속에 한결 선명한 또 하나의 소리가 들렸다. 그 소리는 그를 가까이 오라고 명령하고는 비밀스런 지식과 비밀스런 힘을 주겠노라고 했다. 그리하면 마술사 시몬(사도행전 8장에 나오는 마술사)의 죄가 어떤 것인지 성령에 대한 용서할 수 없는 죄가 무엇인지 알게 될 것이라고. 남들에게서, 진노(震怒)의 자녀들로 잉태되어 태어난 자들에게서 감추어졌던 어떤 알 수 없는 일들도 알게 될 것이다. 어두운 성당의 수치에 싸인 고해실에서 여인들의, 소녀들

의 입술이 자기 귓전에서 속삭일 때 남의 죄, 죄 많은 소망, 생각, 행동 등을 알게 될 것이다. 그러나 서품식 때 받은 안수(按手)의 힘으로 놀랍게도 죄의 감염을 모면하고 있던 영혼은 제단의 순백하고 안온한 그 속으로 돌아갈 것이다. 성체를 받들고 성병을 가르는 두 손에는 어떤 죄의 감촉도 흔적도 남기지 않으리라. 하느님의 몸체를 분별치 않고 지옥을 들이마시고 먹어야 할 죄라도 그 감촉은 기도하고 있는 자기의 입술에 흔적을 남기지 않으리라. 어린아이처럼 죄가 없이 비밀스런 지식과 비밀스런 힘을 지니고, 그는 영원히 멜기세덱(세일렘의 왕이자 사제)의 지위에 비길 사제가 되리라.

"나는 내일 아침 미사를 드리기로 했지."

하고 교장 선생님이 말했다.

"전능하신 하느님께서 군에게 성스러운 의지를 보여 주십사 하고 빌면서 말이야. 그러니까 스티븐, 자네도 하느님에게 저 유력한 최초의 순교사, 자네의 성스러운 수호 성인(그리스도교 최초의 수호자 성 스테파노)에게 아흐레 동안 계속 기도를 드리게나. 하느님이 군의 마음을 열어 주시게. 하지만 스티븐, 자네는 이 소명을 굳게 믿고 있어야만 하네. 뒤에 가서 그렇지 않았다고 깨닫는 일이 있어서는 큰일이니까, 알겠나? 한번 사제가 된 이상은 언제까지나 사제이니까. 교리문답서에도 씌어 있는 바와 같이 성직의 성사는 한 번밖에는 얻지 못하는 것 중의 하나이다, 하는 것은 절대로 지울 수 없고 씻을 수 없는 신앙의 각인(刻印)을 영혼에 찍는 거나 마찬가지니까. 미리 충분히 생각해 두지 않으면 안 돼. 뒤에 가서는 어쩔 수 없게 되니까. 이것은 중대한 문제라네, 스티븐. 자네의 영원한 영혼의 구제 문제가 여기에 달려 있으니까 말이지. 우리 함께 하느님께 기도하자."

그는 무거운 현관문을 열고, 마치 신앙생활의 한 동료가 된 것처럼 그에게 손을 내밀었다. 스티븐은 계단 위에 있는 널찍한 단까지 왔다. 잠잠한 저녁 바람이 그를 애무해 주는 것을 느꼈다. 핀드레이터 교회를 향해 네 사람의 젊은이가 팔짱을 낀 채 머리를 흔들며 뚜벅뚜벅 걸어가면서, 그중 한 사람이 켜고 있는 아코디언의 경쾌한 가락에 발을 맞추고 있었다. 그 가락은 갑자기 들려오는 음악이 그러하듯이 그의 환상을 스치며 아무 고통도 없이 허물어지는 것이 마치 어린아이들이 쌓아올린 모래성을 물결이 허물어뜨리는 것과 같았다. 그는 속절없이 사라진 그 곡에 미소를 띠고 교장 선생님의 얼굴을 쳐다보았다. 그러고는 저무는 저녁 햇살이 그의 얼굴에 비치어 더욱 서글퍼 보이는 것을 느끼며 서로 맞잡았던 손을 살며시 놓았다. 그때까지 한 동료라는 의식을 그의 손을 통해 아련히 묵인하고 있었던 것이다.

돌계단을 내려갈 때 그의 흐트러진 속마음을 깨끗이 씻어 준 것은 현관에서 본, 저무는 햇살에 비친 교장 선생님의 서글픈 얼굴 표정이었다. 학교생활의 그림자가 무겁게 그의 의식을 스쳐간 것도 바로 이 때였다. 자신을 기다리는 것은 침울하고 규칙적인 생활이라고 그는 생각했다. 하긴 물질적인 고통을 벗어난 생활이기는 하지만. 그는 자신이 견습 수도사로서 첫밤을 어떻게 보낼 것인가, 공동 침실에서 잠이 깬 첫 날에 얼마나 당황할 것인가 하고 생각해 보았다. 클론고스의 기나긴 복도의 기분 나쁜 악취가 다시 코를 찌르고, 가스의 불꽃이

나직이 속삭이는 소리가 귓전에 들리는 듯했다. 그러자 갑자기 온몸에서 불안이 배어나기 시작했다. 이윽고 마치 열병에라도 걸린 듯이 맥박이 빨라지고 무의미한 언어의 집단이 요란스럽게 되울리며 여기저기서 생각을 흩뜨려 놓아 갈피를 못 잡게 했다. 불쾌하고 후끈한 공기를 마신 듯이 허파가 부풀었다 줄었다 하면서, 마치 클론고스 목욕실의 흐린 초록빛 탕물 위에 떠도는 후끈한 공기 냄새가 다시 풍겨오는 듯했다.

이와 같은 추억으로 눈뜨기 시작한 어떤 본능, 묘하고 투쟁적인 본능이 신앙생활에 한 걸음 접근해 감에 따라 교육보다도 신앙보다도 한결 강하게 그의 마음속에 되살아나 그가 순순히 순종하려는 것을 반대했다. 냉랭하고 질서 있는 신앙생활은 불쾌한 것이었다. 그는 아침 추위 속에 일어나 다른 동료들과 함께 미사에 참가하여 기도하는 도중, 기절할 뻔한 굶주림과 싸우며 배가 고파 쩔쩔매는 광경을 마음속에 그려 보았다. 그리고 학교 교수단과 함께 만찬을 들고 있는 자기 자신을 상상해 보았다. 그럴 때 남의 집에서 음식을 취하는 것을 싫어하는 그 끈덕진 수줍음은 어떻게 될까? 어떤 단체에도 가담하지 않는다고 고집하던 그 교만성은 어떻게 될까?

예수회 회원 스티븐 디달러스 씨.

새로운 생활을 시작한 자기의 이름이 눈앞에 얼른 글자로 나타나자 이윽고 희미한 얼굴 또는 얼굴빛이 마음에 떠올랐다. 그 색은 이따금 바래졌다가 다시 선명하게 나타났는데 마치 둔탁한 붉은 벽돌이 자주 변색하는 것과 같았다. 이것은 겨울철 아침 신부들이 면도를 하고 난 뒤에 턱 밑에서 흔히 볼 수 있는 그 생생한 붉은 빛깔이 아닌가? 또 신앙적인 얼굴이면서 노여움을 참고 있는 듯 불그스레했다. 그러니까 학생들이 말하는 이른바 '초롱턱' 또는 '간사스러운 캠벌'이라 불리는 예수회원 특유의 얼굴상이 아닐까!

마침 그때 가디너 가의 예수회 기숙사 앞을 지나칠 무렵이었기 때문에 만일 자신이 수도회에 들어간다면 어느 창이 자기 방 창이 될까 하고 막연히 생각해 보곤 했다.

이윽고 자기의 생각은 너무도 걷잡을 수 없고, 자기 영혼이 지금껏 성역이라 생각하던 것과는 너무도 벗어나 있다는 것, 일단 단호한 행동을 취하여 이승에서나 저승에서나 자유를 끝내야 할 단계에 이르러 그토록 장기간 규칙을 지키고 복종해 온 일들이 아무런 힘도 되지 않는다는 것을 깨닫고 놀라지 않을 수 없었다. 교회의 자랑스런 요구나 성직의 신비와 권력을 설파하는 교장 선생님의 말소리가 기억 속에서 아련히 되풀이되었다. 하지만 그의 영혼은 그것을 듣지 않았고 받아들이지도 않았다. 자기가 방금 전까지 귀를 기울이고 있던 권고는 이제 벌써 무의미하고 형식적인 요설이 되어 버렸다는 것을 그는 알았다. 그는 결코 성궤 앞에서 사제로서 향로를 흔드는 일은 없을 것이다. 그의 운명은 사회와 종교의 질서에서 교묘히 빠져나갈 것이다. 신부의 지혜에 찬 호소는 그의 급소에 와 닿지 않는다. 그는 온갖 세상의 올가미 사이를 헤매면서 타인과는 관계없이 자기 자신의 지혜를 배우도록 또는 남의 지혜를 오직 혼자서 배우도록 운명을 타고난 사나이다.

수많은 세상 올가미란 세상이 설치해 놓은 죄의 길에 지나지 않는다. 그는 타락할 것이다. 아직은 타락하지 않았지만 곧 소리도 없이 타락할 것이다. 타락하지 않고 버텨 나가기란 너무도 어렵다. 그렇다, 너무도. 머지 않아 그와 같은 사태에 빠지려 할 때 그의 영혼은 조용한 가운데 타락을 느낀다. 타락한다, 타락한다. 아직도 타락해 버리지는 않았으나, 아직은 타락하고 있지는 않으나, 그러나 지금 타락하려 하고 있다…….

스티븐은 톨카 강에 걸려 있는 다리를 건너 희미하게 바랜 푸른색 마리아 성당 쪽으로 싸늘한 시선을 던졌다. 성당은 햄 모양으로 늘어서 있는, 초라한 집들 한가운데 서 있는 막대기 위의 새처럼 앉아 있었다. 이윽고 왼쪽으로 꺾어 그는 집으로 가는 뒷골목을 걸어갔다. 썩은 양배추의 시큼한 냄새가 개천가 둔덕밭에서 은근히 풍겨 왔다. 그는 자기 영혼에 있어서 승리를 거둔 것은 결국 아버지가 사는 이 집의 무질서와 혼란, 식물 생명체의 침체 상태 등이란 생각이 들어 싱긋 웃었다. 그리고 그는 집 뒤에 혼자 사는 해트란 별명의 농부 생각이 나서 저절로 소리를 내어 웃고 말았다. 그리곤 부지불식간에 자기도 모르게 또 한번 웃었다. 모자를 쓴 그 사나이가 사방 하늘을 차례로 우러러보고는 난처한 듯이 땅 위에 괭이를 꽝 내리치는 그 동작이 생각나서였다.

그는 빗장이 날아간 현관문을 열고 융단이 깔려 있지 않은 골마루를 거쳐 부엌으로 들어갔다. 아우들, 누이동생들이 식탁에 둘러앉아 있었다. 차도 거의 끝날 무렵으로, 두 번째 우려낸 싱거운 차가 홍차

컵 대신으로 쓰는 작은 유리 단지와 잼 단지 밑바닥에 조금씩 남아 있을 뿐이었다. 홍차가 배여 갈색으로 변색한 설탕을 칠한 빵조각과 빵덩어리가 식탁 여기저기에 흩어져 있었고, 식탁 위엔 엎질러진 홍차가 작은 우물을 만들고 있었으며, 먹다 남은 파이 한가운데는 부러진 상아 자루가 달린 칼이 꽂혀 있었다. 저무는 석양의 고요하고 푸르스름한 애잔한 빛이 창과 열어 놓은 문 사이로 비쳐들어, 스티븐의 마음속에 갑자기 용솟음치는 회한을 은근히 가라앉혀 주었다. 아우들과 누이동생들에게는 금기가 되어 있는 일도 그에게는 너그럽게 주어지고 있었다. 그럼에도 그들의 얼굴에는 조금도 원망스런 기색이 없음을 고요한 저녁빛이 비쳐 주고 있었다.

그는 동생들과 어울려 식탁에 앉아 아버지와 어머니는 어디 갔느냐고 물어보았다.

"집 보러 갔어."

또 이산가? 벨베데어에서 팔론이라는 아이가 비웃으면서 왜 자꾸만 이사를 하느냐고 물었었지. 그 학생의 조롱하는 소리가 들리는 것 같아서 얼굴을 찌푸린 그의 얼굴에 이내 어두운 그늘이 내려앉았다.

그는 다시 물었다.

"왜 또 이사한다던?"

"집주인이 나가 달라니까 그렇지."

난로 저쪽에서 막내동생이 이따금 '고요한 밤에'를 부르기 시작했다. 다른 아이들도 하나하나 소리를 맞추어 따라 부르더니 급기야 합창이 시작되었다. 그들은 몇 시간이나 이 곡 저 곡을 차례차례, 나중에 가서는 푸르스름한 빛이 지평선에서 사라질 때까지, 깜깜한 최초의 밤구름이 나타나 밤이 될 때까지 계속 노래를 부를 것이다.

그는 잠시 듣고만 있다가 함께 노래를 불렀다. 동생들의 섬약하고 신선하고 순진한 음성 뒤에 숨은, 지친 듯한 어떤 느낌에 그는 마음이 아팠다. 인생길을 아직 나서기도 전에 이미 지친 듯한 그들의 노래. 아이들의 이 합창은 끝없는 반향으로 메아리쳐 우렁차게 커져 그 하나하나가 모두 고달픔과 괴로움을 노래하는 것 같았다. 그 모두가 인생길에 등장하기도 전에 벌써 인생에 지친 듯이 보였다. 스티븐은 문득 뉴먼(1801~1890, 영국의 종교가)이 버질의 단편 속에서 이 가락을 들었다고 전해지는 사실을 떠올렸다. 모든 시대의 어린이들이 경험해온 괴로움과 고달픔을 던져 버리고 보다 나은 것에 희망을 담아 노래부른다, 자연의 소리처럼.

그는 더 이상 기다릴 수가 없었다.

바이론 주점 입구에서 클론타프 성당 문까지, 클론타프 성당에서 바이론 주점 입구까지, 거기서 또 되돌아 성당까지 갔다가 또 주점까지, 처음에는 서서히 보도의 포석을 하나하나 밟고 걸어갔다가, 다음은 노래가 끊어지는 곳에 발을 맞추어 내디디기로 했다. 아버지가 그의 대학에 관한 사정을 알아보기 위해 지도교사 단 크로스비와 함께 안으로 들어간 지가 한 시간은 족히 지났다. 꼭 한 시간을 왔다 갔다 하면서 기다리고 있었던 것이다. 하지만 더 이상은 기다릴 수가 없었다.

갑자기 그는 불(더블린 해안의 모래톱) 쪽으로 걷기 시작했다. 아버지가 날카로운 휘파람 소리로 불러들일까 두려워 발걸음을 빠르게 떼어 놓았다. 그리하여 경찰서 모퉁이를 서둘러 꺾어 들었다. 이젠 안심이다.

그렇다. 어쩐지 내키지 않는 기분으로 입을 다문 어머니 안색을 본 스티븐은 역시 자신의 생각과는 반대라고 생각했다. 그러나 아버지의 자부심보다도 어머니의 의심이 그의 마음을 한결 매섭게 꿰뚫었다. 어머니는 성숙하지만 굳어진 것 같은 그의 영혼에서 신앙심이 점차 쇠퇴해 가고 있음을 느낀 모양이었다. 마음속에서는 어머니의 불신에 대해 막연하나마 적개심이 끓어올라 마치 한 조각의 구름처럼 마음을 어둡게 만들었다. 그러나 곧 어머니에 대한 마음의 응어리가 풀려, 어머니와의 최초의 이 고요한 이별을 막연히, 조금의 후회도 없이 의식하였다.

대학! 결국 그는 자신의 소년 시절의 보호자처럼 버티고 있는 무리들로부터, 그를 그들 틈바구니에 끼워 놓고는 자신들에게 복종케 하고, 그들의 목적에 이용하려는 초병들로부터 도망쳐 나온 셈이다. 만족과 자부심이 컸고 완만한 파도처럼 마음이 부풀어올랐다. 그것을 위해 태어났으면서도 아직 눈치채지 못하고 있던 목적이, 낯선 오솔길을 피해 달아나도록 도와주었고, 지금 다시 그것이 손짓하며 부르고 있었다. 새로운 모험이 바야흐로 시작되려는 것이다. 그는 마치 한밤중에 잇따라 거세게 날아오르는 세 가닥의 불꽃처럼 발작적인 음악의 곡조가 한 옥타브 치솟았다가는 감사도(減四度)로 내려오고, 다시 한 옥타브 치솟았다간 장사도(長四度)로 내려오는 것을 듣는 듯했다. 그것은 끝도 없고 형태도 없는 한갓 요정의 서곡으로서 거칠고 빠른 가락으로 치솟음에 따라 불꽃은 엉뚱하게 피어오르고, 그는 마치 나뭇가지와 풀 밑으로 야생 동물이 뛰어다니면서 풀밑을 발로 차 빗소리처럼 와삭거리는 소리를 듣는 듯했다. 토끼, 수사슴, 암사슴, 영양들의 발이 요란스러운 소리를 내면서 그의 마음을 스쳐갔다. 이윽고 그 소리를 더 이상 들을 수 없게 되자 그는 억양이 풍부한 뉴먼의 의젓한 문체를 다시 기억에 떠올렸다.

"그 발은 마치 수사슴의 발과 같고, 그 영원하신 팔이 네 아래 있도다(신명기 33장 27절)."

그 아련한 이미지의 가락이 그의 마음속에 거부해 온 성직의 존엄성을 다시 일깨워 주었다. 소년 시대부터 자기 운명인 양 늘 생각해 온 그 성직을 일단 소명을 받아 따라야만 할 시기가 되자, 방종한 본능 앞에 굴종하고 말았던 것이다. 그리하여 벌써 많은 시간이 흘렀다. 이젠 서품식의 성유로 자기 몸을 씻을 기회는 없어졌다. 그는 거부한 것이다. 왜 그랬을까?

돌리마운트까지 오자 그는 바다 쪽으로 방향을 바꾸었다. 가느다란 나무 다리를 건널 때 무거운 신발 아래서 나무 판자가 흔들리는 것이 느껴졌다. 성도회의 한 무리가 불에서 돌아오면서 두 사람씩 다리를 건너기 시작했다. 그러자 다리 전체가 흔들리며 삐걱거리기 시작했다. 바다빛을 받아 누렇게, 붉게, 또는 납빛으로 물든 무뚝뚝한 얼굴들이 둘씩 짝을 지어 그의 곁을 지나쳤다. 그는 느긋하고 무관심한 눈초리로 그들의 얼굴을 쳐다보려 하였으나, 수치와 연민으로 얼굴이 화끈거렸다. 그는 그들로부터 얼굴을 돌리고, 소용돌이 치고 있는 다리 바로 밑의 얕은 바다물을 지켜보았다. 그러나 거기에도 그들의 초라한 칼라와 축 처진 사제복이 비치고 있었다.

수사(修士) 히키

수사 퀘이드

수사 맥카드

수사 키오

그들의 경건한 태도는 그들의 이름과 그들의 얼굴과 그들의 복장과 비슷할 것이라는 생각이 들었다. 그들의 겸허하고 깊이 사죄하는 마음이 그가 지난날 쏟아온 것보다 한결 깊이 있는 신앙일 것이며, 그의 알뜰한 예배보다 열 배나 높을지도 모른다는 생각을 혼자 해 보았지만 부질없었다. 또 그는 자기의 마음을 움직여서 그들을 관대하게 대하게 한다든지 그가 자존심을 박탈당하고 의기소침한 채 거지 차림으로 언젠가 그들의 문간에 나타난다면 그들이 자신을 너그럽게 대해 주고 자신처럼 사랑해 줄 것인지를 혼자 냉철하게 생각해 보았자 허망한 일이었다. 또한 최후로, 자기 자신의 감정에 흔들리지 않는 확신에 항거하여, 사랑의 계명이야말로 우리가 이웃 사람을 내 몸같이 사랑하되 사랑의 꼭같은 양과 강도로 사랑할 것이 아니라, 자신에게 대할 때와 꼭 같은 사랑의 질을 가지고 사랑해야 한다고 한 말을 스스로 입증해 보아야 부질없고 비참할 뿐이었다.

그는 가슴속에 은근히 간직하여 온 비장의 한 문구를 되뇌어 보았다.

"바다에서 생겨난 알록달록한 구름의 그날."

이 문구는 그날의 정경에 잘 어울려 조화를 이루었다. 말, 말의 채색에서 오는 탓일까? 그는 말이 갖가지의 색으로 차례차례 피었다 지는 대로 내버려 두었다. 해돋이의 금빛, 사과밭의 붉은색과 연둣빛, 파도의 푸르름, 잿빛 테를 두른 뭉게구름. 아니야, 그것은 낱말 하나하나가 가진 색깔이 아니었고 문장 전체가 이루는 안정감이요 균형이었다. 그렇다면 그는 문구에 숨겨져 있는 전설과 색채에 따른 연상보다는 이 말 자체의 음률적 억양을 좋아하는 것일까? 아니면 마음이 수줍듯 시력이 약해서 다채롭고 풍성한 이야기를 감춘 언어의 프리즘을 통해 본 불타는 감각의 세계보다는, 밝고 우아한 미문(美文) 속에 비친, 고독한 정서의 내적 세계를 들여다보는 것을 한결 즐기는 탓일까?

그는 흔들리는 다리를 건너 견고한 지면에 내려섰다. 그 순간, 공기가 싸늘하게 느껴졌다. 곁눈으로 바다를 바라보자 갑작스런 돌풍으로 시꺼멓게 파도가 이는 것이 보였다. 조용히 심장이 울리면서 목언저리의 맥박이 뛰었다. 그러자 그는 다시 짐승과 같은 싸늘한 바다의 냄새를 자기 육신이 얼마나 두려워하는가를 깨달았다. 그리하여 왼쪽에 있는 모래톱으로 가지 않고, 곧바로 강어귀에 불쑥 내민 바위산 등성이로 걸어갔다.

구름을 뚫고 비쳐오는 햇빛이, 강물이 바다로 들어가는 어귀의 회색 피륙 같은 바다를 희미하게 내리비치고 있었다. 멀리 완만하게 흐르는 리피 강에는 가느다란 돛배들이 점점이 하늘에 아로새겨져 있었고, 더 먼 저쪽에는 더블린의 아득한 모습이 안개 속에 웅크리고 있었다. 마치 지친 인간처럼 낡은 아라스천(풍경을 수놓은 천)의 희미한 정경 그대로 그리스도교 세계의 일곱 번째의 도시(더블린)의 이미지가 하늘 저편에서 바라다보였다. 그것은 싱모트(스칸디나비아의 행정 입법 위원회 소재지. 더블린은 9세기부터 약 백 년 동안 스칸디나비아 지배 하에 있었다) 시대와 마찬가지로 더 늙거나 피로하지도 않았으며 억압을 참고 견디었다.

나약한 마음으로 그는 바다에서 핀 알록달록한 구름이 느긋이 흐르고 있는 하늘을 쳐다보았다. 이 구름들은 하늘의 사막을 거쳐 여행하는 것이다. 유목민의 무리들은 아일랜드의 하늘 높이 서쪽으로 발길을 돌린다. 그들의 고향인 유럽, 각양각색의 이상한 말을 지껄이며, 계곡과 숲과 성채가 있고, 참호의 진을 치고 병단을 배치하고 있는 뭇 민족의 유럽이 아일랜드 해(海) 저쪽에 있었다. 그의 마음속에는 몇몇 기억, 몇몇 이름이 뒤섞인 음악소리가 들렸다. 그 기억과 이름은 그의 의식에 떠올라 있었으나 한순간도 그것을 포착할 수는 없었다. 그때 음악은 멀리, 또 멀리 자꾸만 멀어져 가는 것만 같았고, 성운(星雲)과 같은 음악이 멀어져 감에 따라 그 하나하나의 자취에서 길게 여운을 남기는 호소의 소리가 울려와, 그것은 마치 고요한 황혼을 별이 꿰뚫고 있는 듯했다. 또 하나! 또 하나! 그리고 또! 이 세상 저 너머에서 소리는 부르고 있었다.

"어이, 스테파노스(스티븐의 그리스 식 발음)!"

"여기 디달러스 행차하신다!"

"그만두라니까, 드와이어. 그만두지 않으면 주둥아리를 한 대 먹여 줄 테다!"

"잘 한다, 타우저! 그놈을 물속에 집어넣어라!"

"자, 붙어봐, 디달러스! 보스 스테파노메노스(왕관을 쓴 황소)! 보스 스테파노포로스(화환을 두른 황소)!"

"물에 처넣어라! 실컷 먹여 줘라, 타우저!"

"사람 살려, 살려, 아아!"

그는 이 말소리를 한꺼번에 뒤죽박죽으로 들었으나 곧 그들의 얼굴을 분별할 수 있었다. 물에 젖은, 벌거벗은 몸뚱이들이 서로 얽혀 있는 모습은 한번 보기만 해도 오싹 소름이 끼쳤다. 시체처럼 혈색 없는 몸, 파리한 금빛에 뒤덮인 몸, 볕에 타서 붉게 그을리기도 한 몸들이 바닷물에 젖어 번득이고 있었다. 어설픈 받침대 위에 얹혀져 뛰어들 때마다 흔들거리는 다이빙대와 그들이 떠들어 대면서 기어오르는 방파제의 거친 돌이 차갑게 물기 낀 광택을 내뿜고 있었다. 그들이 마구 때리듯이 몸을 닦는 타월도 차가운 바다물에 젖어 무겁게 보였고, 흐트러진 머리칼도 차가운 소금물에 흥건히 젖어 있었다.

그는 놀려 대는 소리를 듣고도 아무렇지 않게 여기고, 그들의 조롱을 가볍게 받아넘겼다. 단추를 잠그지 않고 높은 칼라를 끼우지 않은 슐리, 뱀 모양의 버클이 달린 붉은 허리띠를 끌러 놓은 에니스, 뚜껑 없는 옆주머니가 달린 노퍽(길이가 허리까지 내려오고 느슨한 벨트가 달린 재킷으로 사냥이나 낚시질할 때 입음)을 벗어 버린 코놀리! 그들을 바라보는 것은 괴로운 일이었다. 그들의 몸에 사춘기의 조짐을 찾아보니 가엾은 알몸이 흉하게만 보여 칼날로 에이는 듯한 고통을 느꼈다. 아마

이들은 영혼 속의 은근한 공포를 피하기 위해 다수와 소음 속으로 달아났을 것이다. 그러나 그들과 헤어져 침묵을 지키고 있는 그 자신이 육체의 신비를 얼마만큼 두려워하고 있는가를 잘 알고 있었다.

"스테파노스 디달러스! 보스 스테파노메노스! 보스 스테파노포로스!"

그들의 이와 같은 조롱은 처음 듣는 것이 아니었으나, 지금은 오히려 그의 교만한 우월감을 북돋아 주었다. 이때 자신의 괴상한 이름이 전에 없이 하나의 예언처럼 느껴졌다. 따뜻한 잿빛 공기는 시간성(時間性)을 상실했고, 그 결과 모든 시대가 그에게는 하나같이 생각되었다. 바로 전 덴마크 인들의 고대 왕국의 환상이, 안개에 싸인 도시 장막을 통해 들여다보였다. 그리하여 지금 전설상의 명장(名匠)의 이름(그리스 신화에 나오는 명장 다이달로스)을 들으니 파도 소리가 멀리서 들리는 듯하고, 날개 달린 사람이 바다 높이 하늘을 날아가는 모습을 본 듯했다. 이것은 도대체 어찌 된 일인가? 상징과 예언들로 가득찬 중세의 서적 한 페이지를 여는 것 같은, 묘한 취향이란 말인가? 태양을 향해 바다 위를 나는 독수리 같은 사나이(이카로스를 말함)는, 타고나면서부터 자신이 섬겨야 할 목적, 그리고 유년기와 소년기의 안개 속에서 꾸준히 그가 추구해 온 목적의 한 예언이란 말인가? 예술가가 그 작업장에서 이 세상의 평범한 물질이자 정묘하여 멸하지 않는, 고매하고 참신한 그 무엇을 새로 단련하는 것의 상징이란 말인가?

마음이 떨리고 숨결이 점차 빨라지면서 마치 그가 태양을 향해 날아가는 듯 야성의 정령이 온몸에 충만했다. 마음은 무서운 황홀감에

떨리고 영혼은 하늘로 치솟았다. 영혼은 세상을 벗어나 높이 하늘을 달리고 본래 몸은 순수하게 되어 회의를 벗어나 빛을 뿜으며 영혼의 원소와 어울렸다. 하늘을 나는 황홀함에 도취되어 그의 눈은 빛을 뿜고 숨결은 거칠어졌으며, 바람을 박차는 사지가 빛을 뿜었다.

"하나, 둘…… 조심해!"

"앗, 크라이프스, 난 빠졌어!"

"하나, 둘, 셋…… 자!"

"하나…… 윽!"

"스테파노포로스!"

그는 하늘 높이 나는 매나 독수리처럼 큰소리로 외치고 싶어 견딜 수가 없었다. 바람을 향해 살려 달라고 날카롭게 외치고 싶었다. 그것은 영혼을 향한 생명의 외침이었다. 절망의 세계나 혼탁한 소리도 아니고, 제단 앞에 무미건조한 봉사를 권하는 비인간적인 소리도 아니었다. 순간적인 비상(飛翔)이 그를 해방시켰으며, 승리의 부르짖음은 입술에 가로막혀 그의 뇌수를 꿰뚫었다.

"스테파노포로스!"

이젠 모든 것이 시체에서 벗겨낸 수의(壽衣)에 지나지 않았다. 밤낮으로 품어 온 공포, 꼼짝달싹 못하게 둘러싸고 있던 회의, 심신을 비천하게 만든 수치…… 그건 모두가 수의, 무덤 속의 의상에 지나지 않았다.

그의 영혼은 소년 시대라는 무덤에서 일어나 그 수의를 벗어 던졌다. 그렇다. 바로 그렇다! 같은 이름의 위대한 명장처럼 영혼의 자유와 힘을 빌어 당당히 창조해 내리라. 생명이 있는 것을, 새로 하늘을 나는 아름다운 것을, 정묘하고도 멸망할 줄 모르는 것을.

스티븐은 끓는 피의 불꽃을 끌 수가 없어 허겁지겁 돌축대에서 일어섰다. 뺨은 불타오르고, 목구멍이 노래를 하듯 떨고 있는 것을 잘 느낄 수 있었다. 그리고 발은 방랑길을 재촉하여 열을 띠며 하늘가를 향해 떠나려 했다. 떠나자! 떠나자! 심장이 부르짖는 듯했다. 저녁은 바닷빛으로 짙어가고 평원에는 밤이 찾아오고 새벽은 나그네 앞에 아련한 빛을 던져, 낯선 들판을, 산을, 사람들을 그에게 보여 주리라. 그런데 어디로?

그는 북쪽 하우드 산 쪽을 바라보았다. 벌써 바닷물은 낮은 방파제의 얕은 쪽으로 선을 이룬 해초 아래로 수면이 얕아져 있었다. 물가에서 조수가 냉큼 물러서고 있었고 어느새 길고 갸름한 타원형의 모래톱이 자잘한 파도에 둘러싸여 따스하게 메말라 가고 있었다. 여기저기 작은 모래산이 얕은 물결 위에서 반짝이며, 모래산과 기다란 모래톱 주변 그리고 바닷가 얕은 흐름 속에는 가벼운 차림의 사람들이 물속을 걸어가며 모래를 파고 있었다.

그도 냉큼 신발을 벗고, 양말은 접어서 호주머니에 넣은 뒤 운동화는 양쪽 끈을 묶어 어깨에 메었다. 그리고 바위틈에 버려져 바닷물에 찌들린 뾰족한 막대기를 주워 방파제의 비탈을 내려갔다.

바닷가에는 기다란 여울이 하나 나 있어, 그 흐름을 따라 천천히 거슬러 올라가면서 무수한 해초가 떠 있는 것을 보고 놀랐다. 에메랄드·검정·적갈색·올리브색 해초는 물 밑바닥에서 일렁거리기도 하

고 빙빙 돌기도 했다. 이 작은 여울은 그 수많은 표류물로 인해서 어두침침하게 흐르고, 그러면서도 하늘 높이 떠 있는 구름이 비치는 거울이기도 했다. 구름은 그의 머리 위로 소리없이 떠 있고, 미역은 그의 발밑에 가만히 떠 있으며, 잿빛 따스한 공기는 고요하고, 그의 혈관 속에서는 줄기찬 새 생명이 노래하고 있었다.

지금 그의 소년 시절은 어디로 가버린 것인가? 자기의 운명을 기피하며, 자기가 받은 상처의 치사함에 괴로워하고, 더럽혀진 기만의 궁전에서 퇴색한 수의와 만지면 이내 폭삭 내려앉을 화관을 여왕처럼 쓰고 있던 영혼은 어디 갔단 말인가? 아니면 달리 말해야 할까, 지금 자신이 어디 있느냐고.

스티븐은 홀로 있었다. 주의해서 보는 이조차 없었고, 행복하면서 분방한 인생의 한가운데로 접어들고 있었다. 혼자였고 젊고 완고하고 분방한 마음으로 광막하고 세찬 대기와 어디까지나 잇닿은 짠물결, 조개껍질과 해초라는 바다의 풍요, 구름에 가려진 뿌연 햇빛, 화사하고 가벼운 옷차림을 한 소년 소녀들, 허공에 메아리치는 아이들의 외침 속에 그는 홀로 있었다.

그런데 그가 가고 있는 흐름 한가운데에 한 소녀가 혼자 서서 조용히 바다 쪽을 바라보고 있었다. 그 모습은 마치, 마술이 진귀하고 아름다운 바닷새 모습으로 바꾸어 놓은 사람을 닮은 것 같았다. 길게 드러난 다리는 학의 다리처럼 화사하고, 에메랄드색 해초가 무슨 표지처럼 붙어 있는 말쑥한 다리였다. 상아빛 허벅다리가 거의 엉덩이까지 드러나고 거기에 하얀 속옷이 부드러운 흰 깃 모양으로 내다보였다. 회색을 띤 푸른 스커트는 대담하게 허리춤까지 걷어 올려 뒤에 가서 비둘기의 꼬리처럼 드리워졌다. 가슴은 새 가슴처럼 부드럽고 화사했다. 그러나 긴 금발과 얼굴은 소녀다웠고 경이적인 인간의 아름다움을 드러내고 있었다.

그녀는 혼자 조용히 바다 쪽을 바라보고 있었다. 그러다가 그의 기척과 시선을 느끼자 수줍어하거나 추파를 던지는 기색도 없이 조용히 그의 시선을 받았다. 오래도록 시선을 받던 그녀는 살며시 고개를 숙이고는 시냇물을 굽어보며 발끝으로 물장난을 했다. 그 부드럽게 찰랑거리는 물소리가 속삭이듯 나직이 들리며, 그 소리는 잠결에 듣는 종소리처럼 정적을 깨뜨렸다. 이리저리 그녀의 볼에 한 가닥 엷은 붉은빛이 따라 흔들렸다.

"하느님이시여!"

스티븐의 영혼은 세속적인 기쁨에 넘쳐 외쳤다.

그는 문득 그녀로부터 시선을 거두고 돌아서서 바닷가를 걷기 시작했다. 볼은 달아오르고 온몸이 열을 뿜으며 사지가 떨렸다. 앞으로 앞으로 그는 크게 걸음을 떼어 놓았다. 멀리 모래밭을 걸어 나가면서 바다를 향해 노래하고, 그에게 소리쳤던 생명의 출현을 맞아들이기 위해 부르짖었다.

그녀의 영상은 영원히 그의 영혼 속으로 빠져들어 갔고, 황홀하고 성스러운 침묵을 깨뜨릴 어떤 말도 할 수가 없었다. 그녀의 눈은 그를 부르고 그의 영혼은 그 부름에 가슴이 뛰었다. 삶을 누리고 과오를 범하고 영락하고 승리를 얻고, 생에서 생으로 다시 창조하는 일!

야성의 천사가 그의 앞에 나타난 것이다. 인간의 청춘과 미의 천사, 싱그러운 생명의 궁전에서 보내 온 사자가 한순간 그의 앞에 나타나 허물과 영광으로 통하는 모든 문을 열어젖힌 것이다. 자, 앞으로 나아가자!

그는 문득 일어나 정적 속에 심장이 고동치는 소리를 들었다. 얼마나 걸어왔을까? 지금 몇 시나 되었나?

자기 가까이에는 사람의 그림자도 없고 허공에서 들려오는 소리도 없었다. 그러나 곧 밀물 시각으로 벌써 햇살은 스러져 가고 있었다. 그는 육지를 향해 몸을 돌리고 해변 쪽으로 달렸다. 거친 자갈길도 개의치 않고 바닷가 언덕으로 뛰어올라가, 풀이 무성한 언덕 사이의 오목한 모래밭에 누워, 끓고 있는 피를 저녁의 고요한 침묵이 식혀 주기를 기다렸다.

머리 위에서는 광막하고 무심한 창공과 온갖 천체의 고요한 운행을 느낄 수 있었고, 몸 아래에서는 어머니 같은 대지가 자기를 안아 주고 있었다.

그는 나른한 졸음에 싸여 눈을 감았다. 눈꺼풀은 지구와 지구를 지켜보는 별들의 오랜 주기(週期) 운동을 직감하고 떨렸고, 새로운 세계의 낯선 빛을 느끼고 떨고 있었다. 그의 영혼은 정신을 잃고 새로운 세계로 들어갔는데 그것은 바다 밑처럼 환상적이고 몽롱한 세계였고, 구름 모양 비슷한 것이 자꾸 스쳐갔다. 세계인가, 명멸인가, 아니면 꽃이란 말인가? 명멸하고는 떨고, 떨고는 피었다. 흐트러지는 빛, 피는 꽃, 그것이 가이 없이 확대해 가면서 연달아 펼쳐졌다. 온통 주홍색으로 피었다가 퇴색하여 희미한 장밋빛이 되고 꽃잎 하나하나가 빛의 물결을 이루며 온 하늘이 온통 그 부드러운 진홍으로 물들고, 진홍빛은 점점 그 농도를 더해 갔다.

눈을 떠 보니 어느새 해거름이 되었고 그의 잠자리인 모래밭과 마른 풀에는 벌써 햇빛이 스러져 있었다. 그는 슬그머니 일어나 꿈속에서의 환희를 회상하고 그 즐거움에 긴 하품을 내뿜었다.

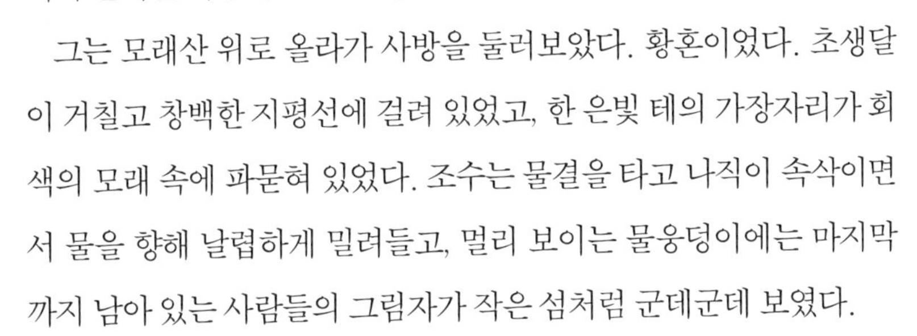

그는 모래산 위로 올라가 사방을 둘러보았다. 황혼이었다. 초생달이 거칠고 창백한 지평선에 걸려 있었고, 한 은빛 테의 가장자리가 회색의 모래 속에 파묻혀 있었다. 조수는 물결을 타고 나직이 속삭이면서 물을 향해 날렵하게 밀려들고, 멀리 보이는 물웅덩이에는 마지막까지 남아 있는 사람들의 그림자가 작은 섬처럼 군데군데 보였다.

제 5 장

스티븐은 싱거운 차를 석 잔째 마시고는 주위에 흩어져 있는 기름에 튀긴 빵껍질을 씹으면서 찻단지 밑바닥에 꺼멓게 가라앉은 찌꺼기를 바라보았다. 토탄지의 구멍처럼 누런 찻물을 무리하게 짜낸 뒤의 시커먼 찌꺼기는 클론고즈 목욕탕의 검푸른 물을 연상케 했다. 그는 팔꿈치 근처에 있는 전당표 상자를 마구 휘저어 기름때가 묻은 손으로 푸른색과 흰색 표를 무료한 듯이 한 장 한 장 집어냈다. 휘갈겨 쓴 글씨에다 잉크를 말리느라고 모래가루에 덮여 데일리니 맥케보이니 하는 전당 잡힌 사람의 이름이 씌어져 있었다.

반장화 한 켤레

검은색 저고리 한 벌

흰 천과 기타

남자 바지 한 벌

스티븐은 그것을 옆으로 밀치고 상자 뚜껑을 쏘아보았다. 여기저기 벌레 먹은 자국이 있었다. 그는 얼빠진 소리로 물었다.

"시계가 얼마나 빨리 가죠?"

어머니는 벽난로 위에 모로 누워 있는 이그러진 자명종을 바로 세워 자판이 12시 15분 전이 되게 한 후 다시 원래대로 모로 눕혔다.

"1시간 25분이나 빠르단다. 그러니까 지금 시간은 10시 20분이다. 수업에 늦지 않도록 해라."

"물 좀 부어 주세요, 세수하게."

스티븐이 말했다.

"캐티야, 물을 좀 떠다 주어라. 스티븐이 세수한다니까."

"부디, 물 좀 떠다 줘, 스티븐이 세수한다니까."

"난 안 돼요, 세탁비누 사러 가야 해. 매기 네가 떠다 줘."

에나멜칠을 한 세숫대야를 세면대 위에 놓고 낡은 세탁용 장갑을 그 안에서 들어내자, 그는 어머니가 목덜미를 문지르고, 귓속이며 콧구멍을 후벼 씻겨 주는 대로 내맡겼다.

"정말 기가 막혀서. 대학생이 되어도 이렇게 더러워 에미가 씻겨 줘야 하니."

"하지만 즐겁지 않아요?"

스티븐은 시치미를 떼고 말했다.

귀가 찢어질 듯한 휘파람 소리가 들려오자 어머니는 축축한 겉옷을 얼른 그에게 건네주곤 이렇게 말했다.

"제발 네 손으로 닦아, 빨리빨리."

다시 날카로운 휘파람 소리가 노한 듯이 길게 꼬리를 빼고 들려 오자 딸애가 계단 밑까지 가서 소리 질렀다.

"뭐예요? 아버지."

"네 오빤지 뭔지 하는 게으름뱅이 암캐는 나갔냐?"

"그럼요, 아버지."

"정말?"

"예, 아버지."

"으음."

딸애가 돌아와 스티븐에게 뒷문으로 살짝 나가라고 손짓을 했다. 스티븐은 웃으면서 말했다.

"아버진 사내를 년이라고 하니 정말 괴상한 성관념을 가지고 있군."

"얘, 네가 창피해서 죽겠다, 스티븐."

어머니가 말했다.

"넌 앞으로 그런 곳에 간 걸 두고두고 후회할 거다. 넌 무척이나 변했어."

"그럼, 다녀오겠어요."

스티븐은 손가락 끝으로 키스해 보이면서 미소를 지었다.

집 뒤 골목길은 물투성이였다. 흠뻑 젖어 있는 쓰레기더미 사이를 조심조심 내려가자, 담 너머에 있는 정신병원에서 미친 수녀의 째지는 듯한 고함 소리가 들려왔다.

"예수님, 오오, 예수님, 예수님!"

그는 화라도 난 듯 머리를 가로저으면서 그 소리를 떨쳐 버리려고 막 썩기 시작한 쓰레기더미 사이를 비틀거리며 마구 달렸다. 혐오와 비분으로 그의 마음은 쓰라렸다. 아버지의 휘파람 소리, 어머니의 불평 소리, 모습이 보이지 않는 미친 수녀의 외침 소리, 그것들은 모두 한덩어리가 되어 그의 사랑스런 청춘을 오해와 굴욕으로 더럽히려고 기다리고 있었다. 그는 저주스런 말로써 이들 소리의 메아리를 마음속으로부터 쫓아냈다. 그러면서 가로수 길을 걸어가니 어느덧 비참하게 풀죽어 있던 마음이 풀렸다.

비에 젖은 가로수는 항상 게르하르트 하우프트만의 희곡에 나오는 여성들을 연상케 했다. 그들의 창백한 슬픈 기억과 물에 젖은 나뭇가지에서 뚝뚝 떨어지는 싱그러운 향기가 뒤섞여 고요한 기쁨을 안겨주었다. 스티븐은 아침 산책을 하며 이들 정경을 멀리 바라볼 수 있었다. 페어뷰의 습지대를 지나칠 때는 세속을 벗어난 고요한 기분이 넘치는 뉴먼의 산문을 회상할 것이다. 북해안 길을 걸으면서는 막연히 식료품 가게의 진열장을 들여다보며 구이도 카발칸티(이탈리아의 시인, 단테의 친구)의 검은 유머를 회상하고 자기도 모르게 입가에 웃음이 피어오를 것이다. 탈보트 광장의 베어드 채석장을 지나칠 때는 입센의 소년다운 변덕스런 미의 정신이 거센 바람처럼 마음속을 불어 지나칠 것이다. 그리고 리피 강 저쪽 강변에 있는 음산한 선구점을 지나칠 때는 벤 존슨(17세기 영국 시인, 극작가)의 다음과 같은 노래를 중얼거릴지도 모른다.

내 몸을 뉘어도 고달프지 않도다.

그리고 급기야, 지나치게 저속한 웃음과 시간으로 퇴색한 밀실의 망령 같은 어구들에 그의 수도사로서의 긍지가 손상되고 감당할 수 없을 때는 숨어 있던 자리에서 떠나곤 했다.

젊은 친구들과 사귀지도 않고 매일 열중하는 학문은 아리스토텔레스의 《시학》이니 심리학에서 발췌한 논문, 《성 토마스의 정신에 의한 스콜라 철학 요강》에 지나지 않았다. 그의 사색은 회의와 자기 불신의 황혼이었다. 이따금 직관의 빛으로 내리비치기도 했으나, 그 빛이 너무도 거세고 선명하여 그 순간 세계는 불타 버린 듯이 발밑에서 사라지는 것이었다. 그런 경우를 당할 때마다 그의 혓바닥은 무겁고 누구와 눈길이 마주쳐도 그의 눈은 아무런 반응을 보이지 않았다. 왜냐하면 미의 정신이 장막처럼 그를 감싸 주어 공상 속에서나마 존귀한 사물에 접한 듯한 느낌이 들었기 때문이다. 그러나 순식간에 침묵의 긍지가 사라지자, 자기는 아직도 현실의 한가운데 서 있음이 다행스럽게 여겨졌다. 그래서 이 거리의 더러움과 붐빔을 두려워하지 않고 선선히 이를 뚫고 나갔다.

운하 곁의 판자 울타리 부근에서 마치 인형 같은 얼굴에 무테 모자를 쓴 결핵 환자가 다리를 건너 이쪽으로 내려오는 것이 보였다. 11시쯤 되었나 싶어 어느 우유 상점을 들여다보자 그 가게의 시계는 5시 5분 전이었다. 막 돌아서려는데 보이지는 않았으나 가까운 곳에서 시계가 11시를 쳤다. 그 소리를 듣자니 우스워졌다. 맥칸 생각이 났던 것이다. 사냥 때 입는 상의, 짤막한 바지에다 노란 염소 수염을 기르고, 홉킨스의 가게 모퉁이 바람 속에 서 있는 그의 모습이 눈에 띄었다. 그리고 그의 목소리도 들렸다.

"디달러스, 그대는 자기 내부에 틀어박혀 있는 반사회적인 인간이야. 그러나 나는 그렇지 않아. 나는 민주주의자이며 장차 유럽 연방국의 모든 계급과 남녀의 사회적 자유와 평등을 위해 활동할 생각이야."

11시! 강의에도 늦었다. 무슨 요일이었나? 신문 판매소 앞에 멈춰 서서 게시판의 제목을 읽었다. 목요일. 10시부터 11시까지 영문학, 11시부터 12시까지 불어, 12시에서 1시까지 물리학, 영문학 강의를 생각하자 이처럼 떨어져 있는데도 벌써 불안함과 초조한 마음을 금할 수가 없었다. 동급생들이 고개를 숙이고 지시 사항, 명칭의 정의, 본질적 정의, 예문, 출생 또는 사망 날짜, 주요 작품, 그리고 호평과 악평 등을 나란히 기록하는 것이 보였다. 그는 머리를 숙이지 않았다. 생각이 밖으로 흩어져 비좁은 교실 안의 학생을 돌아보거나 창밖의 허전한 잔디밭을 내다보자니 침울한 지하실의 축축한 공기와 썩은 냄새가 풍겨 왔기 때문이다. 그가 아닌 또 한 사람이 맨 앞줄 바로 앞 벤치에 앉아, 고개를 숙인 패거리들 가운데 우뚝 머리를 쳐들고 있었다. 마치 주위의 상냥한 참배자들을 대신하여 성체에 경건한 기도를 드리는 신부처럼. 크랜리를 생각하면 그 몸 전체가 아니고 머리와 얼굴의 영상밖에 떠오르지 않는 것은 무슨 까닭일까? 지금도 아침의 회색 장막 뒤에서 환영처럼 떠오르고 있다. 잘라진 목 아니면 데스마스크처럼 이마 위의 철관같이 빳빳하고 까만 머리털을 곤두세우고. 신부처럼 창백한 피부, 넓적한 코, 눈아래와 턱밑의 그늘진 가장자리, 미소를 띠고 있는 핏기 가신 긴 입술 모양. 스티븐은 마음속의 고뇌와 불안과 정경을 밤낮없이 크랜리에게 털어놓았는데도, 오직 말없이 듣고 있었던 사실을 문득 회상하고는, 옳지 그것은 고해를 청문하고도 죄상을 소멸시킬 힘이 없는 죄많은 신부의 얼굴이라고 자신에게 타일렀다. 그러나 그때 계집애 같은 까만 눈망울이 기억 속에서 자기를 쏘아보고 있는 것을 알았다.

이런 환상을 떠올리곤 그는 묘하게도 어두운 사색의 동굴을 엿보았으나 이내 거기서 시선을 돌렸다. 아직 그 안으로 들어갈 때가 아니다. 친구의 나른한 모습은 주위의 대기 속에 무서운 독기를 발산하는 것 같아, 좌우에 잇달아 나타나는 말에 시선을 던지면 그 말들이 순간적인 의미를 잃고 침묵해 버리고는 급기야 하찮은 가게 간판들이 무슨 주문처럼 그의 마음을 사로잡는다. 그러한 죽은 말들이 수북이 쌓여 있는 높은 산더미를 피하면서 골목길을 걸어가자, 그의 영혼은 쇠진한 나머지 한숨을 쉬면서 죽어가는 것을 허망한 놀라움으로 보고 있는 것이었다. 자신의 언어에 대한 의식이 조수처럼 뇌리에서 밀려나가 가느다란 물줄기처럼 배어들자, 끊임없는 리듬과 서로 맺어졌다가 다시 풀어지기도 했다.

담쟁이가 흐느껴 운다 담 위에서

흐느끼며 담 위에 달라붙는다

노란 담쟁이가 벽 위에서

담쟁이가, 담쟁이가 벽 위에서 운다

이와 같은 실없는 소리를 들은 적이 있는가? 정말 너무하다. 담쟁이가 담 위에서 흐느껴 우는 것을 들었다니. 노란 담쟁이 이것은 괜찮다. 노란 상아, 이것도 좋다. 그러나 상아빛 담쟁이는?

이 말이 지금 머릿속에서 반짝이기 시작한다. 코끼리의 얼룩진 상아에서 잘라낸 어떤 상아보다도 한결 환하고 선명하게 아이보리, 아이보레, 아이보리오, 에부르, 그가 처음 익힌 라틴어의 예문은 이와 같았다. 인도는 상아를 산출한다, 그러자 오비드의 《변형담(變形譚)》을 품위 있는 영어로 번역하는 방법을 가르쳐 준 교장 선생님의 슬기로운 북방 인종다운 성품이 떠오른다. 그의 얼굴은 부지깽이(porkers), 도자기 파편(potsherds) 베이컨의 등살(chines of bacon) 등의 발음을 할 때면 매우 이상해 보였다. 그가 알고 있는 알량한 라틴어 시문의 법칙은 포르투갈인 신부가 쓴 낡은 책자에서 배운 것이다.

웅변가는 간결한 말투를 쓰고

시인은 노래로써 광을 낸다

로마 역사에 있어서의 위기, 승리, 배신은 '그와 같은 위기에 처하여'라는 낡은 말투로 그에게 전해지고, 그는 이 도시 중의 도시 로마의 사회 생활을 'implers ollam de-nariprum'이란 어구를 통해 무언가를 엿보려고 애를 썼다. 교장 선생님은 틀림없이 이것을 '은전으로 항아리를 채우다'라고 낭랑한 음성으로 번역했었지. 그의 낡아빠진 호라티우스(로마 시인)의 책갈피는 그의 손끝이 얼어붙어 있을 때도 차가운 느낌이 들지 않았다. 그것은 인간미가 있는 갈피였다. 55년 전엔 존 던칸 인베라리티니, 윌리엄 맬컴 인베라리티 같은 인간미 넘치던 손가락으로 넘긴 갈피니까. 과연 거무스름한 첫 장에 씌어진 이름들은 우아한 것들이었다. 그 자신처럼 라틴어 지식이 시원찮은 초보자에게도, 그 희끄무레한 시문구가 마치 오랜 세월, 라벤더나 마편초 같은 향기로운 풀 속에 묻혀 있었던 듯 싱그러운 느낌이었다. 그러나 세계적인 문화적 향연에 있어서 자기 같은 존재는 고작해야 수줍어 얼떨떨하고 있는 한낱 손님에 불과하고, 게다가 수도사의 학문 따위는 그것을 바탕으로 한낱 미학을 건설하려 할 뿐, 그것은 문장학이나 매사냥에 쓰이는 애매한 은어 정도로밖에는 현대인에게 인정받지 못하고 있다고 생각하니 자연 맥이 풀렸다.

왼쪽에 보이는 트리니티 대학(3세기 창립, 프로테스탄트계)의 잿빛 건물이 마치 투박한 반지에 박힌 광채 없는 보석처럼 그의 마음을 우울하게 만들었다. 그리고 그가 종교 개혁적인 양심의 질곡에서 발을 빼려고 이리저리 고심을 하고 있는 동안 아일랜드의 국민 시인(19세기의 시인, 토머스 무어)의 우스꽝스런 동상과 맞부딪쳤다.

그 동상을 보아도 노여운 기분이란 끓어오르지 않았다. 왜냐하면 육체와 영혼의 태만이 마치 눈에 보이지 않는 이처럼, 절둑거리는 발이나 외투의 솔기나 비굴한 머리 위를, 이를테면 동상 전면을 기어다니고 있었지만 동상은 자신의 굴욕을 삼가 인식하고 있는 듯했다. 밀레지아족(아일랜드의 반전설적 선주 민족, 무어상은 밀레지아식의 토거를 걸치고 있다)에게서 저고리를 빌어 입은 퍼볼그인(기원전 4세기경의 아일랜드 선주 민족, 이것이 영웅 민족에게 쫓겨나고, 다음에 퍼볼그족이 밀레지아족에게 추방되었다고 함) 같은 모양새다. 그는 농부 출신 친구 데이빈을 생각했다. 그들끼리 있을 때 농담으로 그를 퍼볼그인이라고 부르면 이 젊은 농부는 그 농담을 가볍게 받아넘기며 말했다.

"좋아, 스티비. 난 네 말대로 돌대가리야. 무엇이든 좋을 대로 불러다오."

스티븐은 친구가 자기를 크리스천 명칭으로 불러 주는 것이 기뻤다. 그동안 서로가 너무도 딱딱한 태도로 대하고 있었기 때문이다. 그란담 거리에 있는 데이빈의 방에 앉아, 아주 섬세한 구두들이 한 켤레씩 가지런히 벽 쪽에 놓여 있는 것을 보고 감탄하면서, 이 친구의 소박한 뒤에 대고 자기의 동경과 실망을 감싸 주는 남의 시구를 되풀이 읊어 주노라면, 귀 기울이며 듣는 상대방의 너무도 퍼볼그족다운 소박한 마음씨에 때로는 끌리고 때로는 반발하는 것이었다. 끌리는 것은 조용하고 예의바른 태도, 고대 영어식의 이상한 말투, 우락부락한 육체적인 열기를 좋아하는 기분 탓—데이빈은 게일인, 미카엘쿠삭(19세기 게엘 체육협회의 창립자)의 제자격이었다—이었고, 갑자기 반발을 느끼는 것은 감정이 둔하고 눈에는 충충한 공포의 빛을 담고 있기 때문이었다. 그것은 마치 저녁종이 지금도 밤마다 사람을 떨게 하는, 춥고 배고픈 아일랜드 마을의 공포에 질린 영혼의 눈망울이었다.

농부 출신의 데이빈은, 운동 선수였던 수부 매트 데이빈(데이빈 형제는 19세기 이후 아일랜드 체육계에서 유명하다)의 빛나는 업적의 추억과 더불어 아일랜드의 슬픈 전설을 숭배했다. 학생들 사이의 화젯거리란 아무튼 싱거운 대학 생활을 꾸미려는 경향이 있는 것이지만 그들의 입에 한 번 오르자, 그는 한 사람의 젊은 피니어 당원(반영 테러 단체)으로 변조되어 버리는 것이었다. 유모는 그에게 아일랜드 신화의 자투리로써 엮어 매었다. 여태껏 그 누구도 아름다운 시행(詩行)을 엮는 데 소재로서 쓴 일이 없는 신화와 일련의 전설을 탐색해 감에 따라 지리멸렬해지는 엉터리 없는 이야기에 대해, 그는 로마 가톨릭이 신앙인에게 대하는 그런 자세로, 말하자면 머리가 둔한 충실한 농노의 자세로 대했다. 영국에서 건너오거나, 영국의 문화를 통해 들어온 사상과 감정에 대해서는 무엇이든 마치 하나의 암호를 따르듯 끌리는 것이었다. 영국보다 더 먼 세계로서 그가 오직 하나 알고 있는 것은 프랑스의 외인 부대였고, 그는 여기에 가입하고 싶다는 말을 하고 있었다.

이 젊은이의 포부와 유머를 결부시켜 스티븐은 그를 얌전한 집오리라고 부른 적이 있지만, 이 별명 속에는 그 친구의 말투나 답답한 동작에 대한 언짢은 기분이 다소 곁들여져 있었다. 이 답답함으로 인해 사색에 잠기기 쉬운 스티븐의 마음이 아일랜드 생활 속에 묻혀 있는 은밀한 습관과 마주칠 기회를 방해하는 것 같았다.

어느 날 밤, 이 젊은 농부는 스티븐이 지적 반란의 차가운 침묵에서 벗어날 양으로 써 본, 격렬하다 할까 사치스런 말에 자극을 받아 스티븐의 심중에 묘한 환각을 일으킨 적이 있었다. 두 사람이 데이빈의 셋방을 향해 어둡고 비좁은 가난한 유태인 거리를 걸어가고 있을 때였다.

"작년 가을, 겨울이 가까운 무렵이었지만 스티비, 나에게 어떤 사건이 일어났지. 아무에게도 이야기한 적은 없고 너에게 처음 이야기하는 건데, 10월이나 12월이었나 깜빡 잊었지만, 그렇지, 이 학교 초년 급에 들어오기 전이니까, 아마 10월일 거야."

스티븐은 친구의 얼굴을 쳐다보며 싱긋 웃었다. 그는 자기에게 비밀 이야기까지 털어놓을 정도로 신뢰를 하고 있다는 데 흡족했으며 이 얘기꾼의 소박한 말투에 이끌려 공감을 느끼기도 했다.

"나는 하루 종일 집을 비워놓고 버트반트에 가 있었지. 그곳이 어딘지 네가 아는지 모르지만 '크로우크의 젊은이들'과 '무적 달즈'의 하키 시합이 있었던 거야. 정말 격전이었어, 스티비. 나의 사촌형 폰지 데이빈은 그날 벌거숭이가 되어 리메릭 팀의 문을 지키고 있었는데, 시합 중 거의 반은 포워드에 끼여들어 미친 듯이 고래고래 소리를 지르고 있었어. 크로우크 팀의 한 멤버가 한번은 막대기를 쥐고 세차게 사촌형을 내질렀지. 정말이지 자칫하면 관자놀이를 정통으로 찌를 뻔했어. 막대기의 고리에 맞기라도 했다면 끝장이 나고 말았을걸."

"맞지 않았기에 다행이었지."

스티븐은 웃으면서 말했다.

"한데, 자네에게 일어난 괴상한 사건이란 그런 건 아니잖아?"

"그렇지. 너에겐 흥미도 없을 테지만, 아무튼 시합 뒤의 소동으로 돌아오는 기차를 놓쳐 버렸어. 게다가 태워 주는 달구지마저 없었거든. 그뿐인가, 재수 사납게 같은 날 카슬타운로지에 인민 대회가 열려 온 나라의 차량이라는 차량은 다 그곳에 몰렸거든. 그래서 어디서나 하룻밤을 새든가, 아니면 밤새 걷는 길밖에 도리가 없었지. 그래서 걷기로 작정하고 걷고 또 걸어서 겨우 발리후라의 언덕에 이르렀을 때는 어둑어둑해질 무렵이었지. 킬말록에서 10마일이나 떨어져 있는 곳인데 거기서부터가 멀고 쓸쓸한 시골길이야. 길가에는 사람이 살고 있는 기척도 없고 소리 하나 들리지 않았지. 주위는 벌써 어둠이 짙었어. 한두 번 나무숲 그늘에서 파이프에 불을 당겼으나, 이슬이 내리지 않았더라면 거기 드러누워 잠들 뻔했네. 그러다 길 모퉁이를 돌았을 때 창가에 불빛이 새어나오는 외딴집을 발견했어. 나는 다가가 문을 두드렸지. 누구세요, 하는 소리가 들리기에, 버트반트의 하키 시합에 갔다가 돌아오는 길인데 물을 한 모금 주시면 고맙겠다고 대답했지. 조금 뒤 젊은 여인이 문을 열고 큰 그릇에 우유를 떠내와 주는 거야. 내가 문을 두드렸을 땐 마침 잠자리에 들려던 참이었던지 옷을 반쯤 벗고 있었고, 머리도 풀어헤친 채였어. 여인의 몸집과 눈매로 보아서 임신 중인가 보더군. 여자가 문간에 나를 세워놓고 긴 얘기로 사람을 붙잡는데 어쩐지 수상쩍었어. 가슴팍과 어깨를 그대로 드러낸 채 말이야. 그녀는 나더러 피곤할 테니까 자고 가지 않겠느냐고 묻는 거야. 여자의 말에 따르면 집에는 자기 혼자뿐이고,

남편은 그날 아침 누이동생을 전송하러 함께 퀸스타운으로 갔다는 거야. 그리고 스티비, 이야기를 하는 도중 여자는 내 얼굴을 줄곧 쏘아보면서 숨소리가 들릴 정도로 내 앞에 바싹 다가서는 거야. 물그릇을 돌려 주자 여자는 내 손을 꼭 쥐고 문턱 너머로 밀어 넣으면서 이렇게 말했어.

'봐요, 들어와 주무시고 가세요, 무서워할 건 없다니까요. 우리 둘뿐이잖아요…….'

나는 들어가지 않았어, 스티비. 인사를 하고 다시 걷기 시작했는데 온몸이 달아오르고 있었어. 길이 꺾이는 데서 뒤돌아보자 여자는 아직도 문간에 서 있더군."

데이빈의 마지막 말이 스티븐의 머릿속에서 마구 울려 퍼졌다. 이야기에 나오는 여자의 모습은 지난번 클레인에서 대학 마차가 지나쳐 갈 때 본 또 한 사람의 농촌 아낙네의 모습과 겹쳐져 떠올랐다. 그것은 박쥐 같은 모습을 한 영혼으로서 어둠과 비밀과 고독 속에 자기 의식에 눈이 떠, 조금의 허식도 없는 여자의 눈과 몸짓으로 낯선 길손을 잠자리에 유인하는 것이리라.

그의 팔에 손이 와 닿으며 젊은 음성이 들려 왔다.

"보세요, 손님, 오늘 개시예요, 이 예쁜 꽃다발을 사 주세요, 예? 손님."

소녀가 그에게 내민 푸른 꽃과 그녀의 푸른 눈이 그 순간 아무런 속임수도 없는 것 같았다. 그런데 멈춰 서자 그 모습은 간데 없고, 누추한 옷에 머리칼이 축축하게 흐트러진 말괄량이의 얼굴만이 남았다.

"보세요, 손님. 꽃다발 좀 사 주세요."

"돈이 없어."

스티븐은 말했다.

"이 예쁜 꽃다발 사 주시지 않겠어요? 단돈 1페니예요."

"방금 말했잖아."

스티븐은 소녀 쪽으로 몸을 구부리면서 말했다.

"돈이 없다고 다시 한 번 말해야 알겠어?"

"그래요? 하지만 언젠가는 있게 마련이에요."

잠시 후 소녀가 말했다.

"그럴지도 모르지. 하지만 살 것 같지는 않구나."

스티븐은 대답했다.

그는 얼른 소녀 곁을 떠났다. 소녀의 허물없는 태도가 비웃음으로 변하지 않을까 하는 생각이 들었고, 또 영국 관광객이나 트리니티 대학생 같은 새 손님에게 흥정을 걸 때 방해가 되고 싶지 않아서였다. 그라프튼 거리를 걸어가는 내내 가난에 대한 비참한 생각이 스티븐의 머리를 떠나지 않았다. 거리의 중심점인 차도에 울프톤(18세기 아일랜드의 혁명가)의 기념비가 서 있었다. 그는 아버지와 함께 그 제막식에 참석했던 지난날을 회상했다. 그 값싼 제막식은 쓰라린 추억 없이는 회상할 수가 없었다. 말을 탄 프랑스 대표가 네 사람 있었는데 그중 한 사람, 늘 미소를 띠고 있는 통통한 젊은이가 막대기 끝에 단 플래카드를 들고 있었다. 거기에는 프랑스말로 이렇게 인쇄되어 있었다. '아일랜드 만세!'

그러나 스티븐스 그린 공원의 수목은 비로 인해 향기로웠고 비에 젖은 땅은 인간적인 체취, 즉 지하 무덤 속의 많은 시체 곁에서 피어 오르는 아련한 냄새를 풍기고 있었다. 연장자들이 가르쳐 준 얘기지만, 이 멋부리기 좋아하고 돈만 아는 거리 시체들의 영혼은 시간이 흐름에 따라 줄어들어 나중에는 대지에서 피어 오르는 죽음의 냄새로 조금씩 변한다는 것이다. 그는 알고 있었다. 음침한 이 대학 안으로 들어서자마자 벅 이갠(18세기 말의 정치가)이니 번차펠 웨일리(18세기 정치가. 그의 아들 토마스는 도박과 뇌물로 유명하다)니 하는 그 밖의 부패에 관해서도 틀림없이 깨닫게 될 것이다.

2층까지 가서 프랑스 문학 강의에 출석하기에는 너무도 시간이 늦었다. 현관을 가로지른 그는 물리학 계단 교실로 통하는 왼쪽 복도로 들어갔다. 복도는 어둡고 고요하지만 어쩐지 마음이 놓이질 않는 분위기였다. 왜일까? 이런 불안을 느끼게 되는 것은? 벅 웨일리(토마스 웨일리의 별명) 때 숨은 계단이 있었다는 말을 들은 탓일까? 아니면 예수회의 건물은 치외법권으로서 그가 이방인들 틈으로 넘나드는 탓일까? 토운이니 파넬의 아일랜드는 공간적으로 멀리 사라져 버린 느낌이었다.

계단 교실의 문을 열고, 먼지 낀 창틈으로 간신히 비쳐드는 싸늘하고 희미한 광선을 받으며 멈춰 섰다. 커다란 난로 앞에 서 있는 사람의 그림자가 보였다. 바싹 마른 모습과 은발의 머리카락을 보아 학감 선생님이 불을 피우기 위해 서 있는 것을 금세 알아챌 수 있었다. 스티븐은 문을 닫고 난로 곁으로 다가갔다.

"안녕하세요, 선생님. 도와드릴까요?"

학감 선생님은 대뜸 고개를 들고 말했다.

"이젠 거의 됐어, 디달러스 군. 봐 두라고. 불을 지피는 데도 기술이 필요해. 기술도 교양적인 것과 실용적인 것이 있지만, 불을 지피는 것은 실용적인 기술이지."

"알겠습니다."

스티븐이 말했다.

"석탄을 너무 많이 넣어서는 못 써."

학감 선생님은 힘차게 말했다.

"이게 요령이거든."

그는 법의 옆주머니에서 타다 남은 초 동강이를 네 개 꺼내더니 그것을 석탄과 구겨진 종이 사이에 솜씨 있게 놓았다. 스티븐은 말없이 그것을 지켜보고 있었다. 이와 같이 연석 위에 꿇어앉아 불을 지피려고 구겨진 종이와 초 동강이를 늘어놓으면서 열중하고 있는 그는 어느 때보다도 인기척 없는 교회당에서 희생의 장소를 마련하고 있는 경건한 반승처럼 보였다. 소박한 리넨으로 만든 사제복처럼 그가 입고 있던 퇴색하고 낡은 법의는 꿇어앉은 그의 몸을 감싸고 있었는데, 그에게는 특정 행사를 위한 제의나 구약 시대 고위 성직자의 제의를 입혀도 거추장스럽게 여겨질 성싶었다. 그의 육체는 주님을 받드는 가난한 임무 속에 늙어가고—제단에 불이 꺼지지 않게 주의하며, 은근히 복음을 전하고, 세속적인 일도 돌보며, 명령이 내리면 곧 종을 울리는 것이 그의 임무이지만—그러나 성자나, 고위 성직자다운 아름다움은 조금도 지니지 못한 채 살아왔다.

그러기는커녕, 영혼 그 자체마저 빛과 아름다움을 향해 성장하지 못하고, 고귀하고 싱그러운 향기도 풍기지 못하며 그렇게 자기 임무만을 다하는 가운데 노쇠하고 말았다. 늙은 육체는 여위어 심줄만 드러나고 은빛으로 반짝이는 백발에 휩싸여, 연애나 싸움의 충동에도 아무런 반응을 일으키지 않는 것처럼, 고행으로 성화된 의지는 이제 복종의 충동에도 아무런 반응을 보이지 않는다.

학감 선생님은 웅크리고 앉아 땔나무에 불이 붙은 것을 지켜보고 있었다.

스티븐은 침묵을 깨뜨리기 위해 입을 열었다.

"저 같으면 불을 지필 것 같지도 않군요."

"자넨 예술가가 아니던가, 디달러스 군?"

학감은 그를 쳐다보고 눈을 깜박거리며 말했다.

"예술가의 목적은 미의 창조가 아닌가? 무엇이 미인가는 별문제로 하더라도."

그는 이 어려운 문제를 제기하고는 꺼칠한 두 손을 서서히 비비기 시작했다.

"방금 말한 문제를 풀 수 있겠나?"

그는 물었다.

"아퀴나스는."

스티븐은 대답했다.

"보고 쾌감을 느끼는 것이 아름다움이라고 말하고 있지요."

"눈앞의 이 불!"

학감 선생님은 말했다.

"이건 눈에 쾌감을 주거든. 그러니까 이것은 아름다운 것이라 할 수 있을까?"

"시각으로써 포착할 수 있는 한—이것은 선미적(善美的)인 사유를 말하지만—아름다운 것이 된다고 할 수 있겠지요. 하지만 아퀴나스는 이와 같이 말하고 있습니다. '욕망의 대상이 선(善)이다.' 따스함을 구하는 동물적 욕망을 만족시키는 한 불도 선(善)이지요. 하지만 지옥에서 불은 악이 되지요."

"정말 그렇지."

학감이 말했다.

"자넨 정말 정곡을 찔렀어."

그는 날렵하게 일어서서 문 쪽으로 걸어가더니 문을 반쯤 열어 놓고 말했다.

"이럴 땐 틈바람도 쓸모가 있거든."

그는 약간 발을 절룩거리면서, 그래도 힘찬 걸음걸이로 난로 쪽으로 돌아오자 이 예수회 회원의 말없고 창백한 눈매가 자기를 쏘아보고 있는 것을 느꼈다. 이그나티우스와 같은 정열의 불꽃은 찾아볼 수 없었다. 이 단체의 전설적인 교지, 미묘하기 이를 데 없는 은근한 지혜로 가득찬 우화적인 서적보다도 한결 미묘하고 한결 은근한 교지일지라도 사도의 정열로써 그의 영혼을 불타오르게 할 수는 없었다. 어쩐지 그는 이 세상의 책략, 학식, 교지 등을 명하는 대로 하느님의 거룩한 영광을 위해 사용하고, 그것을 조종하는 데 기쁨을 느끼는 것도 아니고, 그렇다고 이와 같이 함으로써 그 속에 내포되어 있는 악에 증오를 느끼는 법도 없이 오로지 복종의 자세로 그것을 쌓아 가는 듯했다. 그런데 이와 같이 묵묵히 봉사를 하고 있는데도 그는 스승을 사랑하지 않고, 자기가 봉사하는 바로 그 목적지까지 거의 달갑잖은 모양이다. '그리고 늙은이의 지팡이처럼'—바로 창시자가 바라는 그대로, 그는 늙은이가 손에 잡은 지팡이처럼 한밤중 비바람이 거센 노상에서 남의 받침이 되어 주기도 하고, 뜰에 있는 긴의자에 꽃다발과 함께 내놓기도 하고, 위협조로 내휘두르는 데 쓰여지기도 한다.

학감 선생님은 난롯가로 돌아와 턱을 문지르기 시작했다.

"언제쯤이나 자네의 미학론을 듣게 되지?"

"저 말입니까?

스티븐은 놀란 듯이 외쳤다.

"고작해야 2주일에 한 번쯤 어떤 생각이 떠오를 정도예요."

"이런 문제는 아주 심오한 것이니까, 디달러스 군."

학감 선생님이 말했다.

"모허 벼랑(아일랜드 서해안에 있는 험준한 절벽)에서 바닷속을 내려다보는 것과 같다네. 바닷속으로 내려가는 사람은 많지만 떠오르는 사람은 없거든. 단련이 된 잠수부만이 해저에 들어가 탐험을 하고는 무사히 수면으로 떠오를 수 있는 거야."

"선생님, 사색에 관한 말씀이라면, 선생님 전 자유로운 사색이란 없는 걸로 압니다. 어떤 사색도 그 자체의 법칙에 매여 있으니까요."

"흠!"

"제가 계획하고 있는 걸 말씀드리면, 아리스토텔레스와 아퀴나스의 한두 가지 이념의 빛을 빌면 해 나갈 수 있습니다."

"응, 자네 이야기의 요점을 알았네."

"그들의 빛이 필요한 것은 제가 뭔가를 해낼 때까지 이용하려는 것과, 또 지표를 삼기 위해서입니다. 만일 이와 같이 등잔에 검은 때가 끼고 진저리나는 냄새를 피우거나 할 때는 그 심지를 잘라낼 게고 게다가 광선이 부족할 때는 팔아 새것을 사들일 거예요."

"에픽테토스(스토아 학파 철학자)도 등잔을 가지고 있었는데."

학감 선생님은 말했다.

"그가 죽은 뒤 엄청난 값에 팔렸어. 철학 논문을 쓰는 데 사용한 등잔이야! 에픽테토스, 알지?"

"인간의 영혼은 한동이의 물과 같다고 말한 옛 어른이지요?"

스티븐은 일부러 애매한 소리를 했다.

"그는 소박한 어조로 말하지만……."

하고 학감 선생님은 계속했다.

"하느님의 조각상 앞에 쇠붙이 등잔을 놓아두었더니 도둑이 그 등잔을 훔쳐 갔거든. 철학자는 무엇을 생각한 줄 아나? 이런 생각을 했지. 훔치는 건 도둑의 본성이라고. 그래서 당장 다음날 쇠붙이 등잔 대신, 도기로 만든 등잔을 사들이기로 결심했지."

학감 선생님이 태운, 초 동강이에서 피어오른 수지(樹脂) 냄새가 스티븐의 의식 속에 녹아들어 양동이와 등잔, 등잔과 양동이, 하는 소리가 요란하게 울렸다. 신부의 음성도 경질의 불협화음을 띠고 있었다. 스티븐의 마음은 괴상한 음성과 영상, 그리고 불이 꺼진 등불 아니면 잘못 씌운 등잔갓과 비슷한 신부의 얼굴에 가리워져 그 자리에서 본능적으로 정지하고 말았다. 이 얼굴 이면에는 무엇이 있지? 그리고 그 속에는? 무감각하고 둔중한 영혼일까? 아니면 지성을 갖추신 하느님의 침울함마저 간직한 소나기 구름의 어둠일까?

"제가 말씀드리려는 등잔은, 다른 종류의 것이었습니다, 선생님."

하고 스티븐은 말했다.

"물론 그렇겠지."

학감 선생님이 말했다.

"미학상의 토론에서……."

스티븐이 말했다.

"한 가지 어려운 것은 언어가 문학적으로 쓰여지고 있는가, 아니면 일반 사회의 세속적인 전통에 따라 쓰여지고 있는가를 구별하는 일입니다. 뉴먼의 어떤 문장이 생각나는군요. 그는 이 문장 속에서 성모 마리아가 많은 성도들에게 잡혀 있다고 했습니다. 그런데 일반 사회에서는 그 용어가 전혀 다른 식으로 쓰여지고 있어요. 제가 신부님을 잡고 있는 셈은 아니지요?"

"천만에."

학감 선생님은 상냥하게 말했다.

"제가 말씀드리는 것은……."

"그래, 그래. 알고 있다니까."

학감 선생님은 대뜸 말을 이었다.

"자네가 말하려는 요점은 알았어. 결국 '만류시킨다' 이거지."

그는 아래턱을 내밀고 잠시 메마른 기침을 했다.

"다시 등잔 이야기이네만……."

그는 말했다.

"기름을 붓는 게 또 여간 어려운 일이 아니야. 순수한 석유를 골라야 할 필요가 있는 데다가, 쏟아 넣을 때는 넘치지 않도록 해야 하는 거야. 이를테면 퍼늘(깔대기) 용량 이상으로 넣어서는 못 쓰는 법이지."

"퍼늘이라니요?"

스티븐은 물었다.

"퍼늘 말인가? 등잔에 석유를 넣을 때 쓰는 거지."

"그렇군요. 그걸 퍼늘이라고 하는군요. 턴디시(나무 접시) 아네요?"

"턴디시라니?"

"그거 말예요. 즉 그…… 퍼늘 말입니다."

"아일랜드에서는 턴디시라고 하나?"

학감 선생님이 물었다.

"이건 처음 듣는 말인데."

"로드럼콘드라(더블린을 말함)에서는 턴디시라고 해요."

스티븐은 말한 후 웃어 보였다.

"가장 훌륭한 영어를 쓰는 지방이에요."

"턴디시라……."

학감은 고개를 갸우뚱거렸다.

"이거 정말 재미나는 말인데. 조사해 봐야겠어, 꼭 조사해 봐야지."

그의 은근한 태도에는 다소 허위적인 투가 섞여 있었다. 스티븐은 성경 이야기(누가복음 15장에 있는 탕아에 관한 이야기) 속의 형이 탕아인 아우를 쳐다보았을 듯한 그런 시선으로 이 잉글랜드인 개종자를 쳐다보았다. 소란스런 말썽을 피운, 개종에 순순히 복종한 사나이, 아일랜드 태생의 가난한 잉글랜드인. 이 사나이는 음모와 박해, 질투와 투쟁과 모멸에 찬 문제의 묘한 연극이 거진 종막에 접어들었을 무렵 예수회의 역사 무대에 등장한 것 같았다. 지각생, 뒤늦게 찾아온 영혼. 그런데 도대체 무엇으로부터 출발했던 것인가? 아마 진지한 비국교도의 가문에서 태어나 예수에게만 구원이 있다고 믿고, 영국 국교의 허식을 미워하면서 성장했을 것이다. 분파가 정립하여 소란을 피우는 와중에서 묵묵히 순종할 필요성을 느낀 탓일까 — 이른바 6교리 세례파(히브리서 6장 1, 2절에 바탕을 두고 생긴 교파), 특수 교파(교회가 따로 없고 질병이 발생하면 기도로써 치유를 비는 파. 1838년 영국에서 발족), 선근악근을 따지는 세례파, 원제 이전론파(칼빈주의의 한 파로서 인간이 구원을 얻고 못 얻는 것이 인간 시조 이전에 결정되어 있다고 주장하는 파) 등등. 갑자기 진짜 교회를 발견한 것일까? 안수할 때 입김을 끼얹는 의식과 성령 출현에 관해 섬세한 추리의 올을 실패 가장자리까지 감아올리고 있을 때, 아니면 그리스도가 그의 몸에 손을 대고 따르라고 명령한 것일까? 저 세관에 앉아 있던 사도처럼 어딘가의 양철 지붕 예배당 입구에 앉아 하품을 하면서 교회의 헌금을 계산하고 있을 때, 주 그리스도께서 그

를 어루만지고 따라오도록 명하셨던가?

학감 선생님은 다시 한 번 그 말을 되풀이했다.

"턴디시! 이거 정말 재미있는 말이야."

"선생님께서 방금 하신 질문이 저는 더 재미있는걸요. 예술가가 흙더미 속에서 애를 쓰며 표현하려고 하는 미(美)란 무엇인가 하는 그 질문이 말예요."

스티븐은 냉정하게 말했다. 이 어줍잖은 말이 어쩐지 그의 감수성의 첨단을, 이 상냥하고 빈틈없는 상대방의 가슴을 칼날로 찌르는 듯했다. 그는 실망의 쓰라림을 맛보면서, 말 상대가 벤 존슨이 살던 나랏사람(영국)이란 것을 깨닫고 이렇게 생각하는 것이었다.

"우리들이 조잘거리고 있는 말, 이것은 내 나라의 말이기 전에 이 분 나라 말이었다. 가정, 그리스도, 맥주, 마스터 등등의 말이 이분이 말할 때와 내 입에서 나올 때는 그 의미가 얼마나 다른가? 내가 이런 말을 하거나 글로 쓸 때는 아무래도 마음속에 한 가닥 불안을 느끼지 않을 수 없다. 이분의 국어는 몹시도 친밀하면서도 한편으로는 또 서먹서먹하여 나에게는 결국 배워서 익힌 말에 지나지 않으며 모국어는 아니다. 나는 이 단어를 만들거나 내 것으로 받아들인 것이 아니다. 내 음성은 이 말들을 몰아치고, 나의 영혼은 이분의 모국어의 그늘에 휩싸여 안절부절 못하고 있다."

학감 선생님은 이렇게 말을 이었다.

"그리고 아름다운 것과 숭고한 것을 구별하기도 한다. 정신적인 미와 물질적인 미를 구별하는 것, 그리고 어떤 미가 각종 예술과 제각기 어울리는가를 밝혀 내는 것, 이런 문제를 채택해 보면 재미있지 않겠나?"

스티븐은 완고하고 무미건조한 학감 선생님의 말투에 갑자기 실망하면서 말문을 닫았다. 침묵 속에 멀리서 계단을 오르고 있는 많은 사람들의 발자국 소리와 웅성거리는 말소리가 들렸다.

"그런데 이와 같은 사색을 끝내 추구하고 있자니……."

학감 선생님은 결론이라도 지을 듯한 투로 말했다.

"절망의 공허에 빠질 우려가 있다. 우선 너는 학위를 따야만 한다. 그걸 제일의 목적으로 내걸어야 해. 그리하면 조금씩 길이 트일 것이다. 내가 말하는 것은 인생의 면에서나 사색의 면에서나 모든 의미에 있어서 마찬가지야. 애당초는 자전거의 페달을 밟으며 산비탈을 오르는 것과 같을지도 몰라. 무넌(《율리시스》 '이오러스' 에피소드에 농장 법원에서 가장 뛰어난 녀석) 군을 보라고. 그 꼭대기까지 오르는 데 숱한 세월이 걸렸다. 하나 아무튼 꼭대기까지 오른 것만은 사실이거든."

"전 그분만큼 재능이 없나 봅니다."

스티븐은 조용히 말했다.

"그걸 어떻게 알아?"

학감 선생님은 쾌활하게 말했다.

"우린 자기 내부에 어떤 힘이 감춰져 있는지 알 수 없어. 난 절대 절망하지 않아. '고난을 뚫고 하늘까지'란 말이 있잖은가."

그는 얼른 난롯가를 떠나 계단 층계참까지 나가서 문과 1학년 학생들이 걸어오는 것을 보았다.

난로에 기대서서 스티븐은 학감 선생님이 학급 학생들과 일일이 기운 찬 인사를 주고받는 소리를 들었다. 성질이 야비한 학생들의 싱글벙글 미소짓는 꼴이 눈에 선했다. 기사 로욜라의 충실한 사도를 생각하자니 씁쓸하기 이를 데 없는 연민의 정이 스티븐의 마음속에 이슬같이 내리는 듯했다. 성직자인 이 의형은 말로는 학생들보다 타산적인 주제에 영혼은 그들보다도 완고하여 자기의 고해 신부로는 아예 살기가 싫은 사나이였다. 그와 그의 동료들이 탈속적인 사람들로부터 속된 인간이라고 불리는 것은 그의 생애를 통해 하느님의 심판정에서 나태하고 미적지근하고 타산적인 자들을 옹호하고 있었기 때문이다.

무거운 구둣발 소리가 쿵쿵 하고 몇 번 들려온 것으로 교수가 들어왔다는 것을 알 수 있었다. 음침한 계단 교실, 거미줄이 엉성한 잿빛 창밑에서 제일 윗 계단에 자리 잡은 학생들의 구둣발 소리였다. 출석을 부르기 시작하고 갖가지 음조를 띤 대답이 들리고, 곧 피터 번의 이름이 불릴 차례였다.

"예."

굵직한 베이스 소리가 윗자리에서 대답했다. 이윽고 다른 좌석에서 언짢은 듯한 기침 소리가 들렸다.

교수는 잠시 호명을 멎었다가 다음 이름으로 넘어갔다.

"크랜리!"

대답이 없었다.

"크랜리 군!"

크랜리의 공부하는 태도를 회상하는 스티븐의 입가에는 미소가 번져갔다.

"래파즈타운(시외에 있는 경마장 거리)에 가서 찾아보세요."

하는 소리가 뒷좌석에서 들렸다.

스티븐은 곧 뒤를 돌아다보았다. 그러나 모이니한은 콧날이 우뚝한 얼굴을 뿌연 광선 속에 드러내고는 시치미를 떼고 있었다.

문제가 나왔다. 노트를 펼치는 소리가 들리는 가운데 스티븐은 뒤를 돌아보며 말했다.

"부탁이야, 종이 두세 장만 줘."

"넌 왜 이렇게 궁색하니?"

모이니한은 환하게 웃으면서 물었다.

그는 수첩을 한 장 찢어 주면서 나직이 속삭였다.

"필요할 때는 어떤 속인이나 여자라도 그렇게 할 수 있다."

종이에 필기한 수학 공식은 꼬였다 풀렸다 하는 교수의 계산, 힘과 속도의 망령 같은 기호들이었는데, 스티븐의 마음을 끌기도 하고 또 지치게도 만들었다. 이 나이 많은 교수가 무신론자의 비밀 결사 멤버라는 말을 누구에게선가 들은 일이 있다. 이렇게 침침하고 음울한 날이 있을까! 아무 고통 없는, 언제까지나 계속하는 의식의 지옥 변방, 그 속을 수학자의 영혼은 헤매며 서성거리고, 시시각각 빛이 스러져가는 황혼이 평면에서 평면으로 길게 가늘게 구도를 투영하고, 시시각각 더 넓어지고 더 멀어지며 또 더 불가사의해지는 우주의 마지막 가장자리까지 급한 소용돌이를 방출하고 있는 것 같았다.

"그러기 때문에 우리는 타원형과 타원체를 정확히 구별해야만 합니다. 아마 여러분 중에는 W·S·길버트 씨(19세기에서 20세기에 걸쳐 생존한 영국의 극작가)의 작품에 밝은 분이 있을 걸로 압니다. 그분이 엉터리 당구사를 노래한 가사가 있습니다."

가짜 천을 깐 판 위에

구부러진 당구채를 잡고

치는 공은 멋들어진 타원형

"그가 말하고 싶은 것은 공이 타원체라는 것인데, 그 주축에 대해서는 이미 말씀드린 것으로 압니다."

모이니한은 몸을 굽혀 스티븐의 귀에 대고 속삭거렸다.

"타원체의 공이 어쨌단 말인가! 따라오세요, 숙녀분들. 나는 기병대 소속이에요."

이 친구의 야비한 농담이 스티븐의 마음을 질풍처럼 통과하여, 벽에 걸려 축 늘어져 있는 신부님의 법의에 쾌활한 생명을 불어넣어 펄펄 휘날리는 법의 속에서 한 무리의 회원들이 나타났다. 학감 선생님. 당당한 풍모의 혈색이 좋은, 백발을 모자처럼 머리에 얹고 있는 회계주임. 경건한 시를 쓰며, 깃과 같은 머리털의 신부 학장. 시골 사람같이 땅딸막한 경제학 교수. 늘씬한 허우대의 젊은 심리학 교수. 그는 계단 층계참에서, 마치 영양 떼에 섞여 높은 나뭇잎을 향해 목을 빼고 있는 기린처럼 학생들과 양심의 문제를 토론하고 있었다. 무슨 고민이라도 있는 듯이 심각한 표정을 하고 있는 신심회의 대표. 장난기 어린 눈을 한 통통한 이탈리아어 교수. 이들이 느릿느릿, 비틀비틀, 뒹굴뒹굴 뛰어온다. 서로 길을 가로막고 농담 섞인 웃음을 터뜨리며 몸을 마구 흔들어 엉덩이를 치고, 우악스런 장난 끝에 폭소를 하며, 서로의 별명을 외치다간 곧 위엄을 되찾고는 이 난폭한 복수에 항의를 하고, 손으로 입을 가린 채 두 사람씩 뭔가 속삭이기도 하였다.

교수는 벽의 유리 상자 쪽으로 가더니 선반에서 한 쌍의 코일을 꺼내어 여기저기 먼지를 털어 조심스럽게 교탁 위에 올려놓고 거기다 손끝을 대면서 강의를 계속했다. 그는 현대 코일 제품은 최근 마티노에 의해 발견된 플라티노이드라고 불리는 혼합물로 이루어져 있다고 했다.

그는 발견자의 이름 두문자와 성을 분명하게 말했다. 모이니한이 뒤에서 속삭였다.

"멋들어진 프레시 워터 마틴이군!"

"애, 전기 처형을 위한 실험 대상자는 필요하지 않느냐고 물어봐."

스티븐은 달갑지 않은 투로 농을 했다.

"내가 실험 대상이 되어 줄 수도 있으니까."

교수가 코일 위에 몸을 구부리고 있는 것을 본 모이니한은 의자에서 일어서자 오른쪽 손가락을 소리 없이 튕기면서 훌쩍이는 장난꾸러기 같은 투로 말하는 것이었다.

"선생님, 애가 지금 나쁜 말을 했어요, 선생님."

"플라티노이드는."

교수는 엄숙한 어조로 계속했다.

"양은보다 더 좋습니다. 왜냐하면 그것은 온도 변화에 따른 저항 계수가 낮기 때문입니다. 플라티노이드는 절연되어 있으며, 그것을 절연시키는 명주 껍질이 내가 잡고 있는 이 손가락에 에보나이트 보빈을 감아두고 있습니다. 한 겹으로만 감았다면 남아 돌아가는 전류가 코일 속으로 유도될 거예요. 보빈은 가열된 파라핀 왁스로 포화상태에 이르고 있습니다……."

얼스터(아일랜드 북부의 지명) 사투리가 섞인 날카로운 소리가 바로 밑에 있는 의자에서 들렸다.

"응용 과학 문제도 나옵니까?"

교수는 엄숙한 말투로 순수 과학과 응용 과학 용어의 정의에 대해 대충 설명을 시작했다. 금테 안경을 쓴 육중한 몸집의 학생이 놀란 표정으로 질문한 학생을 쏘아보았다. 모이니한이 뒤에서 언제나 하는 식의 나직한 소리로 속삭였다.

"맥앨리스터 녀석, 살은 저렇게 쪘지만 멍충이야."

스티븐은 아래쪽에 보이는 머리칼이 더부룩이 자란 기다란 두상을 차갑게 내려다보았다. 질문한 학생의 음성, 사투리, 그의 마음보가 얄미워서 짐짓 불친절한 기분을 부추겨, 그 학생의 학부모가 아들을 벨파스트로 유학을 시켰더라면 기차 삯이라도 절약했을 텐데 하고 생각했다.

아래 좌석에 있는 장방형의 머리는 뒤돌아보지도 않았으므로 스티븐의 생각의 화살은 다시 시위로 되돌아왔다. 왜냐하면 그 순간 그 학생의 우윳빛 창백한 얼굴을 떠올렸기 때문이다.

"내 생각이 아니야"

하고 그는 혼잣말을 했다. 그건 뒷좌석에 있는 농담 잘하는 아일랜드인이 말한 거다. 참아야지. 그대의 겨레의 영혼은 누가 팔았으며, 그 엘리트는 누구에게 배신을 당했는가? 질문자에게인가, 아니면 비웃는 자에게인가? 참아야지. 에픽테토스를 생각해 보라. 그 같으면 어김없이 그때 그런 질문을 그와 같은 투로써, '과학'을 '가악'하고 혀짧은 소리를 낼 것임에 틀림없을 테니까.

교수의 나른한 말소리는 화제가 되어 있는 코일의 둘레를 서서히 감아붙여 코일이 저항음을 증대해감에 따라 수마(睡魔)의 에네르기를 2배, 3배, 4배로 증대시켰다.

멀리서 들리는 벨소리에 맞추어 모이니한의 고함소리가 들렸다.

"끝날 시간입니다, 여러분."

현관 머리에서는 사람들이 들끓고 이야기 소리로 소란스러웠다. 문 가까이 있는 테이블에는 틀에 넣은 사진이 두 장 있고, 그 사이에 선명한 글자가 꿈틀거리는 두루마리가 놓여 있었다. 맥칸이 학생들 틈을 활발하게 왔다 갔다 하면서, 빠른 말로 재잘거리면서 한사람 한 사람 탁자로 데리고 가고 있었다. 안쪽 홀에서는 학감 선생님이 교수들과 서서 이야기를 나누면서 턱을 문지르며 고개를 끄덕이고 있었다.

스티븐은 입구에 모여 있는 사람들로 길이 막혀 하는 수 없이 멈춰 섰다. 늘어진 중절모의 넓은 챙 밑에서 크랜리의 까만 눈이 그를 쏘

아보고 있었다.

"벌써 서명했어?

스티븐이 물었다.

크랜리는 얇은 입술의 큰 입을 꼭 다물고 잠시 생각한 끝에 다음과 같이 말했다.

"에고 하베오(나는 끝냈도다)."

"뭘 말인가?"

"쿠드?(뭣 때문이냐고?)"

"그래, 뭘 말인가?"

크랜리는 창백한 얼굴을 스티븐 쪽으로 돌려 부드럽게, 그러면서도 신랄한 어조로 말했다.

"세계 평화를 위해!"

스티븐은 러시아 황제의 사진을 가리키며 말했다.

"그 사나이는 고주망태가 된 그리스도와 같은 얼굴이군."

그의 말소리에 내포된 경멸과 분통에 찬 어조를 듣고 홀의 벽을 조용히 바라보고 있던 크랜리가 시선을 돌려 스티븐을 바라보았다.

"언짢은가?"

"아냐."

스티븐이 대답했다.

"기분이 나빠?"

"아니."

"자넨 어림 없는 거짓말쟁이야. 자네 얼굴에는 지금 기분이 몹시 언짢다는 것이 역력히 나타나 있어."

크랜리는 말했다.

모이니한은 탁자 쪽으로 되돌아가다가 스티븐의 귀에 대고 무엇인가를 속삭였다.

"맥칸은 대단한 기세야. 마지막 한 방울까지 짜낼 각오로 덤비고 있어. 오로지 새 세계를 건설하기 위해서래. 술은 금하고 암캐들에게 투표권이나 주자는 거지."

스티븐은 이 솔직한 말투에 미소로 답했다. 모이니한이 가 버리자, 그는 다시 크랜리와 시선이 마주쳤다.

"자네는 알고 있나? 저 사나이는 왜 생각하는 것을 전부 내 귀에 대고 털어놓지? 응?"

그는 말했다.

약간의 불쾌감이 크랜리의 얼굴을 스쳐갔다. 그는 모이니한이 서명을 하느라고 구부리고 있는 탁자를 쏘아보면서 사정없이 쏘아붙였다.

"아첨꾼 같으니!"

"어느 쪽이 화가 났나? 내 쪽이니, 아니면 너희니?"

스티븐이 말했다.

크랜리는 이 말에는 대꾸도 하지 않고 인정사정없이 되풀이해 말했다.

"이만저만한 아첨꾼이 아니야, 저놈은."

이것이 모두 식어버린 우정에 대한 크랜리의 비문(碑文)이다. 이

비문은 머지 않아 스티븐 자신에게, 추억에 있어서도 같은 투로 바쳐질 날이 올 것이라는 생각이 들었다. 무거운 덩어리 같은 이 말은 흙탕물 속에 가라앉는 돌처럼 서서히 그의 귓전에는 들리지 않게 되었다. 이와 똑같은 상태를 몇 번이나 경험한 것으로 생각되는 크랜리의 말은 데이빈의 말과는 달리, 엘리자베스 시대의 진귀한 말투나 아일랜드 어법을 괴상하게 옮긴 그런 표현은 없었다. 길게 늘이는 말투는 쓸쓸하게 거칠어 가는 항수에서 되울려오는 신성한 웅변의 메아리였다. 맥칸이 텅 빈 홀 한 귀퉁이에서 그들 쪽으로 걸어오자 크랜리의 침울한 표정이 슬슬 풀렸다.

"왔군."

맥칸이 쾌활한 어조로 말했다.

"왔어."

스티븐이 맞장구쳤다.

"여전히 지각이군. 진보적인 경향과 시간 엄수는 양립시킬 수 없는가 보지?"

"그건 다음 문제야."

하고 스티븐은 말했다.

미소를 담은 그의 시선이 이 선전가의 가슴 주머니 속에서 드러나 보이는 은종이에 싼 초콜릿 위에 못박혔다. 이 두 사람의 재담을 듣기 위해 다른 학생들이 빙 둘러싸 원을 그렸다. 올리브색 피부에 검은 머리칼의 날씬한 학생이 하나둘 사람 사이에서 얼굴을 내밀고, 서로 말을 주고받을 때마다 그들의 얼굴을 번갈아 보면서 숨을 죽인 채 그 말 한마디 한마디를 주의 깊게 들었다.

"다음 문제? 흥!"

맥칸이 내뱉었다.

그는 기침을 해 가면서 큰 소리로 웃더니 미소를 띤 채 투박하게 생긴 아래턱에 달려 있는 연황색 염소 수염을 두 번 쥐었다.

"다음 문제는 감사장에 서명하는 일이다."

"서명하면 얼마나 내겠어?"

스티븐이 물었다.

"자넬 이상주의자라고 생각했더니……."

맥칸이 말했다.

집시같이 생긴 그 학생이 주위를 두리번거리더니 다른 학생들을 향해 염소 우는 소리처럼 분명치 않은 투로 이야기를 했다.

"이상한 생각들을 하시네. 그런 생각이라면 돈을 벌어보겠다는 것 아닌가?"

이 말은 침묵 속에 사라졌다. 누구 한 사람 그의 말을 귀담아듣지 않았다. 그는 올리브색 얼굴에 말과 같은 표정을 하고 다시 한 번 스티븐 쪽을 바라보았다.

맥칸이 입을 열고, 러시아 황제의 소칙, 스테드(당시 영국의 저널리스트이자 평화주의자)에 관한 일, 전면적 군축, 국제 분쟁시의 조정, 시대의 대세, 최대 다수의 최대 행복을 가능한 한 쉽게 확보하는 것을 사회의 역할로 삼은 새 인도주의와 새 인생의 복음에 관해서 웅변을 토했다.

집시 학생은 이 연설이 끝나자 곧 큰 소리로 외쳤다.

"전 세계의 동포를 위해 만세 삼창!"

"잘한다 템플. 나중에 한 잔 살게."

하고 곁에 있던 단단한 체구에 얼굴이 불그레한 학생이 말했다.

"난 사해 동포를 신봉하는 사람이다. 마르크스 같은 건 턱도 없는 바보 천치야."

템플이 달걀 모양의 까만 눈으로 주위를 휘둘러보았다.

크랜리는 거북한 듯이 템플의 입을 꼭 누르고 당부했다.

"진정해, 진정하라구."

템플은 팔을 빼내려고 바둥거리면서 연방 지껄여 댔다. 입안에는 엷은 거품이 괴었다.

"사회주의는 아일랜드 사람이 창시한 거야. 사상의 자유를 설파한 최초의 유럽인은 바로 콜란스다. 그건 2백 년 전의 일이야. 이 미들섹스의 철학자는 종교 정치를 규탄했다. 존 앤소니 콜린스를 위해 만세 삼창!"

둘러싸고 있는 학생들의 바깥 쪽에서 가느다란 말소리가 들려왔다.

"치워, 치워!"

모이니한이 스티븐의 귀에 대고 속삭였다.

"존 앤소니의 불쌍한 누이동생의 노래는 어때?"

로티 콜린스의 팬티가 없어졌대요.

네 걸 좀 빌려주지 않겠니?

스티븐이 웃어대자 모이니한은 의기양양하여 다시 나직한 소리로 말했다.

"존 앤소니가 이길지 질지, 5실링 걸기로 하자."

"대답을 해."

맥칸이 말했다.

"난 그런 데는 전혀 흥미 없어. 왜 이런 일로 소동을 피우는지 너는 알아?"

하고 스티븐이 나른한 투로 말했다.

"알았어."

맥칸은 혀를 차며 말했다.

"넌 반동이군 그래?"

"목도(木刀)라도 휘둘러 위협할 작정이냐?"

스티븐이 물었다.

"빗대고 하는 소리군."

맥칸이 불쑥 말했다.

"사실을 따져 보자구."

스티븐은 얼굴이 빨개져 외면하고 말았다. 맥칸은 한 발짝도 물러서지 않고 적의에 찬 야유를 퍼부었다.

"2류 시인은 우주의 평화 같은 사소한 문제는 아무래도 좋은 것 같군."

크랜리는 고개를 들고 공을 두 학생 사이에 밀어 넣고는 화해의 선물인 양 말했다.

"보잘것없는 지구인들을 위해 평화를 내리소서."

스티븐은 학생들을 밀어젖히고는 러시아 황제의 초상을 향해 화가 치미는 듯 어깨를 움칫하며 말했다.

"너의 우상일랑 치워두라고. 예수 같은 사람을 모셔야 한다면 우린 진짜 예수를 모실 거야."

"정말 말 잘했어."

집시 학생이 주위 학생들에게 말을 걸었다.

"멋진 표현이야, 마음에 드는군."

그는 스티븐의 말을 삼키듯 침을 꿀꺽 삼키고는, 트위드 모자의 정수리를 만지작거리면서 스티븐을 향해 말했다.

"실례지만 방금 하신 그 말씀이 무슨 뜻이지요?"

"난 이분이 말한 그 표현의 뜻을 알고 싶어 못 견디겠어."

이윽고 그는 스티븐 쪽으로 돌아보면서 나직이 속삭였다.

"예수를 믿으시오? 난 인간을 믿지만. 물론 당신이 인간을 믿는지 어쩐지 알 순 없소. 다만 난 당신에게 감탄하였소. 모든 종교를 초월하여 독립하고 있는 인간의 정신에 감탄한 것이오. 그게 예수에 대한 당신의 견해요?"

"계속해, 템플. 약속한 맥주가 기다리고 있는 거야."

붉은 얼굴의 다부진 학생이 평소의 버릇대로 처음의 그의 제의로 되돌아갔다.

"저 친구는 날 저능아라고 생각하고 있는 거요."

템플이 스티븐에게 설명했다.

크랜리는 스티븐과 그의 추종자인 학생의 어깨에 팔을 두르고 말했다.

"우리는 공이나 가지고 놀자꾸나."

스티븐은 끌려가면서 홍조를 띠고 있는 맥칸의 투박한 얼굴을 얼른 쳐다보았다.

"내 설명 같은 건 아무 가치도 없는 거야. 너는 네 갈 길을 가는 게 옳아. 난 내 길을 가게 내버려 두고."

그는 상냥하게 말했다.

"디달러스."

맥칸이 활달하게 말을 꺼냈다.

"그대는 훌륭한 친구라고 믿고 있지만 앞으로 애타주의의 존엄성과 개인의 책임 문제를 배워야만 해."

이때 이런 소리가 들려왔다.

"괴짜 시인 나부랭이는 우리 편에 넣지 않는 게 좋아."

스티븐은 맥앨리스터의 가시 돋친 목소리를 알아들었으나 그 소리가 나는 쪽으로는 돌아보지도 않았다. 스티븐과 템플의 팔을 낀 채 마치 사제가 보조 신부들을 대동하고 나가듯 학생들의 무리를 뚫고 정중히 나아갔다. 탬플은 허리를 굽히고 크랜리의 가슴 너머로 뭔가 열심히 수군거렸다.

"맥앨리스터가 무슨 말을 했는지 들었어? 그는 너를 질투하는 거야. 알겠어? 크랜리는 아무것도 모르고 있었을 거야. 난 금세 알아챘지만."

그들이 홀 안으로 들어가 보니 학감 선생님이 학생들에게 붙들려 있다가 마침 빠져 달아나는 참이었다. 그는 계단 아래 서서 한 발을 계단 맨 아래층에 올려 놓고, 마치 여자들이 하는 것처럼 해진 법의 자락을 걷어 잡고 계단을 올라갈 채비를 하면서, 몇 번이나 고개를 끄덕이며 다음과 같이 되풀이했다.

"바로 그거야. 하켓 군! 정말 멋져요! 바로 그거야!"

홀 한복판에는 대학 신심회 회장이 부드러우면서도 언쟁조로 기숙사 학생들과 열심히 이야기를 나누고 있었다. 이야기를 하는 도중 주근깨가 솟은 이마에 주름을 잡으면서 조그마한 골제 연필을 이야기 사이사이에 입에 물곤 했다.

"신입생이 다 와 주면 좋겠는데, 문과 2학년은 제법 확실한 편이고, 문과 3학년도 마찬가지야. 신입생을 확보해 두어야 하거든."

세 사람이 문을 빠져나갈 때 템플은 또 크랜리의 어깨 너머로 고개를 빼고 빠른 소리로 재잘거렸다.

"저 친구에게 아내가 있는 걸 아시오? 개종하기 전에 결혼을 했어요. 아내와 아이들이 어딘가에 있대. 정말 이런 괴상한 얘긴 처음 듣지?"

긴 여운을 남기고 그의 속삭이는 소리가 사라지자, 능글맞게 킥킥거리는 웃음 소리가 들려왔다. 세 사람이 문을 빠져나온 순간 크랜리가 우악스럽게 그의 목덜미를 짓누르고 마구 흔들어대면서 말했다.

"이 어처구니없는 바보 녀석! 내 죽음의 자리의 성서에 걸고 맹세하지만 이 어처구니없는 세상에 너같이 썩어빠진 바보는 없어!"

템플은 짓눌려 바둥거리면서 그래도 능청스럽게 만족스런 웃음을 짓고 있었다. 한편 크랜리는 마구 흔들어댈 때마다 쌀쌀맞은 어조로 내뱉었다.

"이 어처구니없이 썩어 빠진 백치 같은 놈!"

세 사람은 잡초가 무성한 뜰을 함께 질러갔다. 그때 학장은 무겁고 헐렁한 외투를 걸친 채 성무일과(聖務日課)를 읽으면서 이쪽으로 걸어오고 있었다. 그가 길을 꺾으려다가 멈춰 서서 고개를 들자 세 학생이 인사를 했다. 템플은 아까처럼 모자 꼭대기를 만지작거리고 있었다. 그들은 말없이 계속 걸어갔다. 구기장(球技場) 가까이 이르자 경기자들이 손뼉을 치는 소리, 젖은 공을 때리는 소리, 한번 공을 칠 때마다 흥분된 소리를 외치는 데이빈의 소리가 스티븐의 귓전에까지 들려왔다.

세 학생은 열심히 시합 구경을 하고 있는 데이빈의 자리 근처에서 멈춰 섰다. 이윽고 템플이 스티븐 쪽으로 다가갔다.

"실례지만 전부터 물어보고 싶었는데, 넌 장 자크 루소는 성실한 인간이었다고 생각하니?"

스티븐은 곧 웃기 시작했다. 크랜리는 발 밑에 있는 잔디밭에서 막대기를 집어올리곤 냉큼 뒤돌아보면서 엄숙하게 말했다.

"템플, 난 하느님께 맹세코 선언한다. 만일 네가 무슨 말이든 한 마디만 더한다면 널 그 자리에서 죽여 버릴 테다."

"루소도 너와 같이 감정적인 인간이었나 보구나?"

스티븐이 말했다.

"망할 자식, 이놈한테는 이제 더 말도 말아라. 정말 템플놈에게 말하느니 요강을 보고 말하는 게 낫겠다. 돌아가다오, 템플. 제발 돌아가다오."

크랜리가 큰소리를 질렀다.

"너 같은 인간은 아예 상대도 하지 않아, 크랜리."

템플은 번쩍 올린 막대기 밖으로 물러나며 스티븐 쪽을 가리키면서 대답했다.

"이 사나이는 내가 이 학원에서 만난 사람 중에 개성적인 정신을 가진 유일한 사나이다."

"학원! 개성!"

크랜리가 외쳤다.

"돌아가라니까, 이 녀석. 정말 넌 어쩔 수 없는 바보 멍청이야."

"난 감정적인 인간이야. 정말 멋들어진 표현인걸! 난 이걸 큰 자랑으로 삼고 있어."

템플이 말했다.

그는 능청맞은 미소를 띠면서 구기장에서 빠져나갔다. 크랜리는 허탈한 표정으로 그를 쏘아보며 말했다.

"저놈 좀 봐. 저런 겁쟁이 보았어?"

이 말에 응하기라도 하듯이 괴상한 웃음소리가 들렸다. 모자챙을 깊숙이 눌러쓰고 벽에 기대선 학생의 웃음소리였다. 단단한 육체에서 용솟음쳐 오르는 날카로운 소리는 마치 코끼리의 웃음소리 같았다. 온몸을 흔들며 솟구쳐 오르는 웃음을 억제하려고 가랑이 사이를 두 손으로 비벼대고 있었다.

"린치가 눈을 떴어."

크랜리가 말했다.

린치는 대답 대신 몸을 쭉 뻗고 가슴을 앞쪽으로 불쑥 내밀었다.

"린치가 앞가슴을 내밀도다."

스티븐이 말했다.

"인생을 비판하기 위해서 말이야."

린치는 호탕하게 가슴을 두드리며 말했다.

"내 가슴 둘레에 대해서 뭐라고 한 놈이 누구냐?"

크랜리가 이 말에 발끈하여 달려들어 두 사람이 맞붙었다. 서로 싸우느라고 얼굴이 시뻘개졌을 때 두 사람은 헐떡거리며 물러섰다.

스티븐은 경기에만 열중하여 다른 사람의 이야기에는 귀도 기울이지 않는 데이빈에게 몸을 구부렸다.

"우리 얌전한 집오리님은 잘 지내고 있는가? 집오리님도 서명을 했나?"

데이빈은 고개를 끄덕이며 말했다.

"넌 어떻게 했지, 스티븐?"

스티븐은 고개를 가로저었다.

"넌 무서운 놈이야, 스티븐. 언제나 혼자서 말이야."

짤막한 파이프를 입에서 떼면서 데이빈이 말했다.

"세계 평화를 위한 청원서에 서명을 한 이상……."

하고 스티븐이 말했다.

"네 방에서 본 자그마한 공책(아일랜드 독립 운동을 위해 지하 조직된 피니어 운동에 참가하는 자들을 훈련시키기 위한 일종의 훈련본)을 태워 버려도 될 것 같구나."

데이빈이 아무 대답도 하지 않자, 스티븐은 그 내용을 일일이 끄집어내기 시작했다.

"앞으로 갓, 파이아나! 반우향으로! 파이아나, 번호순으로 경례, 하나, 둘."

"그것과는 문제가 다르지."

데이빈이 말했다.

"난 무엇보다도 아일랜드의 민족주의자란 말이야. 하지만 넌 어디까지나 너답구나. 너야말로 천생의 익살꾼이다, 스티비."

"다음번 하키에서 네가 타봉으로 한번 휘젓게 될 때 아무래도 밀고자가 필요하거든 나한테 알려다오. 이 대학 안에서 두세 명은 물색해 줄 테니."

스티븐이 말했다.

"난 너를 이해할 수 없어."

데이빈이 말했다.

"한때 너는 영국 문학을 비방하더니, 지금은 아일랜드의 밀고자를 욕하고 있어. 네 이름하며, 네 사상하며……. 도대체 넌 아일랜드 사람이냐?"

"같이 호적계까지 따라와 주면 우리 족보를 보여 줄게."

스티븐이 말했다.

"그렇다면 우리 패에 들어오라구."

데이빈이 말했다.

"왜 아일랜드어는 익히지 않지? 협회에서 개최한 아일랜드어 강습은 처음 한 시간 나오더니 왜 집어치웠어?"

"그 이유 중의 하나는 알고 있지?"

스티븐이 대답하자 데이빈이 고개를 들고 웃었다.

"아아, 그렇지. 그 젊은 여성과 모란 신부 때문에? 하지만 그건 다너의 오해야, 스티비. 두 사람은 다만 이야기하며 웃고 있었을 뿐이었어."

스티븐은 어물어물하면서 애정어린 손을 그의 어깨 위에 얹으며 물었다.

"우리가 처음 알게 된 그때의 일 기억하고 있어?"

"처음 만난 그날 아침 넌 나에게 신입생 교실이 어디냐고 물었었지. 첫째 음절에 몹시 강한 악센트를 넣고서, 기억해? 그 무렵 넌 예수회 회원이면 누구나 신부님이라고 부르고 있었지. 난 그때 생각했어. 그 말투처럼 이 사나이는 순진할 것인가 하고."

"난 단순한 사람이야. 넌 그걸 알고 있을 거야. 네가 그날 밤 하코트 가에서 너의 사생활에 관한 이야기를 했을 때, 정말이지, 스티비, 난 음식이 목구멍으로 넘어가지 않았다구. 참 기분이 나빴어. 그리고 밤늦게까지 잠도 이루지 못했구. 왜 그런 이야기를 나한테 했지?"

데이빈이 물었다.

"고맙군. 넌 날 괴물쯤으로 생각하지?"

"아니."

"아무튼 그런 이야기는 털어놓지 않는 게 좋았을걸."

스티븐의 잔잔한 우정의 밑바닥에서 파도가 일기 시작했다.

"이 겨레, 이 나라, 그리고 이 생활이 날 만들어 놓았어. 난 있는 그대로의 날 표현하고 싶거든."

"우리하고 한패가 되려고 노력해 봐. 너도 본심은 아일랜드인이면서 너무 자존심이 강해."

데이빈이 되풀이했다.

"우리 조상들은 자기 나라 말을 버리고 다른 나라 말을 익혔어. 그들은 한줌밖에 안 되는 외국인들에게 호락호락 굴복하고 말았어. 나 혼자 힘으로 그들의 빚을 다 갚을 수 있겠니? 또 무엇 때문에 그렇게 하겠니?"

스티븐은 말했다.

"우리의 자유를 위해서지."

데이빈은 말했다.

"토운의 시대부터 파넬의 시대에 이르기까지, 생명과 젊음과 애정을 모조리 바쳐온, 인격이 고결하고 성실한 사람 중에서 너희들이 원수에게 팔거나 역경에 처해서는 헌신짝처럼 버리거나 마구 욕을 퍼붓거나 남에게 떠넘기거나 하지 않은 사람은 한 명도 없었어. 그러고서도 지금 또 날 끌어들이려 하고 있어. 나로서는 너희들이 저주받는 것부터 보고 싶다."

스티븐은 말했다.

"그런 분들은 이상을 위해 생명을 버린 사람이야, 스티비. 우리의 날은 지금부터 올 거야. 믿어 다오."

데이빈이 말했다.

스티븐은 자기 생각에 빠져 잠시 말이 없었다.

"영혼은 내가 너에게 말한 그런 순간에 태어나는 거야. 그것은 완만하고 어두운 탄생, 육체의 그것보다도 한결 신비적인 탄생이지. 인간의 영혼이 이 나라에 탄생할 때 그것이 날아가 버리지 않도록 꼭 잡아 두는 그물이 쳐 있어. 넌 나에게 국민성이니 국어니 학교 등에 관해 이야기를 했지만 난 그와 같은 그물에서 벗어나려고 해."

스티븐은 단호하게 말했다.

데이빈은 파이프를 재떨이에 두드려 재를 떨었다.

"너무 어려워서 나로선 무슨 말인지 모르겠군, 스티비. 그러나 인간에겐 나라가 우선이야. 시인이 되든, 신비주의자가 되든 그것은 그 뒤에도 할 수 있는 거야."

하고 그는 말했다.

"넌 아일랜드가 무언지 알기나 하니? 아일랜드는 자기가 낳은 새끼를 잡아먹는 늙은 암퇘지 같은 거야."

하고 스티븐은 냉랭하게, 그러면서도 격한 어조로 말했다.

데이빈은 자리에서 일어나 실망한 듯이 머리를 내저으며 운동하는 학생들 쪽으로 다가갔다. 그리고 곧 실망도 잊은 듯 그는 크랜리와 운동을 끝낸 두 선수들과 격렬한 토론을 벌였다. 4인조의 시합이 준비되었으나 크랜리는 자기 공을 쓸 것을 주장하며 말을 듣지 않았다.

그는 자기 공을 두세 번 손으로 쥐어박아 보더니, 구기장 벽에 대고 힘껏 내던져 다시 튀는 소리에 맞추어 고함을 질렀다.

"제기랄!"

스티븐은 득점이 오르기 시작할 때까지 린치와 함께 앉아 있다가 이내 그는 그곳을 빠져나가자고 린치의 소매를 잡아당겼다. 린치는 따라가면서 말했다.

"그러면 가 볼까. 크랜리식으로 말하자면."

스티븐은 이 익살에 히죽 웃어 보였다.

두 사람이 뜰을 거쳐 현관에 이르자 늙은 문지기가 비틀거리며 게시판에 공고문을 핀으로 누르고 있었다. 스티븐은 계단 입구에 서서 호주머니의 담배를 꺼내어 친구에게 내밀었다.

"네가 가난하다는 건 알고 있으니까."

"네 샛노란 교만 좀 집어치우라구."

린치는 받아넘겼다.

린치의 교양을 나타내는 이 두 번째 증거에 스티븐은 또 한 번 고소를 참을 수 없었다.

"유럽 문화의 위대한 날이군. 그대가 누런 욕설을 퍼부으니 말이야."

하고 그는 말했다.

두 사람이 담배를 피워 물고 오른쪽으로 접어들어 잠시 멈춰섰을 때 스티븐이 말했다.

"아리스토텔레스는 연민과 공포에 대해서는 정의를 내리지 않았지. 그러나 나는 했어. 말하자면……."

린치가 갑자기 걸음을 멈추더니 불쑥 말을 꺼냈다.

"집어치워, 듣기 싫으니까. 어젯밤 호란과 고긴즈와 어울려서 진탕 술을 마셨어."

그러나 스티븐은 계속해서 말했다.

"연민이라는 것은 인간의 괴로움 속에서 엄숙하고 불변한 것과 맞닥뜨렸을 때 마음을 정지시키고, 그것을 고민하는 인간과 연결지어 주는 감정을 말하는 거야."

"한번 더 말해 줘."

린치가 말했다.

스티븐은 그 정의를 천천히 되풀이했다.

"런던에서 있었던 일인데 한 소녀가 며칠 전에 마차에 올랐지. 몇 년 동안 보지 못한 어머니를 만나러 가는 길이었어. 그런데 길모퉁이에서 짐마차의 굴레에 부딪혀 소녀가 탄 마차의 유리창이 별모양처럼 깨져 버렸지. 그 뾰족하고 기다란 유리 파편에 심장을 찔린 소녀는 그 자리에서 즉사하고 말았지. 신문 기자는 비극적인 죽음이라고 보도했어. 그러나 그렇지가 않아. 내 정의를 기준으로 말하자면 공포와 연민은 거리가 멀어. 비극적인 감정이란 사실 두 가지 방향으로 보는 얼굴이야. 공포와 연민이란 두 가지가 바로 그 얼굴상이지. 내가 '사로잡는다'란 말을 쓴 것을 이해할 줄 아네만, 비극적인 감정은 정적(靜的)이란 뜻이야. 그것보다 극적인 감정이라고 하는 편이 나을지 모르겠지만. 좋지 못한 예술에서 촉발된 감정은 욕망이니 혐오니 하는 동적(動的)인 거야. 욕망은 우리에게 무언가를 소유하게 하거나 어떤 방향으로 몰아붙이려고 하고, 혐오는 우리들에게 무언가를 버리도록 하거나 무엇으로부터 떨어져 나가게 만들어. 이와 같은 욕망과 혐오를 촉구하는 예술은 외설적이건 교훈적이건 좋지 못한 예술이야. 심미적인 감정은(난 일반적 용어를 썼지만) 따라서 정적이야. 마음은 정지되어 승화된 후 욕망과 혐오를 초월하지."

"너의 말에 따르면 예술은 욕망을 부추겨서는 안 된다는 거로군."

하고 린치가 말했다.

"언젠가 미술관의 프락시텔레스 비너스상 엉덩이에 연필로 이름을 써넣었다는 이야기를 한 적이 있지? 그건 욕망이 아닌가?"

"내가 말하는 건 정상적인 인간을 두고 하는 말이야. 너 또한 카르멜 수도회에 다니던 한 소년이었을 때 마른 쇠똥을 먹었노라고 말했잖아."

스티븐이 말했다.

린치는 다시 말 우는 소리를 내며 바지 주머니 속에 손을 꽂은 채 두 손으로 사타구니 사이를 쓱쓱 문질렀다.

"아, 그런 일이 있었지, 그런 일이 있었어."

그는 크게 외쳤다.

스티븐은 돌아서서 잠시 그의 눈을 들여다보았다. 린치는 그때서야 웃음을 그치고 비굴한 눈매로 그를 마주 보았다. 기다랗고 뾰족한 모자 아래, 역시 길고 납작한 두개골이 스티븐에게는 고깔을 쓴 파충류의 모습처럼 보였다. 반짝이는 눈매하며 물끄러미 쏘아보는 모습이 틀림없는 파충류였다. 그런데 그 순간, 비굴하고 경계하는 듯한 빛을 띤 그 눈에도 한 가닥 인간적인 빛이 어른거렸다. 매섭고도 자학적인 빛이었다. 매섭고도 자학적인, 시들어 죽은 영혼의 창문처럼 보였다.

"그 점에 있어서는, 우리들은 누구나 동물이야. 나 자신도 그렇고."

스티븐은 괄호 속에 넣어 설명이라도 하듯이 상냥하게 말했다.

"너는 동물이지."

린치가 말했다.

"하지만 우리들은 지금 정신의 세계를 논하고 있는 거야. 옳지 못한 심미적 수단에 의해 야기되는 욕망이니 혐오니 하는 것이 진정한 심미적 감정이라 할 수 없는 것은 그 성질이 동적이기 때문일 뿐만 아니라, 육체적인 것에 지나지 않는 탓이야. 우리들의 육체가 싫어하는 것에서는 물러서고 바람직한 자극에는 따라가는 것이 모두 신경 조직의 순수한 반사 작용에 의한 것이지. 파리가 눈 속으로 날아들기 전에 눈꺼풀은 감기기 마련이지."

"늘 그렇다고만 할 수는 없어."

린치는 비판적으로 뇌까렸다.

"마찬가지로, 너의 육체는 나체상의 자극에 반응을 보였어. 하지만 그것은 신경의 반사작용에 지나지 않겠지. 예술가에 의해 표현된 미는 우리들에게 동적인 감정이나 순수한 육체적 감정을 불러일으킬 수 없는 거야. 미는 일종의 심미적 정신 상태, 일종의 이상적 연민, 또는 이상적 공포, 소위 내가 말하는 미의 음률에 의해 환기되고 지속되며, 그리하여 마침내는 해소되는 정지 상태를 일깨우거나 또는 일깨워야 하고, 또는 유발케 하고 유발시켜야만 하는 거야."

"정확하게 말해서 도대체 그것은 뭔가?"

린치가 물었다.

"리듬이란 어떤 심리적인 전체가 있을 경우, 그 안에 있는 부분과 부분의 형식적 심미적 관계의 가장 중요한 것이며, 한편 심미적 전체와 그 일부 내지 몇몇 부분과의 형식적 심미적 관계, 또는 어떤 심미적인 전체의 일부와 그 전체와의 형식적 심미적인 관계의 가장 중요한 것이지."

"만일 그것이 리듬이라면 네가 말하는 미에 대해 설명을 좀 듣고 싶군. 그리고 기억해 둘 것은, 비록 내가 쇠똥을 먹기는 했으나 내가 찬미하는 것은 오직 미뿐이라는 걸세."

린치가 말했다.

스티븐은 인사를 하듯이 모자를 들어 올렸다. 그리고 약간 얼굴을 붉히고 린치의 두툼한 트위드 소매에 손을 걸쳤다.

"우리가 옳아. 그리고 다른 사람들이 틀렸어. 모름지기 이런 것에 대해 이야기를 나누고 그 본질을 이해하려 애쓰며, 그것을 이해한 뒤에는 거친 대지라든가 그 대지가 생산하는 것, 또는 우리 영혼의 감옥인 음·형태·색으로부터 우리가 이해하게 된 미의 영상을 서서히 경건하고 끊임없이 표현하고 남김없이 표현해 버리는 것, 그것이 예술이야."

하고 그는 말을 꺼냈다.

운하 다리까지 온 그들은 한길을 벗어나 가로수를 따라 계속 걸어갔다. 쓸쓸한 회색 광선이 물 위에 비치고 머리 위에서 나뭇가지의 축축한 냄새가 떠돌고 있어 스티븐의 사색의 진로를 거스르는 것 같았다.

"예술이란 무엇인가? 예술이 표현하는 미란 무엇인가?"

린치가 물었다.

"그건 내가 제일 먼저 설명한 정의야. 이 멍청이 같은 친구야."

계속해서 스티븐이 말했다.

"바로 내가 혼자서 이 문제를 생각해 보려던 때의 일이지. 그날 저녁 일을 기억하고 있나? 크랜리가 화를 내고 위클로우 베이컨에 관해 이야기를 꺼냈지."

"기억하고말고. 거창하게 살찐 돼지 이야기를 했지."

린치가 말했다.

"예술은 감각적 내지는 지적인 사항을 심미적 목적을 위해 처리하는 일이야. 넌 돼지에 관해서는 기억하고 있으면서 그 정의는 잊고 있구나. 너와 크랜리는 정말 한심스런 단짝이야."

스티븐이 말했다.

린치는 싸늘한 잿빛 허공을 향해 얼굴을 찌푸리며 이렇게 말했다.

"너의 미학론을 꼭 강의해야 한다면 담배나 한 대 더 내라. 나는 그따위 것에는 아무 관심도 없으니까. 여자에 대해서도 관심 없어. 너도 다 집어치라구. 내게는 연 5백 파운드의 일자리밖에는 필요가 없어. 넌 나에게 그런 걸 줄 수 없지."

스티븐은 담뱃갑을 건네 주었다. 린치는 남은 담배 한 개비를 집으

며 말했다.

"계속해 보라구."

"아퀴나스는 인식한 후 쾌감을 주는 것이 미라고 했어."

스티븐이 말했다.

린치는 고개를 끄덕이며 말했다.

"기억하고 있어. 시각에 쾌감을 주는 것을 미라고 했지."

"그는 '시각'이란 말을 쓰고 있으나 시각을 통해서든 다른 인식의 통로를 통해서든 모든 인식을 포함하고 있는 거야. 이 말은 애매하지만 욕망과 혐오를 촉발하는 선과 악을 명석하게 배제하고 있어. 이것은 확실히 정지 상태이지, 동적 상태는 아니야. 진리에 대해서는 어떤가? 이것 역시 정신의 정지 상태를 만들어 내지. 너라도 직각삼각형의 사변(斜邊)에 연필로 이름 따위를 써 넣지는 않을 거야."

스티븐이 말했다.

"그야 그렇지. 프락시텔레스 비너스상의 사변 같으면 몰라도."

린치는 말했다.

"그러니까 정적인 거야."

스티븐은 계속해서 말했다.

"플라톤이 미를 진리의 빛이라고 말한 걸로 기억하네만, 그 뜻은 진리와 미는 밀접한 관계가 있다는 걸 말해 주는 거야. 진리는 이지(理智)로써 파악되는 것, 가장 만족을 주는 관계에 의해 완화된 상상력을 통하여 바라볼 수 있는 거야. 진리를 향한 첫째 단계는 지성 자체의 구조와 범위를 이해하는 것, 즉 사유 작용 그 자체를 파악하는 일이지. 아리스토텔레스 철학의 전 체계는 그의 심리학 책에 의존하고 있는 것으로, 내 생각으로는 동일한 속성은 동시에 동일한 관계로서, 같은 실체에 속하면서 속하지 않는다고는 할 수 없다는 그의 이론에 기반을 두고 있네. 미를 향한 첫째 단계는 상상력의 구조와 범위를 이해하고 심미적 인식 작용 그 자체를 파악하는 것이야. 이만하면 이해하겠지?"

"하지만 미란 뭐지? 다시 한 번만 정의를 내려 봐. 우리가 볼 수 있는 근사한 걸 말이야. 아퀴나스와 너는 그 정도밖에 할 수 없어?"

린치는 조급한 듯이 물었다.

"여자를 예로 들어 말해 볼까?"

스티븐이 말했다.

"응, 그 예가 좋겠군."

린치가 열띤 소리로 말했다.

"그리스인, 터키인, 중국인, 코프트인(고대 이집트 인의 자손), 호텐토트인(남아프리카의 원주민), 이들은 제각기 독특한 여성미를 찬미하고 있어. 이것은 우리들이 빠져나갈 수 없는 미로와 마찬가지지. 그러나 빠져나갈 길이 두 군데 있지. 하나는 이와 같은 가설이야. 즉 남자가 찬미하는 여자의 육체적 특색은 종족 번영을 위한 여성의 여러 가지 기능과 직접적 관계를 갖고 있다는 가설이야. 아마 그럴지도 모르지. 그러고 보니 세상은 네가 상상하는 것보다는 우울한 것 같군, 린치. 그러나 나로서는 이 출구는 탐탁지 않아. 이 통로의 종말은 미학이 아니라 우생학인 거야. 이 미로를 빠져나갈 수 있을지 모르나 이르는 곳은 어떤 새롭고 현란한 강의실일 거야. 맥칸이 한 손을《종의 기원》위에 얹고 다른 한 손을《신약성서》위에 걸치고 강의를 하겠지. 네가 비너스의 풍요한 허리를 찬미한 것은 그녀가 너를 위해 씩씩한 자손을 낳아 주기 때문이고, 풍요한 유방을 찬미한 것은 그녀가 너의 아이들에게 흠뻑 젖을 먹여 주기 때문이다, 라고 말야."

"그러면 맥칸은 유황처럼 빨간 거짓말쟁이군."

린치는 힘차게 말했다.

"또 하나 돌파구가 남아 있지."

스티븐은 웃으면서 말했다.

"말하자면?"

린치가 말했다.

그때 고철을 실은 기다란 짐마차가 성 패트릭단 병원의 모퉁이를 돌아 나타나며 귀를 쩡쩡 울리는 금속의 요란한 소리를 내어 스티븐의 마지막 말을 삼켜 버렸다. 린치는 귀를 가리고 짐마차가 지나가버릴 때까지 욕지거리를 퍼부었다. 그러고는 홱 돌아섰다. 스티븐도 따라 돌아서서 상대방의 울분이 풀릴 때까지 잠시 기다렸다.

"또 하나의 출구는 이런 가설이지."

스티븐은 다시 말했다.

"말하자면 같은 물체라도 모든 사람에게 한결같이 아름답게 보이지는 않겠지만, 아름다운 물체를 찬미하는 사람들은 모두 그 속에서 온갖 심미적인 인식의 여러 단계를 만족시키고 동시에 합치하는 모종의 관계를 발견하는 거야. 너에게 비친 모양과 나에게 비친 모양이

다르지. 그러나 감각되는 물체의 이와 같은 관계에 따라서 미에는 필요한 특성임에 틀림없어. 조금 지혜를 빌기 위해 우리의 옛 친구 토마스 아퀴나스를 인용하기로 하자."

린치는 웃었다.

"네가 유쾌한 광대 모양으로 되풀이해서 토마스 아퀴나스를 인용하는 걸 듣고 있자니 정말 우습다. 너도 뒷구멍에서는 남몰래 웃고 있지?"

스티븐은 대답했다.

"맥앨리스터 같으면 나의 심미론을 응용 아퀴나스학이라고 말하겠지. 심미 철학의 이 방면에 관해 말하자면 아퀴나스는 나의 이론을 잘 전달해 준 셈이지. 우리들이 예술적 잉태니, 예술적 회태니, 예술적 생식이니 하는 현상을 논하게 되면 새로운 용어와 새로운 개인적 체험이 필요하게 되지만 말이야."

"물론이지."

린치가 말했다.

"결국 아퀴나스는 지성은 있었지만 살찐 수도사였어. 하지만 새로운 개인적 체험과 새로운 용어에 관한 이야기는 후일로 미루고, 아무튼 서둘러 서론을 끝내 다오."

"누가 알아?"

스티븐은 미소를 지으면서 말했다.

"아퀴나스가 나를 너보다 더 잘 이해할 텐데. 그도 한 사람의 시인이었으니까. 그는 세족(洗足) 목요일의 찬미가를 지었어. 그 노래는

'말로써 찬송하리'로 시작되지. 찬미가 중에서도 가장 영광된 것이며 복잡하면서도 마음에 위안을 주는 찬미가야. 나도 그 찬송을 좋아해. 그러나 베난티우스 포르투나투스의 '왕의 깃발'에 비길 만한 찬미가는 없을 거야."

린치는 나직한 베이스로 부드럽고 장중한 노래를 부르기 시작했다.

다윗이 성심껏 노래한 사적은
다 이루어졌도다
만백성에게 고한 노랫소리는
권력으로 다스리는 하느님의 말

"훌륭하다!"

스티븐은 크게 반기면서 말했다.

"훌륭한 음악이야!"

그들은 로우어 마운트 가 쪽으로 접어들었다. 길모퉁이에서 몇 걸음 걸어가자 명주 목도리를 두른 뚱뚱한 젊은이가 그들에게 인사를 하며 멈춰 섰다.

"시험 결과에 대해 들었니?"

그는 물었다.

"그리핀은 낙제, 홀핀과 오플린은 행정관 시험에 통과, 무난은 인도 근무 행정관 시험에 5등으로, 오쇼네시는 14등으로 합격했어. 클라크에 드나들던 아일랜드 출신들이 그들에게 어제 저녁을 한턱 냈어. 모두들 카레라이스를 먹었지."

퉁퉁 부어오른 그의 파리한 얼굴에는 너그러우면서도 한편으로 적의의 빛이 역력했다. 이 낭보를 전하고 나자 지방질로 둘러싸인 그 작은 눈은 보이지 않게 되고 씨근거리던 약한 말소리도 들리지 않았다.

스티븐의 질문에 대답하느라고 그의 눈과 목소리가 그 숨어 있던 곳으로부터 다시 나타났다.

"맥컬라와 나 말이야?"

그는 말했다.

"그는 순수 수학을, 난 헌법사를 택할 예정이야. 모두 스무 과목이나 되는걸. 식물학도 택하려고 해. 알다시피 나는 야외 연구 클럽의 회원이거든."

그는 의젓한 태도로 두 사람으로부터 물러서며 털장갑을 낀 통통한 한쪽 손을 가슴에 대고는 이내 속삭이듯 웃는 소리를 냈다.

"다음번 야외에 나가면 무와 양파를 갖다 줘. 스튜를 만들게."

스티븐이 멋쩍게 말했다.

뚱뚱한 학생은 아랑곳없이 소리내어 웃으며 말했다.

"야외 연구 클럽 회원들은 다들 얌전한 사람들이야. 지난 토요일은 일곱 사람이 글렌말류로 갔었어."

"여자들도 데리고, 도노반?"

린치가 물었다.

"우리의 목적은 지식을 얻기 위해서야."

도노반은 곧 덧붙였다.

"미학에 관한 논문을 쓴다지?"

스티븐은 어름어름 부정적인 몸짓을 해 보였다.

"괴테와 레싱은 고전파니 낭만파니 뭐니 하며 미학 문제를 다루는 글을 많이 썼어. 《라오콘》을 읽어 보았더니 무척 재미나더군. 하기야 관념적이고 독일적이며 몹시 심각하기는 했지만."

도노반은 말했다.

두 사람은 다 말이 없었다. 도노반은 깍듯이 그들과 인사를 했다.

"이제 가 봐야겠군."

그는 상냥하게 말했다.

"오늘은 누이동생이 도노반 가의 만찬을 위해 케이크를 만들어 줄 것 같아. 확신을 가지고 말해도 좋을 것 같아."

"안녕."

스티븐이 뒤에다 대고 말했다.

"나와 친구들에게 무 좀 갖다 주는 것 잊지 말고."

린치는 그의 뒷모습을 쏘아보았다. 그의 입술이 서서히 경멸의 빛을 띠며 일그러지더니 얼굴이 악마의 가면처럼 변했다.

"저 더러운 팬케이크나 처먹던 자식이 좋은 일자리를 얻고, 나는 값싼 담밸 빨아야 할 신세가 되다니!"

그들은 메리언 광장 쪽을 향해 잠시 말없이 걸어갔다.

스티븐이 말했다.

"미에 관해 내 이야기를 마무리해 본다면, 감지할 수 있는 것의 가장 만족할 만한 관계는 예술적 인식의 필요한 단계와 상통해야만 해. 이들을 발견하기만 하면 보편적인 미의 특질을 발견하게 될 거야. 아퀴나스는 'ad pulcritudinem tria requiruntur integritas, consonantia, claritas.' 즉, '미에는 세 가지 필수 조건이 있다. 전체성, 조화 그리고 광휘.' 이렇게 말했어. 이것들은 인식의 여러 단계와 상통할까? 내 말 알겠어?"

"물론 알지."

린치는 말했다.

"내 머리가 돌대가리처럼 생각되거든 도노반을 따라가 이야기를 들어달라고 부탁해."

스티븐은 정육점 점원이 바구니를 머리에 뒤집어쓰고 가는 것을 가리키며 말했다.

"저 바구니 좀 봐."

"응, 보고 있어."

린치가 대답했다.

"저 바구니를 보기 위해선 우선 너의 마음이 볼 수 있는 우주 속에서 바구니가 아닌 다른 부분에서 저 바구니를 떼어내야 해. 인식의 첫째 상(相)은 인식되는 대상 주위에 긋는 경계선이야. 심미적 영상은 공간 또는 시간에 있어서 우리에게 제시되지. 청각으로 포착되는 것은 시간에 있어서, 시각으로 포착되는 것은 공간에서 제시되는 거야. 그런데 시간적이건 공간적이건 심미적 영상은 첫째 그것과는 다른 시간 내지 공간의 방대한 배경과 대립하는 독자적 경계선과 독자적 내용을 가지는 것으로서 선명하게 제시되는 거야. 너는 그것을 '하나의' 것으로 인식했지. 그리고 이번에는 그걸 하나의 전체로서 보는 거야. 말하자면 그 전체성을 인식하고 있는 거지. 이것이 바로 전체성이야."

하고 스티븐은 말했다.

"맞았어!"

린치는 웃으면서 말했다.

"계속해 줘."

스티븐은 계속해서 말했다.

"그리고 너는 그 형태의 선을 따라 점에서 점으로 시선을 옮겨 가는 거야. 너는 그 한계 내에서 균형이 잡힌 부분으로서 인식하는 거야. 그 구조의 리듬을 포착하는 거지. 이를테면 직감의 종합 뒤에 인식의 분석이 뒤따르고 있는 거지. 첫째 '하나의' 사물이란 걸 느낀 연후에 이번에는 그것이 '사물'임을 포착하는 거야. 즉 복잡하고 다양하고 분리할 수 있고 잘라낼 수 있는, 몇 개의 부분으로 이루어져 있음을 인식하는 거지. 그 몇 개 부분의 결과와 총체를 조화적이라고 인식하게 되는데, 이것이 바로 조화야."

"다시 적중!"

린치는 재치 있게 말했다.

"이번에는 광휘가 뭔지 설명해 주면 궐련 한 개비를 줄게."

"이 말이 내포하고 있는 내용은 다소 애매해."

하고 스티븐은 말했다.

"아퀴나스의 용어는 정확하지 못해. 그래서 나는 오랫동안 헤매었지. 그는 아마 상징주의와 이상주의를 염두에 두고 있었던 걸로 믿어지거든. 미의 최고 특색은 어딘가 다른 세계에서 오는 빛, 이를테면 관념이니 실체니 물질은 관념의 그림자에 지나지 않고, 실체의 상징에 불과한 것이라고 생각하고 싶어. '클라리타스'란 어떤 사물에 있어서의 하느님의 목적을 예술적으로 발견 및 재현한 것, 즉 심미적 이미지를 보편적인 것으로 마련하여 그걸 본래 상태 이상으로 빛나게 하는 보편화의 힘을 뜻하는 것이 아닌가 생각해. 그런데 이건 문학적 표현이야. 난 그렇게 이해하고 있지. 저 바구니를 하나의 것으로 인식하고, 이윽고 그 형태에 따라 분석하고 그것을 사물로서 인식할 때, 넌 논리적으로나 심미적으로나 허용할 수 있는 오직 하나의 종합을 이룬 셈이야. 너는 그 바구니가 바로 그 자체이고 다른 아무것도 아님을 안 셈이야. 그가 스콜라 학파의 '퀴디타스', 즉 '그 자체인 것'이라는 표현을 원용하고 있는 것이 바로 광휘야. 이 가장 높은 덕성은 심미적 영상이 예술가의 창조력에 떠오른 찰나 예술가들이 느끼는 바로 그것이야. 이 심미적 순간의 심리를 셸리는 '사그라져 가는'이란 아름다운 비유로써 설명해 주고 있지. 미의 전체성에 의해 포착되고, 미의 조화에 의해 매혹되어 있던 마음이 이와 같은 미의 그지없는 덕성, 심미적 영상의 밝은 광휘를 찬란하게 인식하는 순간이야말로 심미적 쾌락의 황홀한 정적 상태인 거야. 이건 이탈리아의 생리학자 루이지 갈바이니가 셸리 못지않은 아름다운 말로써 '마음의 매혹'이라 일컬은 심장의 상태와 유사한 영적 상태이긴 하지만……."

스티븐은 여기서 말을 멈췄다. 상대방은 아무 말이 없었지만 그는 자기가 한 말이 두 사람 주위의 사색에 의한 매혹된 정적을 불러일으켰다는 것을 직감했다.

"지금 내가 말한 것은……."

스티븐은 다시 시작했다.

"언어의 넓은 의미에 있어서의 미를 가리키는 거야. 이를테면 이 말이 문학적 전통 속에 가지고 있는 뜻은 말야, 세간에서는 다른 뜻도 있지만. 미라는 말을 제2의 의미로 쓸 때 우리의 판단은 첫째, 예술 그 자체에 의해, 그리고 예술의 형식에 의해 영향을 받는 거야. 이미지는 예술가 자신의 마음 또는 감각과, 남의 마음 또는 감각 사이에 위치해야만 해. 이것은 분명한 이야기야. 이것을 염두에 둔다면 예술은 필연적으로 차례차례로 나아가는 세 가지 형식으로 나누어진다는 걸 알게 될 거야. 그 세 가지 형식이라는 것은 다음과 같지. 서정적 형식, 즉 예술가가 자기 이미지를 자기와의 직접적인 관계에서 제시하는 형식이야. 서사적 형식은 예술가가 자기 이미지를 자기 및 남에 대한 간접적 관계에서 제시하는 형식이고, 극적 형식은 예술가가 자기 이미지를 타인에 대한 직접적 관계에서 제시하는 형식이야."

"그건 며칠 전에 네가 나에게 말해 주었었지."

린치가 말했다.

"그래서 우리는 지독한 토론을 시작했잖아."

"집에 가면 노트가 있지만……."

하고 스티븐이 말했다.

"그 속에는 네가 말한 문제보다도 더 재미있는 게 기록되어 있지. 그 문제의 해답을 찾아내려다가 미학 이론을 생각해 낸 거야. 그걸 지금 설명하는 중이지만. 내가 나 자신에게 제시한 문제는 이런 거야. 곱게 만들어진 의자는 비극적이냐, 희극적이냐. 내가 보고 싶어 할 때 모나리자의 초상은 훌륭한 것인가? 필립 클램프튼(19세기 더블린의 유명한 의사) 경의 흉상은 서정적이냐, 서사시적이냐, 극적이냐? 만일 그렇지 않다면 그 이유는?"

"정말 왜 그렇지 않을까?"

린치가 웃으며 말했다.

"만일 누군가가 골이 나서 나무 둥치를 함부로 찍어서 소의 형상을 만들어 놓았다면 그 상은 예술품이 될 수 있을까? 만일 될 수 없다고 하면 그것은 왜인가?"

하고 스티븐은 말했다.

"이건 재미나는 이야기인데."

린치가 웃으면서 말했다.

"진짜 스콜라 학파의 냄새가 풍기는군."

"레싱은 여러 상(像)을 예로 들어 글을 쓰지 말았어야 했어."

하고 스티븐은 말했다.

"조각은 수준이 낮은 예술이기 때문에 내가 말한 형식을 하나하나 구별하여 제시해 주지는 못하거든. 가장 수준이 높고 가장 정신적인 예술인 문학도 그 형식은 늘 혼돈되고 있어. 서정적 형식이라는 것은 사실 한 찰나의 정서에 갖다 입힌 가장 단순한 말이라는 의복에 지나지 않아. 먼 옛날, 배를 젓거나 비탈길에 돌을 굴려 올리는 사람들을 격려한 규칙적인 고함이 바로 그것이지. 그것을 외치는 사람은 정서를 느끼고 있는 자신보다도 그 찰나의 정서를 한결 더 강하게 의식하는 거야. 가장 단순한 서사 형식은, 예술가가 서사적 사건의 중심으로서의 자신을 연장시키고, 또 자신에 관해 고찰할 때 서정 문학에서 나타나는 것이 바로 그것이지. 그리고 이 형식은 진전하여, 급기야는 정서의 중력 중심이 예술가 자신과 타인으로부터 같은 거리에 위치하게 되지. 서술이라는 것은 벌써 순수하게 개인적인 것은 아니야. 예술가의 개성은 서술 그 자체 속으로 빠져들고 마치 생동하는 바다처럼 인물과 행동 주변을 돌고 돌아 흐르는 거야. 이와 같은 발전 방법은 영국의 옛 민요《영웅 터핀》에서 쉽게 포착할 수 있지. 이 시는 1인칭에서 시작하여 3인칭으로 끝나고 있어. 극적 형식에 도달하는 것은, 각기 인물을 둘러싸고 소용돌이치던 생명력이 뭇 인물에게 활기를 띠게 하고, 그 결과 그와 그녀가 고유의, 만지기 어려운 심미적 생명을 체득하게 될 때를 말하지. 예술가의 개성이란 처음에는 고함이니 선율이니 또는 기분 같은 것이나, 그것이 이내 상냥하고 빛나는 유동적 서술로 화하고 급기야는 세련의 극에 이르러 존재하지 않는, 말하자면 몰개성적으로 되는 거야. 극적 형식에서의 심미적 영상이란 인간의 상상력 속에서 세련되고, 인간의 상상력으로부터 다시 투영된 생명인 거지. 미의 신비라는 것은 우주 창조처럼 이루어지는 거야. 예술가는 우주 창조의 신과 같이 자기 창작물의 속이나 뒤나 그 너머에, 아니면 그 위에 떨어져 있어서 모습은 보이지 않고,

세련된 나머지 존재하지 않게 되고 무관심하게 되어, 말하자면 손톱이라도 깎고 있는 거지."

"손톱 역시 세련되게 다듬어 그 존재를 없어지게 하려는 게로군."

린치가 말했다.

베일을 씌운 듯한 하늘에서 가느다란 빗줄기가 내리기 시작했다. 그들은 소낙비가 되기 전에 국립도서관에 도착하려고 듀크스 론 쪽으로 접어들었다.

"어쩔 셈인가?"

린치는 무뚝뚝한 말투로 물었다.

"하느님이 저버린 이 처참하고 알량한 섬에서 아름다움이니 상상력이니 하고 지껄인들 무슨 소용이 있겠나? 예술가가 이 나라를 망친 연후에 자신의 작품 속에 또는 뒤에 숨어 버려도 이상할 것은 없지."

비가 점차 세차게 뿌렸다. 킬데어 하우스 옆길을 지나치자 도서관 아케이드 아래서 많은 학생들이 비를 피하고 있는 것이 보였다. 크랜리가 기둥에 기대서서 성냥개비로 이를 후비면서 친구들의 이야기를 듣고 있었다. 입구 가까이에는 여학생이 몇 명 서 있었다. 린치가 스티븐에게 속삭였다.

"네 애인이 와 있군."

스티븐은 점점 세차게 내리는 비도 아랑곳하지 않고 학생들이 모여 있는 돌계단 아래 말없이 서서 이따금 그녀 쪽에 시선을 보내곤 했다. 그녀도 친구들 사이에 말없이 서 있었다. '오늘은 말을 걸어오는 사람도 없는 게로군' 하고 그는 며칠 전 그녀를 보았을 때의 일을 회

상하고는 짐짓 얄미운 생각을 했다. 린치가 말한 그대로다. 나의 마음은 이론도 용기도 다 잃고 맥 풀린 평온 상태로 빠져들어 갔다.

학생들의 이야기 소리가 귓전에 들려왔다. 그들은 의과의 최종 시험에 합격한 두 학생 이야기를 하고 있었다. 원양 정기선에 취직자리가 있다는 이야기, 개업의가 수입이 좋다느니 나쁘다느니 하는 이야기 등등.

"그건 정말 이상한데. 아일랜드 시골에서 개업하는 것이 더 좋을걸."

"헤인즈도 리버풀에 2년이나 있었는데도 같은 소리를 하더군. 아무튼 대단한 곳이래. 산파일밖에는 생기지 않더래."

"그럼, 그런 대도시보다 아일랜드의 시골이 더 벌이가 좋다는 건가? 내가 아는 녀석은……."

"헤인즈는 정말 바보 같은 놈이니까. 공부벌레로만 통하거든."

"그런 작자의 말은 듣지도 말라구. 큰 상업 도시 같으면 돈벌이는 정해 놓은 거야."

"개업을 어떻게 하느냐에 달렸지."

"내가 듣기로는 리버풀의 가난한 사람들의 생활은 정말 지독해. 끔찍스러운 일이야."

그들의 말소리는 마치 먼 곳에서 들려오는 듯이 띄엄띄엄 그의 귓전을 때렸다. 그녀는 친구들과 함께 떠나려 하고 있었다.

가벼운 소낙비가 멎자 안뜰의 나뭇잎에는 물방울이 다이아몬드처럼 맺혔다. 기둥 아래 돌계단에서 소녀들은 나직한 소리로 재잘거리며 구름을 쳐다보고 마지막 빗방울을 막기 위해 재치 있게 우산을 펴

들었다가 접기도 하고, 새침하게 스커트를 걷어 올리곤 산뜻한 구두 소리를 내기도 했다.

그런데 그녀에 대한 나의 판단이 너무 엄했던 게 아닌가? 그녀의 생활은 단순한 성무일과의 염주알 같은 것으로, 참새 생활처럼 단순하고 이상하여, 아침에는 명랑한가 하면 하루 종일 안절부절못하고, 저녁이면 녹초가 되게 마련이 아닐까?

새벽녘이 되어 그는 눈을 떴다. 아아, 이 얼마나 감미로운 음악이냐! 그의 영혼은 이슬에 흠뻑 젖어 있었다. 잠에 취해 있던 그의 사지 위를 푸르스름한 차가운 빛의 물결이 지나갔다.

그는 감미롭고 아련한 음악을 의식하면서 마치 자기의 영혼이 차가운 물 속에 잠겨 있는 듯이 꼼짝하지 않고 누워 있었다. 그의 마음은 서서히 전율하는 아침의 인식, 아침의 영감에 눈을 떴다. 이를 데 없는 깨끗한 물처럼 순수하고, 이슬처럼 감미롭고 음악처럼 감동적인 정신이 그를 감싸 안았다. 그것은 마치 치품천사(熾品天使)가 그에게 입김을 불어넣듯이 아련하게 흡수되었다. 그의 영혼은 서서히 깨어나면서도 오롯이 깨어날 것을 두려워했다. 광기가 눈뜨고 이국의 식물이 빛을 향해 꽃을 피우며 나방이 소리 없이 날아오는, 바람 없는 새벽녘이었다.

마음의 매혹! 그것은 매혹의 하룻밤이었다. 꿈속에서 또는 환상 속에서 그는 치품천사 생활의 황홀함을 알았다. 그때의 도취는 고작 한 순간의 것이었던가, 아니면 오랜 시작, 오랜 세월, 오랜 시대에 걸친 장구한 것이었던가?

영감에 찬 한순간은 이제 온갖 방향에서 일시에 일어났고, 또 일어났을지도 모르는 수많은 외적 조건에서 반사해 오는 것같이 생각되었다. 이 찰나는 한 점의 빛처럼 반짝이며, 그리고 지금 층층으로 쌓인 구름처럼 망막한 환경으로부터 혼돈한 형태가 그 잔광을 부드럽게 휘덮고 있었다. 아아! 상상의 처녀인 태 속에서 언어는 육체로 변했다. 치품천사 가브리엘이 처녀의 침실로 찾아왔었다. 잔광은 그의 영 속에서 짙어지고 흰 불꽃은 사라져 장밋빛을 띤 치열한 빛으로 변했다. 장밋빛 열렬한 빛은 그녀의 이상스럽고 변덕스러운 심장이었다. 그것은 너무도 이상하여 그 어느 사나이도 모르고 있었고, 또 알려고도 하지 않았다. 그것은 이 세상이 시작하기 전부터 변덕스러웠던 그녀의 마음이었다. 그리하여 열렬한 장밋빛 광휘에 매혹되어 치품천사의 합창단이 천국으로부터 내려오고 있었다.

천사를 추락시킨 아름다운 그대여
지치지도 않는가, 정열의 몸짓에
더는 말하지 마라, 황홀한 그날을.

이 시구(詩句)가 그의 마음에서 입술로 피어올라 거듭 외우게 되면서 그는 빌라넬(프랑스의 시형으로 19행 2운시)의 풍부한 리듬을 띤 음악이 그 구절을 스쳐 지나치는 것을 느꼈다. 장밋빛 광채는 압운(押韻)의 빛을 발했다. 방식(ways), 나날(days), 불길(blaze), 찬미(praise), 일어나다(raise). 그 빛은 온 세계를 불태우고 사람들과 천사의 마음을 불태워 버렸다. 그녀의 의지로 가득한 심장이었던 그 장미로부터 발산되는 빛이었다.

당신의 눈은 그의 심장에 불을 질러
뜻대로 그를 사로잡았으니
불타는 몸짓에 지치지도 않았느냐?

그리고 다음은? 리듬은 죽어서 그치고, 다시 살아나서 약동하기 시작했다. 그리고 다음은? 연기, 이 세상의 제단에서 피어오르는 향의 연기.

그 불길 위로 찬미의 연기가 솟는다
대양의 한쪽 끝에서 다른 쪽 끝까지
더는 말하지 마라, 황홀한 그날을

지상의 모든 것으로부터, 수증기 피어오르는 바다로부터 연기는 그녀를 갈망하는 향연처럼 피어오른다. 지구는 흔들리며 동요하는 연기의 향로, 향기로운 공, 타원체의 구(球). 갑자기 리듬이 그쳤다. 그의 마음의 절규는 멎었다. 그의 입술은 최초의 시구를 몇 번이나 중얼거리기 시작하더니 이윽고 입속말로 속삭이다가 반쯤 나아가자 어물어물 그쳐 버렸다. 마음의 절규가 멎은 것이다.

바람 없는 시각은 지나고 커튼이 쳐져 있지 않은 창유리 저쪽에 아침 햇살이 모여들었다. 멀리에서 은은한 종소리가 들려오고, 참새 한 마리가 지저귀고 있다. 두 마리, 세 마리. 종소리와 참새 지저귀는 소리가 그쳤다. 희뿌연 빛이 동서로 퍼져 온 세상을 휩싸고 마음속의 장밋빛을 휘덮었다.

잊어버릴세라 그는 한쪽 팔꿈치를 짚고 일어나 종이와 연필을 찾았다. 식탁 위에는 아무것도 보이지 않는다. 저녁 식사 때 라이스가 들어 있던 수프 접시와 덩굴손 같은 촛대와 마지막 불꽃에 그을린 종이 소켓뿐이었다. 그는 침대 발치로 나른한 팔을 뻗어 거기 걸려 있는 상의 주머니를 뒤졌다. 손끝에 연필이 만져지더니 이윽고 담뱃갑이 잡혔다. 그는 천장을 바라보고 누워 담뱃갑을 찢고는 마지막 담배 한 개비를 창턱에 내놓은 다음, 깔깔한 마분지 위에 고운 글씨로 빌러넬의 시련(詩聯)을 써 내려 가기 시작했다.

글쓰기가 끝나자 그는 베개 속의 울퉁불퉁한 솜뭉치를 느끼며 그녀 집 응접실 소파의 말털 뭉치를 떠올렸다. 그는 늘 그 소파에 앉아 미소를 짓기도 하고 정색을 히기도 하면서, 부엇하러 여기 왔는가 자문하기도 하고, 그녀에게나 자신에게 화를 내기도 하고, 빈 찬장 위의 벽에 걸려 있는 성심(聖心) 판화를 보고 당황하기도 했다. 대화를 하고 있는 동안 그녀가 다가와 신기한 노래를 불러달라고 조르는 광경이 눈앞에 선하다. 피아노 앞에 앉은 내가 얼룩진 건반을 살짝 쳐서 화음을 울리곤, 방 안에서는 이야기 소리가 들리는 가운데 그녀를 향해 노래를 부르던 광경도 떠올랐다. 그녀가 벽난로 곁에 기대서서 그가 부르는 엘리자베스 조의 우아한 노래나 구슬프고도 감미로운 이별의 노래, 애진코트(프랑스의 옛 전쟁터, 헨리 5세가 대승한 곳) 승리의 노래, 그린슬리브스(16세기 후기에 유행한 노래)의 즐거운 가락들을 듣고 있었다. 그가 노래하고 그녀가 귀를 기울이거나 또는 기울이는 흉내를 내고 있는 동안은 마음이 편안했다. 색다른 옛 노래가 끝나고 그가 다시 실내의 이야기 소리에 귀를 기울이면 그의 마음속에는 자신의 익살맞은 대사가 떠오르곤 했다. 이 집에서는 오래 가지 않아 젊은이들이 세례명으로 불리게 된다.

그녀의 눈이 그에게 신뢰를 표시하는 듯한 때도 있었지만, 아무리 기다려 봐도 허사였다. 그녀의 모습이 지금 그의 기억 속을 춤추면서 가볍게 스쳐갔다. 마치 지난 사육제 무도회 밤에 하얀 드레스를 살짝 걷어 올리고 머리에 작은 꽃을 꽂고 있었던 그때처럼, 그녀는 경쾌하게 왈츠를 추고 있었다. 그를 향해 춤을 추면서 다가오는 그녀의 눈은 그를 약간 외면하고 있었고, 뺨에는 엷은 홍조를 띠고 있었다. 손을 서로 이어 잡고 춤을 추며 잠깐 쉬는 동안 그녀의 손이 부드럽게 그의 손 위에 놓여졌다.

"요즘은 통 보이지 않으시더군요."

"예, 난 성직자로 태어난 사람이니까요. 이단자가 될까 봐 염려스러워요."

"그게 큰 걱정이시군요?"

대답 대신 그녀는 서로 맞잡은 손을 따라 춤을 추며 그에게서 멀어져 갔다. 그녀는 누구와도 함께 춤을 추지 않았다. 그녀가 춤을 추자 흰 꽃가지가 흔들리고, 그녀가 그늘에 들어서자 볼의 홍조는 한결 더

질어 보였다.

수도사! 자기 자신의 모습이 떠오른다. 그것은 수도원의 모독자, 이단적인 프란체스코 회원으로 하느님을 섬길 의사가 있는지 없는지, 마치 게라르디노 다 보르고 산 도미노(13세기 이탈리아의 수도사)처럼 거미줄 같은 궤변을 그녀의 귓전에 속삭이는 자기의 모습이 떠올랐다.

아니, 그것은 자기의 모습은 아니었다. 그것은 지난번 그가 그녀를 보았을 때 함께 있던 젊은 신부의 모습과 흡사했다. 그 신부는 비둘기 같은 눈으로 그를 바라보면서 그녀의 아일랜드어 숙어집을 뒤적이고 있었다.

"그래요, 그래, 부인들께서도 우리들 의견에 찬성인 것 같군요. 나날이 그런 경향으로 기울어지고 있는 걸요. 부인들은 결국 우리들 편이니까요. 아일랜드어의 최고 옹호자인 셈이지요."

"그러면 성당은요, 모란 신부님?"

"성당도 마찬가시지요. 방향이 달라졌어요. 성당에서도 일은 착착 진행되고 있습니다. 성당은 걱정할 필요가 없습니다."

쳇! 보란 듯이 아일랜드어 교실을 박차고 나온 것은 만 번 잘했다. 도서관 돌계단에서 그녀에게 인사를 안 한 것도 잘한 일이다. 그녀를 그 신부와 놀아나게 하고 성당을 노리개로 만들어 놓은 것도 잘한 일이다. 성당이란 결국 그리스도교 세계의 시녀에 불과하니까.

이 사나운 분노는 그의 영혼 속에 아직도 남아 있던 황홀한 순간을 내쫓고 말았다. 말하자면 그녀의 아름다웠던 이미지를 갈기갈기 찢어 그 파편을 사방으로 흩어버린 결과가 되었다. 사방에서 그의 기억 속에 그녀의 일그러진 이미지가 모습을 드러냈다. 누더기에 축축하고 거친 머리칼과 말괄량이 얼굴로 스스로 단골손님이라 외치며 꽃다발을 사도록 간청하던 꽃 팔던 소녀, 달그락거리는 접시 너머로 시골 가수의 느린 콧노래와 함께 '킬라니의 호수와 언덕 곁에서'의 첫 소절을 노래하던 이웃집 식모 아가씨, 코크힐 근처의 보도에 있는 쇠창틀에 떨어진 구두창이 걸려 넘어질 뻔했던 그를 보고 깔깔거리며 웃어 대던 그녀. 제이콥 비스킷 공장에서 빠져나오던 그녀의 자그맣고 무르익은 입술에 매혹되어 힐끗 쳐다보았을 때 어깨 너머로 그에게 외치던 소녀.

"저의 어디가 마음에 드세요? 뻣뻣한 머리칼과 눈썹?"

그런데 그녀의 이미지를 아무리 내리깎아도 자기의 감정은 결국 동경임을 또한 느꼈다. 어딘지 불성실한 느낌을 주는 강습회에서 거만스런 태도로 물러나왔을 때, 그녀들 종족의 비밀은 긴 눈썹이 날렵하게 움직이는 까만 눈 속에 있을 것이라는 생각이 들었다. 그는 거리를 걸어 지나갈 때 그녀야말로 조국 여성의 대표적 인물로서, 어둠과 비밀과 고독 속에서 자아를 의식하며 깨어나 그녀의 다정한 애인과 사랑도 없이 죄도 없이 얼마 동안 머물다가, 격자(格子) 너머로 신부의 귀에 대고 천진한 탈선의 행위를 속삭이기 위해 그를 떠나버리는 박쥐 같은 영혼이라고 혼자 쓰디쓰게 중얼거렸다. 그녀에 대한 노여움은 그녀의 애인을 욕함으로써 해소하였고, 그 사나이의 이름과 음성과 용모는 그의 좌절된 자존심을 자못 아프게 만들었다. 그는 농부 출신의 사제로서, 그의 형은 더블린의 순경이고 아우라는 사람은 모이컬렌의 술집 급사가 아닌가. 그런 사나이에게 그녀는 발가벗은 자기 혼을 그대로 내보일 것이 아닌가. 경험이라고 하는 일용할 양식을, 언제나 살아있는 빛나는 생명체로 바꿀 수 있는 영원한 상상력을 갖춘 사제인 스티븐 자신을 제쳐두고, 기껏해야 형식적인 의식을 수행하는 법이나 배운 그런 자에게 고백을 하고 있었던 것이다.

찬란하게 빛나는 성체의 영상이 갑자기 그의 쓰라리고 절망적인 사념들을 통합하였고, 그 사념의 외침들이 감사의 찬송 속에서 끊임없이 솟고 있었다.

우리의 애절한 울음과 슬픈 노래는
성찬의 찬송되어 오르나니
그대는 열띤 삶의 방식이 지겹지 않은가?

성찬을 드리는 손들을 높여
넘치는 성배를 올리는 동안
황홀한 날들의 이야기를 그치시라

처음부터 소리를 내어 시를 읽자니 음악과 리듬이 마음에 젖어들어 그의 마음은 조용하고 너그러운 경지로 펼쳐져 나갔다. 그는 시구들을 통해 깊이 느껴 보려고 정성을 다했다. 그리고 베개에 머리를 얹고 똑바로 누웠다.

아침 햇빛이 환히 밝아왔다. 잡음이라고는 조금도 들리지 않았다. 그러나 자기 주위에 가득 찬 소음, 목 쉰 소리, 졸린 듯한 기도 속에서 삶의 일상이 바야흐로 깨어나려 하고 있음을 알았다. 그는 벽 쪽으로 몸을 돌려 모포를 뒤집어쓰고는 찢어진 벽지의 활짝 핀 분홍빛 꽃을 쏘아보았다. 그는 그 붉은 꽃의 찬란한 광채로, 시들어 죽어 가던 자기의 기쁨을 되살리며 자기 침실에서 하늘까지 분홍색 꽃이 온통 덮인 장미의 길을 마음속에 그려 보았다. 지겨워! 지겨워! 그 또한 열렬한 길을 걷기에는 너무도 지겨웠다.

점차 따스해 오는 열기가, 나른한 피로가 그의 등뼈를 통해 전해 내려왔다. 그는 온몸으로 퍼져가는 열기와 피로를 느끼면서 누워 있는 자신을 보고 미소를 지었다. 이내 잠이 들 것이다.

10년이 지난 지금에 와서 또 그녀를 위해 시를 쓴 셈이다. 10년 전, 그녀는 숄을 마치 두건처럼 머리에 쓰고 있었다. 그녀의 따뜻한 입김은 밤공기 속에 아지랑이처럼 피었고, 그녀는 거울 같은 길을 또박또박 지나갔었다. 마지막 마차였다. 여윈 밤색 말은 경고라도 하듯이 맑은 밤하늘에 방울을 울려 댔다. 마부는 파랗게 비치는 등불 밑에서 이야기를 나누면서 고개를 끄덕이곤 했다. 그는 윗자리에, 그녀는 아랫자리에, 두 사람은 마차의 계단에 서 있었다. 그녀는 이야기 도중 간간이 그가 있는 곳으로 올라왔다가는 다시 내려가는 것이었다. 한두 번은 내려가는 것도 잊고 내 곁에 한참을 서 있다가 나중에야 깨닫고 내려가기도 했다. 그랬으면 어떻다는 말인가! 그랬으면 그랬지!

어린 시절의 그 슬기로부터 지금의 이 어리석음까지 10년간의 세

월을 이 시를 통해 그녀에게 선물한다면? 아침 식사 때 반숙한 달걀을 톡톡 깨뜨리면서 그 소란 속에서 읽기라도 하겠지. 정말 어리석은 짓이다. 그녀의 형제들이 웃으며 그 투박한 손으로 이 시를 서로 빼앗으려 하겠지. 숙부인 그 붙임성 있는 신부는 안락의자에 앉아 이 시를 눈에서 멀리 떼어 읽고는 미소를 지으면서 문체가 그럴 듯하다고 칭찬할 것이다.

아니, 아니. 이것이야말로 어리석은 상상에 지나지 않는다. 그가 이 시를 보내 준들 그녀는 남에게 보일 리가 없다. 그럼, 그럼, 그런 짓을 할 턱이 없다.

그는 자기가 그녀를 아주 못마땅하게 취급해 온 것 같은 생각이 들기 시작했다. 그녀의 순결성을 생각하니 어쩐지 불쌍하기까지 했다. 그것은 그가 죄를 범할 때까지는 결코 알 수 없는 순결성, 그녀가 순결한 동안에는, 또는 그녀가 여자라는 묘한 수치심을 느끼게 되기까지는 그녀도 모르고 있던 그런 순결성이었다. 그녀의 영혼도 이때 비로소 살아나기 시작했다. 그녀의 가냘프고 파리한 얼굴과 여자라는 은근한 수치심 때문에 겸허하고 슬픔에 잠겨 있는 그녀의 눈을 떠올렸을 때, 일종의 가련한 동정심이 그의 마음에 가득찼다.

그의 영혼이 황홀에서 권태로 옮아가고 있는 동안 그녀는 어디에 있었던가? 그녀의 영혼은 그 순간에 그의 이 찬미를 의식하고 있었던 것은 아닌가? 그럴지도 모른다.

불타는 욕정이 그의 영혼에 불을 질러 그의 전신이 다시 타오르기 시작했다. 자신의 욕정을 의식하면서 그녀—자신의 빌라넬의 유혹자—는 향기로운 잠에서 지금 깨어나려 하고 있다. 어둡고 나른한 눈매를 한 그녀가 이제 자기 눈을 바라보려 하고 있다. 그녀의 나신은 그의 앞으로 굽혀와 황홀하고 따스하고 싱그럽고 풍부하게 빛나는 구름처럼 그를 휘덮고, 끊임없이 흐르는 생명의 물처럼 그를 감싼다. 그리하여 수증기의 구름처럼, 아니면 우주를 순환하는 물처럼 흐르는 언어의 문자, 신비의 원소인 상징이 그의 머리 위를 흘러간다.

천사를 타락시킨 아름다운 이여
지겹지도 않소, 그 불타는 몸짓에
더는 아무 말 말아다오, 황홀하던 그 나날을

불꽃 위에 찬송의 향연은 피어
아득한 바다를 휘덮었으니
더는 아무 말 말아다오, 황홀하던 그 나날을

끊일 듯 끊일 듯 절규와 한탄의 가락
성찬의 찬가되어 피어오르나니
지겹지도 않소, 그 불타는 몸짓에

성찬을 드리는 두 손 높이
넘치는 잔을 올리는 순간

더는 아무 말 말아다오, 황홀하던 그 나날을

지금도 사로잡는 우리의 눈짓
나른한 눈망울과 풍만한 육체로
지겹지도 않소, 그 불타는 몸짓에
더는 아무 말 말아다오, 황홀하던 그 나날을

저 새는 무슨 새일까? 그는 도서관 돌계단에 멈춰 서서 물푸레나무 지팡이에 나른하게 기대 선 채 새를 바라보았다. 새들은 몰즈워드가의 건물을 빙빙 돌면서 날고 있었다. 때늦은 3월 하순의 저녁 공기가 그들의 날갯짓을 뚜렷이 드러나 보이게 했고, 떨면서 돌진해 가는 새들의 검은 모습이, 마치 침침하고 푸르스름한 연한 피륙을 배경으로 한 듯 저녁 하늘을 배경으로 선명히 날아가는 것이었다.

그는 새들이 나는 것을 지켜보고 있었다. 한 마리, 또 한 마리. 까맣게 반짝이는 모습, 날렵하게 굽이쳐 날며 깃을 치는 동작. 그는 떨면서 돌진해 가는 새들이 다 날아 지나가기 전에 그 숫자를 세어 보려고 했다. 여섯 마리, 열 마리, 열한 마리. 그리고 홀수인가, 짝수인가 하고 어리둥절했다. 열두 마리, 열세 마리. 왜냐하면 상공에서 두 마리가 빙 날아 내려왔기 때문이다. 새들은 혹은 높이 혹은 낮게, 그리고 직선을 그리다간 또 곡선을 그리면서, 왼쪽에서 오른쪽으로 마치 있지도 않은 신전 주위를 돌기나 하듯이 날고 있었다.

그는 새 울음소리에 귀를 기울였다. 벽장 널빤지 뒤에서 찍찍거리는 쥐와 같이 날카로운 소리. 날카로운 이중음. 그러나 그 소리는 길고 날카로워 쥐와는 달리 3분의 1, 또는 4분의 1이 낮고, 날면서 부리로 공기를 찢는 소리는 진음으로 변했다. 새 울음소리야말로 명주실 같은 뽀얀 실오라기가 실타래에서 붕붕거리며 풀릴 때처럼 날카롭고 또렷하고 가느다란 하강음이었다.

어머니의 흐느끼는 울음과 꾸중이 끈질지게 달라붙어 있는 그의 귀를 그 비인간적인 울음소리가 달래 주었고, 나래를 치며 약하게 떠는 모습은 아직 어머니의 모습을 그리고 있는 그의 눈을 달래 주었다.

그는 왜 현관 돌계단 위에서 새들의 날카로운 이중의 울음소리를 들으면서 그들이 나는 모습을 지켜보는 것일까? 운수를 점쳐 보려는 것일까? 순간 코넬리우스 아그리파(15세기~16세기에 걸친 독일의 의사이자 철학자. 마술을 부렸다고도 함)가 말한 구절이 마음을 스치고 지나갔다. 그런 다음 새와 지적인 사물, 그리고 공중의 짐승들은 어떻게 하여 그들의 지식을 가지게 되었고, 인간과는 달리 그들의 생의 질서를 지키며 이성으로써 그 질서를 전도하는 일이 없기 때문에 자신들의 세월과 계절을 알고 있는 것인가의 대응(對應)에 관한 스웨덴보그(스웨덴의 과학자, 신비학자. 신학자로 자연물과 신의 '대응'에 관한 논의가 유명함)의 형태 없는 사상들이 여기저기 마음속에 날아다녔다.

그런데 인간은 오랜 시대에 걸쳐, 그가 지금 이같이 날고 있는 새들을 우러러보듯이 허공을 지켜보아 온 셈이다. 머리 위에 높이 서 있는 기둥은 그에게 고대 신전을 연상시켜 주었고, 그가 기대고 서 있는 물푸레나무 지팡이는 점쟁이의 구부러진 장대를 상기시켰다. 미지의 것에 대한 두려움이 그의 권태 한가운데로 밀려들었다. 그것은 상징과 조짐에 대한 두려움이고, 버들가지로 엮은 날개를 타고 창살에서 빠져나온 자기와 같은 이름을 가진 독수리 같은 사나이에 대한 두려운 감각이었다. 기왓장 위에 갈대붓으로 글씨를 쓰며, 따오기 대가리 같은 머리 위에 낫 같은 달을 얹고 있는, 묵객(墨客)들의 신 토드(이집트의 학문·발명·마술의 신)에 대한 두려움이었다.

그는 그 신의 영상을 떠올리고는 미소를 지었다. 왜냐하면 그것은 가발을 쓰고 별 같은 코를 가진 판사가 앞으로 들이민 서류에 쉼표를 치고 있는 광경을 연상시켰기 때문이었다. 또 그가 하필이면 이 신의 이름을 외고 있는 것은 그것이 아일랜드의 욕설과 닮아 있기 때문이었다. 바보 같은 소리다. 그러나 자신이 태어난, 기도와 분별의 집에서 영원히 떠나려 하고 있고, 자기가 태어난 생활의 질서에 영원한 이별을 고하려 하고 있는 것도 이 같은 어리석음 탓은 아닌가?

새들은 그 건물의 튀어나온 견각을 넘어 날카로운 울음소리를 내면서 연한 빛의 허공을 배경으로 점점이 날아서 되돌아왔다. 무슨 새일까? 강남에서 돌아온 제비가 아닐까 하고 그는 생각했다. 그렇다면 그 자신도 나그네 길을 떠나야만 하는 것이다.

이쪽으로 고개를 돌려 봐, 오우나와 알릴
곰곰 들여다보고 싶으니까
마치 제비가 사나운 바다로 떠나기 전에
추녀 밑의 제 집을 쏘아보듯이

(예이츠 희곡 《캐서린 공작 부인》의 여주인공의 대사. 이 희곡은 아일랜드 국민 극장에서 최초로 공연되었다.)

갖가지 바다의 소음 비슷한, 부드럽게 흐르는 기쁨이 그의 기억 속에 찾아들었다. 그는 바다 위의 희부옇게 빛바랜 하늘에 가득 차 있는 정적의 부드러운 평화, 대양의 고요 속의 부드러운 평화, 일렁거리는 바다 위 황혼빛으로 서로 날아다니는 제비들의 부드러운 평화를 마음속으로 느꼈다.

부드럽게 흐르는 기쁨이, 부드러운 모음(母音)들이 소리없이 맞부딪치는 언어를 꿰뚫고 갯가를 씻으며 멀리 쓸고 나갔다. 그리고 다시 밀려들어 파도머리에 흰 요령을 울려 대다간 음향을 잃은 종소리가 되어 부드럽고 나직한, 꺼져가는 소리를 냈다. 그는 선회하며 돌진하는 새와, 빛이 바랜 공간에서 자기가 찾고 있던 점괘는, 조그만 탑에서 조용히 날렵하게 날아온 새처럼 자기 마음속에서 우러나는 것이라 생각했다.

출발의 상징일까, 아니면 고독의 상징일까? 그의 상상의 귀에 시가 낭송되고, 이 시는 그의 눈앞에 국민 극장이 개장되던 밤 홀 안의 정경을 떠올리게 했다. 그는 혼자 2층 높다란 관람석에 앉아, 1등석에 앉아 있는 울긋불긋한 무대와 인형 같은 배우들을 지겨운 눈으로 바라보고 있었다. 건장한 몸집의 순경이 그의 뒤쪽에서 땀을 닦으며 곧 행동을 취하려는 자세로 서 있었다. 홀 여기저기에 흩어져 앉아 있는 그 학생들로부터 야유와 놀림과 욕설이 마구 튀어나왔다.

"아일랜드를 모욕하는 건가?"

"독일의 스파이!"

"아일랜드 여성의 수치다!"

"서투른 무신론자, 집어치워라!"

"풋내기 불교 신도, 꺼져라!"

머리 위에 있는 창에서 갑자기 쉿 하는 소리가 들렸다. 열람실에 불이 켜지는 소리였다. 그는 조용히 불이 켜진, 홀 안으로 들어가서 계단을 올라, 삐익 소리를 내는 나무문을 열고 들어섰다.

크랜리는 사전류 가까이 자리를 잡고 있었다. 부피가 두꺼운 책 한 권이, 책장이 열린 채 열람대 위에 놓여 있었다. 그는 의자 등받이에 기대앉아 마치 고해 신부처럼 의학생의 얼굴에 귀를 대고 있었다. 그 의학생은 그를 위해 신문의 바둑란 문제를 읽어 주고 있었다. 스티븐이 그의 오른쪽에 자리를 잡자 그 탁자 반대쪽에 있던 신부가 읽고 있던 《타블렛》(가톨릭계의 주간지)을 화가 난 듯이 덮고 일어섰다.

크랜리는 신부의 뒷모습을 조용한 표정으로 지켜보았다. 의학생은 한결 나직한 소리로 계속했다.

"장의 네 칸 옆으로 졸을 두어야지."

"슬슬 일어서는 게 좋겠군, 딕슨."

스티븐이 경고를 했다.

"저치 일러바치러 간 거야."

딕슨은 신문을 덮고 일어서더니 말했다.

"아군은 질서정연하게 퇴각하도다."

"병기, 가축과 더불어."

스티븐은 덧붙이면서 크랜리의 책갈피를 가리켰다. 거기에는《소의 질병》이라고 씌어 있었다.

몇 개의 탁자 곁을 지나가면서 스티븐이 말했다.

"크랜리, 하고 싶은 말이 있는데."

그런데 크랜리는 대답도 없고 돌아보지도 않았다. 그는 열람대에 책을 돌려주고 나가 버렸다. 비싼 구두를 신은 발이 마룻바닥 위에 단조로운 소리를 냈다. 크랜리는 계단을 내려가다가 멈춰 서더니 멍하니 딕슨을 바라보면서 말했다.

"장으로부터 망할 놈의 네 번째 칸에 졸을 두어야지."

"원한다면 그렇게 해도 좋아."

딕슨은 말했다.

그의 말소리는 조용하고 억양이 없었으며, 태도는 우아했다. 그는 통통한 손가락에 낀 인장 반지를 이따금 자랑삼아 내보였다.

일행이 홀을 질러가는데 난쟁이처럼 키가 작은 사나이가 그들을 향해 걸어오고 있었다. 조그만 모자 밑에서 무언가 속삭이는 소리가 들렸다. 그의 눈은 원숭이 눈처럼 우울한 느낌을 주었다.

"안녕."

크랜리가 멈춰 서면서 말했다.

"안녕하시오, 다들."

수염이 덥수룩한 원숭이 얼굴이 말했다.

"3월 치고는 따뜻한 편이군."

크랜리가 말했다.

"2층에는 창문을 열어놓았으니."

딕슨은 생긋 웃으면서 반지를 빙 돌렸다. 가무잡잡하고 주름잡힌 원숭이 같은 사나이가 상냥하게 미소를 지어 보이면서, 인간의 입을 비쭉거리자 고양이가 가르랑거리는 소리가 났다.

"3월 치고는 정말 좋은 날씨네."

"2층에 젊은 미인이 두 사람 있던데. 기다리다 지친 모양이야."

딕슨이 말했다.

그러자 크랜리가 미소를 지으며 친절한 투로 말했다.

"주장의 애인은 하나뿐이야. 이를테면 월터 스콧(영국의 낭만파 시인·소설가). 그렇잖아?"

"지금 뭘 읽고 있지, 주장?"

딕슨이 물었다.

"《라머무어의 신부(월터 스콧의 소설)》?"

"스콧은 정말 마음에 들어."

그는 유연한 입술로 말했다.

"정말 좋은 작품을 쓴다니까. 월터 스콧 경과 겨룰 만한 작가는 없어."

그는 자신의 찬사에 박자를 맞추며 가느다란 갈색 손을 공중에다 조용히 흔들었다. 날렵하게 움직이는 그의 얇은 눈꺼풀이 슬픔을 띤 눈망울 위에서 몇 번이나 깜짝였다.

스티븐의 귀에는 그의 말씨가 슬프게 들렸다. 나지막하고 축축이 젖은 듯한 말투는 점잖았지만 말에는 문법적인 오류가 많았다. 스티븐은 그의 말투에 귀를 기울이며 저 소문이 참말일까 생각해 보았다. 그의 몸속에 흐르고 있는 붉은 피가 귀족의 피로서 근친상간에서 태어난 것일까 하고 의심해 보기도 했다.

공원의 수목들은 흠뻑 비에 젖어 있었고, 비는 언제까지나 방패 같은 잿빛 호수 위에 내리고 있었다. 호수 위에는 한 마리의 백조가 떠 있고, 물 위, 물속은 푸른 잿빛을 띤 백조의 오물로 더럽혀져 있었다. 비 내리는 날의 희뿌연 빛과 흠뻑 비에 젖은 수목들, 목격자인 방패 모양의 호수, 그리고 백조들, 이들에게 이끌리듯 두 남녀가 부드럽게 포옹을 하고 있었다. 기쁨도 정열도 없이 남자는 한 팔로 여자의 목을 껴안고 있었다. 회색 털외투가 어깨에서 허리에 걸쳐 그녀를 비스듬히 감싸고 있었고, 금발머리는 기쁘면서 수줍은 듯 고개를 숙이고 있었다. 남자의 붉은 머리칼은 흐트러져 있었고, 손은 부드럽고 힘차 보였는데 주근깨투성이였다. 얼굴은 보이지 않았다. 남자의 얼굴은 비에 젖어 향기를 내뿜는 여자의 머리칼 위에 기대고 있었다. 주근깨가 있는, 힘차고 잘생긴 손으로 그녀를 애무하는 사람은 데이빈이었다.

그는 자기의 생각에 대해, 그리고 이와 같은 생각을 불러일으킨 그 난쟁이에 대해 골을 내며 얼굴을 찌푸렸다. 밴틀리의 일파(힐리를 중심으로 한 반(反) 파넬파)에 대해 아버지가 조롱하던 말이 생각났다. 왜 그게 크랜리의 손이 아닌가? 데이빈의 단순성과 순진성이 더 은밀히 그를 자극했던 것일까?

그는 크랜리가 난쟁이와 정중히 작별 인사를 나누도록 내버려 둔 채 딕슨과 함께 홀을 건너갔다.

줄지어 서 있는 기둥 밑에서 템플은 몇 사람의 학생들 틈에 끼어 서 있었다. 그들 중 한 학생이 외쳤다.

"딕슨, 이리 와. 들어보라구, 템플이 한창 기염을 토하고 있으니까."

템플은 집시 같은 까만 눈을 들어 상대방을 쳐다보았다.

"너는 위선자다, 오키프."

그가 말했다.

"그리고 딕슨은 생글쟁이야. 어때, 이건 멋진 표현이지?"

그는 교활한 웃음을 지으며 스티븐의 얼굴을 쳐다보고 거듭 말했다.

"어때, 나는 이 말이 무척 마음에 드는데, 생글쟁이."

돌계단 밑 바로 그들 아래쪽에 서 있던 커다란 학생이 말했다.

"아까 하던 여자 이야기나 다시 하자구, 템플. 저쪽 이야기를 듣고 싶으니까."

"그놈에게 정부가 있었던 것은 사실이야."

템플이 말했다.

"그런데 그는 결혼한 남자였다고. 게다가 목사들이 다 그 집에서 식사를 하게 되어 있었지. 그자들은 누구나가 다 한 끼씩 맛있는 음식을 얻어먹은 게 틀림없어."

"더러브렛(영국산의 우수한 경마용 말)을 아끼기 위해 당나귀를 타는 식이랄까."

딕슨이 말했다.

"봐요, 템플."

오키프가 말했다.

"흑맥주를 몇 병이나 마셨지?"

"네 지성이 고작 그거냐, 오키프?"

템플은 노골적으로 경멸을 표시했다.

그는 비틀비틀 걸으면서 여러 학생들의 주위를 돌아오며 스티븐에게 말을 걸었다.

"포스터 일가가 벨기에의 왕족이라는 사실을 알고 있었나?"

크랜리가 입구의 홀에서 나왔다. 모자를 뒤로 젖혀 쓰고 열심히 이를 쑤시고 있었다.

"아는 체하는 선생님이 오시는군."

템플이 말했다.

"넌 포스터 가에 대해 알고 있니?"

그는 말을 마치고 대답을 기다렸다. 크랜리는 이쑤시개로 파낸 무화과씨를 물끄러미 보고 있었다.

"포스터 가는……."

템플이 말했다.

"플랜더스 왕 볼드윈 1세의 후손이야. 왕의 이름은 포레스터였는데 포레스터와 포스터는 같은 이름이거든. 볼드윈 1세의 후손 프란시스 포스터 대령이란 사람이 아일랜드에 정주하고 있었는데, 클랜브라실족 마지막 족장의 딸과 결혼했지. 블레이크 포스터 가라는 게 있는데 이건 다른 일족이야."

"플랜더스의 왕, 볼드헤드(대머리)의 자손인가?"

크랜리는 번들거리는 이를 쑤시면서 되풀이해서 말했다.

"너는 그런 역사를 어디서 주워 들었니?"

오키프가 물었다.

"너의 집 역사도 다 알고 있어."

템플은 스티븐을 쳐다보면서 말했다.

"지랄더스 캠브렌시스(12세기에서 13세기에 걸친 웨일즈의 성직자. 연대기 작자)가 너의 집에 대해 뭐라고 말했는지 알기나 하니?"

"저 애도 볼드윈 가의 후손이냐?"

눈이 까맣고 허우대가 늘씬한, 폐병을 앓고 있는 학생이 물었다.

"볼드헤드 쪽이지."

크랜리가 잇새로 공기를 빨아들이면서 되풀이했다.

"아주 고귀하고 유서 깊은 가문이야."

템플이 스티븐에게 말했다.

그때 바로 그들 아래 서 있던 몸집이 큰 학생이 뿡 하고 방귀를 끼었다. 딕슨이 그를 쳐다보며 상냥한 소리로 말했다.

"지금 천사께서 말씀하셨군?"

크랜리가 얼굴을 돌리고는 격한 어조로, 그러나 결코 노한 기색은 없이 말했다.

"고긴스, 너같이 더러운 놈은 처음 본다."

"나도 마음으로 그렇게 말하려고 했었어."

고긴스가 단호한 말투로 대답했다.

"누구에게도 폐를 끼친 건 아니잖아?"

딕슨이 상냥하게 말했다.

"우린 희망하지만, 그게 학술상으로 알려진 '파울로 포스트 푸투룸(paulo post futurum, 곧 있을 상황의 조짐)이라고 알려져 있는 그런 종류의 방귀가 아니길 빌겠어."

"그러니까 그 녀석을 생글쟁이라고 말하지 않았나?"

템플이 좌우를 휘둘러보면서 말했다.

"내가 그를 그런 이름으로 부르지 않았던가?"

"그래, 맞았어. 우리들 다 귀머거리가 아니거든."

키다리 폐병쟁이가 말했다.

크랜리는 아래 계단에 서 있는 몸집이 큰 학생을 보고 얼굴을 찌푸렸다. 이윽고 그는 밉살스러운 듯이 콧소리를 내면서 왈칵 그를 돌계단에서 떠밀어 버렸다.

"저리 가."

그는 우악스럽게 소리를 질렀다.

"저리로 가라니까, 이 똥 같은 놈. 너는 바로 똥통이야."

고긴스는 자갈 위로 뛰어내렸다가 곧 싱글거리면서 제자리로 돌아왔다. 템플이 스티븐을 돌아다보면서 말했다.

"너는 유전법칙을 정당하다고 생각하니?"

"너 술에 취했구나. 그렇지 않으면 도대체 뭐냐? 무슨 말을 하고 싶은 거야?"

크랜리가 의아한 표정으로 돌아서서 물었다.

"지금까지 씌어진 글 중에서 가장 의미 있는 문장은 동물학 책의 맨 끝에 있는 문장이야. '생식은 죽음의 시작이다'라고 적혀 있지."

그는 겁 먹은 듯 스티븐의 팔꿈치에다 손을 대면서 말했다.

"너는 시인이니까 이게 얼마나 의미심장한 말인지 알겠지?"

크랜리는 기다란 집게손가락으로 가리켰다.

"이놈을 보라고."

그는 경멸에 찬 말투로 다른 학생들을 보고 말했다.

"이 아일랜드의 희망을 보라고!"

다들 그의 말과 손짓을 보고 웃음을 터뜨렸다. 템플이 용감하게 그를 돌아보며 말했다.

"크랜리, 너는 언제나 나를 깔보지. 나는 알고 있다. 하지만 나나 너나 오십보 백보야. 내가 지금 너하고 비교해 보고 어떻게 생각하는지 알기나 해?"

"넌 할 줄 몰라. 알아? 절대로 생각할 줄 몰라."

크랜리는 품위 있는 투로 말했다.

"하지만 너와 나를 비교할 때 내가 어떤 생각을 하고 있는지 알겠나?"

템플은 계속했다.

"똑똑히 말해 봐, 템플!"

몸집 큰 학생이 돌계단에서 외쳤다.

"하나하나 잘라서 말해 보라구!"

템플은 좌우를 둘러보면서 갑자기 시무룩한 몸짓을 해 보이더니 이렇게 말했다.

"난 개차반이야."

그는 절망한 듯이 고개를 가로저으며 말했다.

"그래, 난 그걸 알고 있어. 나 스스로 그 사실을 시인하겠어."

딕슨은 그의 어깨를 가볍게 두드리며 조용히 말했다.

"그런데 그게 너의 장점이야, 템플."

"하지만 저놈도 나와 마찬가지로 개차반이라고. 이놈은 그걸 모르고 있어. 그게 우리의 유일한 차이야."

템플은 크랜리를 가리키며 말했다.

"와아"

터져나온 웃음소리가 그의 말소리를 삼켜 버렸다. 그러나 그는 다시 스티븐을 쳐다보며 갑자기 열렬한 투로 말했다.

"개차반이란 단어는 말이야, 퍽 흥미 있는 단어야. 영어에서 두 개의 물건을 의미하는 유일한 낱말이야. 알아?"

"그래."

스티븐은 막연한 투로 대답했다.

그는 굳은 표정을 짓고 고통스러워하던 크랜리의 얼굴이 거짓된 인내의 미소를 띠고 있음을 지켜보았다. 그 심한 말은 모멸을 참고 견디는 낡은 석상 위에 쏟은 오물처럼, 크랜리의 얼굴을 스쳐갔다. 그리하여 다들 지켜보는 가운데 그는 인사를 하듯 모자를 치켜들며 쇠붙이로 만든 투구처럼 이마 위로 억세게 선 검은 머리칼을 보였다.

여자는 도서관 현관에서 나오더니 스티븐의 뒤쪽에서 인사하고 있는 크랜리에게 답례를 했다. 이 친구도 사귀어 왔던가? 크랜리의 볼에 엷은 홍조가 떠있지 않았던가? 아니면 템플의 말 탓이었던가? 눈앞이 캄캄해져 볼 수가 없었다.

이 친구의 시무룩한 침묵. 매서운 말투. 그가 열심히 고백하고 있는데도 갑자기 난폭한 언사로 방해를 하던 게 다 이 때문이었나? 스티븐은 그것에 개의치 않고 너그럽게 그를 용서하고 있었다. 왜냐하면 그와 같은 난폭성은 자기에게도 있었으니까. 이윽고 그는 빌려 온, 거의 망가진 자전거에서 내려 말라하이드 가까운 숲 속에서 하느님께 기도를 드리던 저녁 나절을 회상했다. 그는 두 팔을 들고 어스름한 수풀 속에서 황홀하게 기도하면서, 서 있는 곳, 성스러운 땅이자 성스러운 시각임을 의식하고 있었다. 그러자 어두컴컴한 길모퉁이에서 순경 두 사람이 나타났으므로 기도를 그치고, 지난번 구경한 무언극 중의 한 노래를 휘파람으로 불렀다.

그는 물푸레나무 지팡이의 닳은 끝으로 기둥 뿌리를 두드리기 시작했다. 크랜리에게는 들리지 않았던 것일까? 하지만 그는 기다렸다. 주위의 이야기 소리가 그치자 위쪽 창에서 쉿! 하는 소리가 들려왔다. 그러나 대기 속에서 다른 소리는 일체 들리지 않았고, 그가 조금 전에 나른한 시선으로 떠나보낸 제비들도 이제는 잠들어 있었다.

그녀가 어둠 속으로 지나갔다. 부드럽게 쉿 하는 소리 외에는 주위는 죽은 듯 고요했다. 재잘거리던 무리들도 입을 다물고 말았다. 어둠이 밀려든다.

하늘에서 어둠이 내린다.

희미한 빛처럼 고요히 타고 있는 가슴을 흔드는 듯한 기쁨이, 요정의 무리처럼 그의 주변을 희롱하고 있었다. 무엇 때문일까? 저물어가는 대기 속을 그녀가 걸어간 탓일까? 아니면 어두운 모음과 풍성한 류트 소리 같은 첫 음을 가진 이 시구 탓일까?

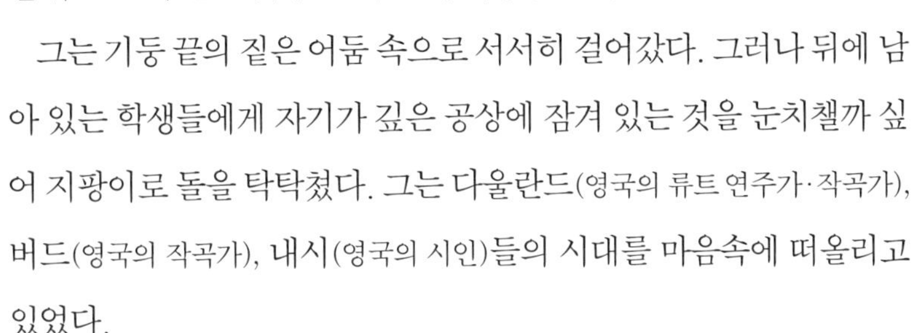

그는 기둥 끝의 짙은 어둠 속으로 서서히 걸어갔다. 그러나 뒤에 남아 있는 학생들에게 자기가 깊은 공상에 잠겨 있는 것을 눈치챌까 싶어 지팡이로 돌을 탁탁쳤다. 그는 다울란드(영국의 류트 연주가·작곡가), 버드(영국의 작곡가), 내시(영국의 시인)들의 시대를 마음속에 떠올리고 있었다.

욕정의 어둠 속에 빠끔히 떠 있는 눈, 그 나른한 우아성은 부드러운 색정이 아니고 무엇이랴? 그 어슴푸레한 빛은 방탕한 스튜어트 궁전의 시궁창에 끈 거품의 광채가 아니고 무엇이랴? 그리하여 그는 기억 속에 살아 있는 그 말에서 호박색 포도주, 감미로운 노래의 여운, 그 교만스러운 파나아느(16·17세기의 우미한 무용)의 취향을 찾았고, 기억의 눈을 통해 발코니에서 남정네들에게 아양을 떠는 코벤트 가든(런던에 있는 공원)의 귀부인들, 미남자들에게 몸을 맡긴 채 몇 번이나 그들을 포옹하는 곰보 술집 여자와 젊은 유부녀들을 보았다.

그가 마음속에 불러일으킨 이 이미지는 그에게는 아무런 기쁨도 주지 못했다. 이 이미지들은 은밀하고 불타듯 열정적이기는 했으나 그녀의 이미지는 그들과 서로 엉키지 못했다. 그는 그녀를 그런 식으로 생각해서도 안 되었다. 그렇다면 마음도 믿을 수 없는 것이던가? 그것은 크랜리가 이를 번쩍이면서 뱉어낸 무화과씨처럼 하찮고 달콤한, 진부한 문구에 불과했다.

그녀의 모습이 거리를 빠져나가 자기 집으로 나아가고 있음을 희미하게나마 알고 있기는 했지만 그것은 생각도 환상도 아니었다. 처음에는 막연했으나, 이윽고 분명히 그녀의 냄새를 맡았다. 불안한 의식이 그의 피 속에서 거품을 일으켰다. 그렇다. 그가 맡고 있는 것은 그녀의 육체였다. 그것은 야성적이면서 나른한 냄새였다. 그녀의 육체가 내뿜는 향기와 이슬을 빨아들인 부드러운 속옷의 냄새.

그는 목덜미 속에 엄지손가락과 집게손가락을 밀어 넣어 솜씨 있게 이 한 마리를 잡아냈다. 말랑말랑한 쌀알 같은 그 몸뚱이를 잠시 두 손가락 사이에 끼고 만지작거리다가 땅 위에 떨어뜨리고는 살았는지 죽었는지 살펴보았다. 그때 이는 사람의 땀에서 생기는 것으로, 천지창조의 6일째에 다른 동물과 함께 창조된 것이 아니라는 코르넬리우스 아 라피네(16세기에서 17세기에 걸친 플란더스의 예수회 회원, 성서 주석자)의 묘한 학설이 떠올랐다.

목덜미가 가려운 탓인지 마음마저 아리고 불그스름해졌다. 잘 입지도 먹지도 못하고 이에 뜯기고 있구나 하는 생각이 들자 갑자기 경련이 이는 듯한 절망에 빠져 지그시 눈을 감았다. 그러자 암흑 속에서 투명한 이의 몸뚱이가 허공으로 떨어져 내리면서 흔히 그러하듯이 떼굴떼굴 회전하는 것이 보였다. 그렇다. 하늘에서 떨어지는 것은 어둠이 아니다. 그것은 빛이다.

빛이 하늘에서 내린다.

그는 내시의 이 시구도 떠올릴 수가 없었다. 그것이 불러일으킨 이미지는 하나도 믿을 수가 없었다.

그의 마음은 벌레를 키웠다. 그의 사념들은 나태의 땀에서 태어난 이들이었다.

그는 복도를 따라 빨리 학생들 쪽으로 되돌아왔다. 상관없다. 그 따위 여자는 보내버려라. 망할 것 같으니라구! 저런 계집은 아침마다 허리까지 몸을 씻는, 가슴털이 거뭇하게 난 깔끔한 운동 선수나 사랑하면 되는 거다.

크랜리는 호주머니에서 마른 무화과를 또 한 개 끄집어 내어 소리를 내면서 천천히 먹고 있었다. 템플은 기둥의 발치에 기대어 앉아 졸린 눈언저리까지 모자를 깊숙이 눌러쓰고 있었다.

작달막한 젊은이가 가죽가방을 겨드랑이에 끼고 현관에서 나왔다. 그는 장화 뒤축과 무거운 우산 끝으로, 포석 위에 소리를 내면서 그들을 향해 걸어오고 있었다. 그러고는 인사 대신 우산을 들어 올리면서 외쳤다.

"안녕들 하시오, 여러분!"

그는 다시 포석을 탁탁 치며 약간 신경질적인 동작으로 머리를 떨면서 킬킬거렸다. 키가 큰, 폐병을 앓는 학생과 딕슨 그리고 오키프는 아일랜드어로 이야기를 나누면서 그를 쳐다보지 않았다. 그러자 그는 크랜리를 보고 말했다.

"안녕한가, 특별히 너한테 하는 말이야."

그는 무엇을 가리키듯 우산대를 움직이며 다시 킬킬거렸다. 무화과를 씹고 있던 크랜리는 턱을 우물거리며 대답했다.

"안녕하냐고? 그래, 안녕하지."

그러나 작달막한 학생은 얼굴빛을 바꾸고는 못마땅한 듯이 살짝 우산을 흔들었다.

"알고 보니 뻔한 이야기라도 끌어낼 작정이군."

"응."

크랜리는 대답하면서 반쯤 베어 먹은 무화과의 나머지를 먹으라는 듯 작달막한 학생의 입에 갖다 댔다.

작달막한 학생은 먹지 않았으나 여전히 기분이 좋은지 킬킬거리면서 우산을 흔들고는 무겁게 입을 열었다.

"결국 그건……."

그는 일단 말을 끊고, 짓씹어 놓은 무화과를 넌지시 가리키며 큰소리로 말했다.

"이건 말이야."

"응."

하고 크랜리는 여전히 맞장구쳤다.

"너는 지금 저것을……."

작달막한 학생이 말했다.

"실제로 그런 거야, 아니면 그저 그래 본 거야?"

딕슨이 학생들의 무리로부터 옆으로 비켜서며 말했다.

"고긴스가 기다리고 있었어, 글린. 너와 모이니한을 찾아 아델피 호텔 쪽으로 가버렸어. 그런데 그 안에는 무엇이 들어 있나?"

글린이 끼고 있는 가방을 두드렸다.

"답안지야. 내 수업에서 학생들이 잘 배우고 있는지 알아보기 위해 매월 시험을 치르고 있지."

글린 역시 가방을 두드리고는 점잖게 기침을 하면서 대답했다.

"수업이라구?"

크랜리가 우악스레 되물었다.

"원숭이 같은 네놈한테 배우는 거지새끼들 이야기겠지. 아아, 맙소사."

크랜리는 무화과의 나머지 부분에서 꼭지를 이빨로 물어뜯어 뱉어 버리고는 말했다.

"나의 어린이가 내게로 오는 걸 용납하는도다."

글린이 상냥스럽게 말했다.

"못난 원숭이 같은 놈!"

크랜리는 다시 강조하여 되풀이했다.

"게다가 하느님을 모독하는 이 돼먹지 않은 놈 같으니라고!"

템플이 일어나 크랜리 곁을 지나치면서 글린에게 말했다.

"지금 네가 말한 대사는 신약성서에 있는, '어린 것을 내게로 보내라'를 인용한 거로군."

템플은 여전히 글린을 향해 말을 계속했다.

"가령 예수께서 아이들을 자기에게로 오게 한다면, 왜 교회는 세례를 받지 않고 죽는 아이들을 지옥으로 보내 버리지? 왜 그러지?"

"넌 세례를 받았니, 템플?"

폐병 앓는 학생이 물었다.

"예수님이 자기 곁으로 아이들을 보내라고 해놓고 왜 그들을 지옥에 보내지?"

템플은 글린의 눈을 살피며 물었다.

글린은 기침을 한 뒤, 신경질적으로 킬킬거리던 웃음을 억제하고 우산대를 흔들면서 또박또박 조용히 말했다.

"네가 말한 대로라면 어떻게 그와 같이 되는지 묻고 싶군."

"그거야, 교회가 모든 옛 죄인들처럼 잔인하기 때문이지."

하고 템플이 대답했다.

"그런 점에 있어서 네 의견이 과연 정통이라고 할 수 있을까, 템플?"

딕슨이 상냥하게 물었다.

"성 아우구스티누스가 세례를 받지 않는 아이는 지옥으로 떨어진다고 말했어."

하고 템플이 대답했다.

그러자 딕슨이 다시 물었다.

"그러나 그런 아이를 위해서는 고성소(苦聖所, 지옥과 천당 사이에 있어 영세를 받지 못한 어린이·이교도·백치들의 영혼이 산다고 하는 곳)가 있지 않나?"

"그 애하고 토론은 무슨 토론이야, 딕슨."

크랜리가 무뚝뚝하게 말했다.

"말도 하지 말고 못 본 척하라고. 음매 우는 염소를 끌고 가듯 밧줄로 묶어서 집으로 데리고 가란 말이야."

"고성소라!"

템플이 외쳤다.

"그거 대견스런 발명인데. 지옥과 거의 맞먹을 정도야."

"하지만 거기에는 고통은 없어."

하고 딕슨이 말했다. 그러고는 여럿을 쳐다보고 싱긋 웃어 보인 뒤 다시 말했다.

"내가 이토록 말을 많이 하는 것은 지금 이곳에 있는 모든 사람들의 의견을 대변하고 있기 때문이라고 생각해."

"바로 그렇지."

글린이 단호한 목소리로 말했다.

"그 점에 있어서는 전 아일랜드의 의견이 일치하고 있지."

그는 우산 끝으로 돌바닥을 두드렸다.

"지옥 말인가?"

하고 템플이 말했다.

"나는 사탄의 잿빛 마누라라고 할 그와 같은 낱말의 발명에는 경의를 표하는 바이다. 지옥은 로마적이야. 로마의 성벽처럼 굳건하고 추악하지. 그런데 고성소란 또 뭐냐?"

"저 녀석을 유모차에 태워 돌려 보내, 크랜리."

오키프가 큰소리로 외쳤다.

크랜리는 재빠르게 템플에게 한걸음 다가가서 멈춰 서더니, 발을 구르면서 마치 닭을 쫓듯 크게 외쳤다.

"쉿!"

템플은 날쌔게 한걸음 물러서며 물었다.

"고성소가 무언지 알고 있나?"

그는 큰소리로 부르짖었다.

"로스코몬(중부 아일랜드의 주)에서는 그걸 뭐라고 부르는지 알아?"

"쉿, 이 망할 놈!"

크랜리는 이번에는 손뼉을 치면서 소리를 질렀다.

"내 엉덩이만도 못하고 팔꿈치만도 못한 데가 고성소야."

템플이 깔보는 말투로 쏘아붙이고 달아났다.

"그 지팡이 좀 다오."

크랜리는 스티븐의 손아귀에서 물푸레나무 지팡이를 빼앗아 돌계단을 훌쩍 뛰어내렸다. 그러나 템플은 뒤에서 크랜리가 쫓아오는 소리를 듣고 마치 야생 동물처럼 빠르게 황혼 속으로 달아났다. 크랜리가 장화 신은 발로 안뜰을 뛰어다니는 소리가 들렸으나, 종내 붙잡지 못하고, 한발 한발 자갈을 차면서 무거운 발걸음으로 되돌아왔다.

그는 화가 난 듯이 걸어오더니 지팡이를 냉큼 스티븐의 손에 던져주었다. 스티븐은 이 사나이가 다른 이유로 골을 내고 있다고 생각했지만, 아무렇지도 않은 척 상대방 팔에 손을 얹고 조용히 말했다.

"크랜리, 할 말이 있다고 했잖아. 저리로 가자."

"지금 말이야?"

"그래."

하고 스티븐은 대답했다.

"여기서는 말할 수 없어. 저리로 가자고."

그들은 말없이 안뜰을 질러 걸어갔다. 지그프리트(바그너의 가극)의 새소리 같은 휘파람소리가 현관의 돌계단에서 그들 뒤를 따라 들려왔다. 크랜리가 뒤돌아보자 휘파람을 불고 있던 딕슨이 소리를 질렀다.

"어딜 가지? 시합은 어쩔 거야, 크랜리?"

두 사람은 고요한 대기를 가로질러 가며 아델피 호텔에서 벌일 당구 시합에 관해 큰소리로 대화를 나누었다. 스티븐은 혼자 걸어서 조용한 킬데이 가로 들어갔다. 메이플 호텔 맞은편에 서서 그는 다시 참을성 있게 크랜리를 기다렸다. 호텔의 호젓한 이름과 채색 없는 밋밋한 건물의 앞면이 마치 정중한 멸시의 시선처럼 그의 마음을 찔렀다. 그는 불이 켜져 있는 호텔 객실을 배알이 꼴린 듯이 흘겨보면서, 이 안에서는 아일랜드 귀족들의 산뜻한 생활이 영위되고 있겠지, 하고 상상했다. 그들 귀족들은 군인의 임관에 대해서, 또는 토지 관리인에 관해서 얘기를 나눌 것이다. 농부들은 시골길에서 그들을 만나면 인사를 한다. 그들은 프랑스 요리의 이름을 알고 있고, 귀가 아플 정도의 시골 사투리로 마부에게 지시한다.

어떻게 하면 농부들의 의식에 타격을 줄 수 있을까? 농부들의 딸에게 지주들의 애를 낳게 하고, 그들보다도 품위 없는 자손이 생기기 전에, 그 딸들의 상상력에 자신의 그림자를 던지기 위해서는 어떻게 하면 되지? 그는 짙어 가는 황혼 속에서 자기가 속한 민족의 사고와 욕망이 어두운 시골길을 마치 박쥐처럼 가로질러, 물가의 나무 밑이며 군데군데 웅덩이가 많은 늪가를 경쾌하게 나는 듯한 느낌이 들었다. 어느 날 밤, 데이빈이 그런 시골을 지나다가, 외딴집 여자에게 우유를 한 병 얻어먹고 침대로까지 유혹할 기세가 보이기에 도망쳐 왔다고 했지. 데이빈은 비밀을 지킬 것 같은 믿음직스러운 사내인데다, 온화한 눈매를 가졌기 때문이다. 그러나 어떤 여자의 눈도 스티븐을 유혹한 적은 없었다.

그때 그의 팔을 꽉 잡는 사람이 있었다. 크랜리였다.

"가자."

그들은 묵묵히 남쪽을 향해 걸어갔다. 이윽고 크랜리가 입을 열었다.

"저 바보 같은 템플 녀석! 맹세코 저놈을 혼내 줄 테다."

그러나 그의 말소리에 이미 노기는 사라져 있었다.

'이것은 아마 현관 아래서 그녀가 그에게 인사하던 일을 생각하고 있는 탓이 아닐까.'

하고 그는 생각했다.

두 사람은 왼쪽으로 꺾어들어 계속 걸어갔다. 그러는 동안 스티븐이 말했다.

"크랜리, 저녁에 누구랑 좀 다투었어. 그래서 기분이 좋지 않아."

"가족들하고?"

크랜리가 물었다.

"엄마하고."

"신앙에 관한 일로?"

"그렇지."

하고 스티븐은 대답했다.

잠시 말이 없던 크랜리가 물었다.

"어머니는 연세가 어떻게 되니?"

"아직 늙으신 편은 아냐."

스티븐은 고개를 갸웃하며 대답했다.

"부활절 때 내가 영성체를 받기 원하셔."

"그래서?"

"나는 싫어."

하고 스티븐은 대답했다.

"왜?"

크랜리가 물었다.

"아무것도 섬기고 싶지 않아."

"그런 소리는 전에도 들은 것 같아."

크랜리가 조용히 말했다.

"그 말은 지금도 하고 있어!"

스티븐은 발칵 약이 올라 내쏘았다.

크랜리는 스티븐의 팔을 누르면서 말했다.

"침착해. 흥분 잘 하는 게 자네의 흠이야."

그러면서 그는 신경질적인 웃음소리를 내며, 우정이 넘치는 감동어린 눈으로 스티븐의 얼굴을 쳐다보았다.

"자신이 잘 흥분하는 기질이란 걸 알고 있니?"

"아무래도 그런 것 같아."

스티븐도 웃으면서 말했다.

최근에 와서 어쩐지 멀어졌던 두 사람의 사이가 갑자기 가까워진 것처럼 느껴졌다.

"성체를 믿니?"

크랜리가 물었다.

"아니."

"그럼, 의심한단 말이지?"

"믿지도 않고, 안 믿지도 않아."

스티븐이 대답했다.

"의심하는 사람이야 많지. 수도회 사람들 중에서도 많아. 다만 그걸 극복하고 물리칠 뿐이지."

크랜리가 말했다.

"그 점에 있어서 너의 의혹은 지나치게 강한 건가?"

"난 극복하고 싶지 않아."

스티븐이 대답했다.

크랜리가 잠시 당황한 채, 호주머니에서 무화과를 또 하나 꺼내 먹으려고 하는데, 마침 스티븐이 말을 걸었다.

"제발 부탁이다. 먹지 말아 줘. 입안에 무화과를 우물거리면서 이 문제를 토론할 순 없어."

크랜리는 불빛 아래 서서 그 무화과를 자세히 살펴보았다. 그러고는 코에 대고 향기를 맡더니 조금 베어 물었다가 이내 뱉고는 도랑으로 던졌다. 떨어진 무화과를 보고 그는 말했다.

"저주를 받은 자들아, 나를 떠나 영원한 지옥의 불 속에 들어가라! (마태복음 25장 41절)"

스티븐의 팔을 잡고 그는 다시 걸음을 옮겨 놓으면서 말했다.

"이런 말이 최후의 심판의 날에 너에게 내릴 것이 두렵지 않아?"

"내가 믿는다고 치자. 그러면 나에게는 무엇이 주어지지?"

스티븐이 물었다.

"학감 선생님과 함께 영원한 복을 누리게 되나?"

"기억해 둬. 그런 사람에게는 영광이 주어지는 거야."

크랜리가 말했다.

"그렇군."

스티븐은 적이 아니꼽다는 듯이 말했다.

"슬기롭고 날렵하고 둔감하고, 게다가 무엇보다 교활하니까."

"아무래도 이상하군. 어째서 너의 마음이 믿지도 않는 신앙으로 가득 차 있을까? 어릴 적에는 믿었겠지? 아마 그랬을 거라고 생각돼."

"응."

스티븐은 대답했다.

"그때는 지금보다 행복했었니?"

크랜리가 부드럽게 물었다.

"행복한 때도 있었고 불행한 때도 있었지."

스티븐은 말했다.

"그때는 난 다른 사람이었으니까."

"어째서 다른 사람이야? 그게 무슨 뜻이니?"

크랜리가 의아하다는 듯 물었다.

"내 말뜻은……. 나는, 현재의 나, 당연히 그렇게 되어야 할 나와는 다르거든."

스티븐이 말했다.

"지금의 너? 당연히 그렇게 되어야 할 너와는 다르다고?"

크랜리는 되풀이해 중얼거렸다.

"한 가지 묻겠는데, 어머니를 사랑하니?"

스티븐은 천천히 고개를 가로저으며 짤막하게 대답했다.

"난 네 말뜻을 모르겠어."

"누구를 사랑해 본 적은 있니?"

크랜리가 물었다.

"여자 말이냐?"

"내 말은 그게 아니야."

크랜리는 냉담한 투로 말했다.

"여태껏 누구에게나 아니면 무언가에 대해 사랑을 느낀 적이 있는가 묻는 거야."

스티븐은 친구와 나란히 걸어가면서 침울하게 보도를 내려다보았다.

"난 하느님을 사랑하려 했었지……."

하고 마침내 그는 말했다.

"지금 와서 보니 나는 실패한 것 같아. 정말 어렵더군. 자신의 의지와 하느님의 의지를 순간 순간 결합시키려 했지. 그 점에 대해서는 완전히 실패했다고는 생각지 않아. 아마 지금도……."

크랜리는 스티븐의 말을 가로채며 물었다.

"너의 어머니는 그동안 행복하게 살아오셨니?"

"그걸 내가 어떻게 알아?"

스티븐은 무뚝뚝하게 대답했다.

"형제는 몇이니?"

"아홉인가 열 명쯤. 죽은 애도 있지만."

"아버지는……?"

크랜리는 약간 머뭇거리다가 물었다.

"너의 집안일을 캘 생각은 없어. 그런데 너희 아버지는 유복하게 지내셨니? 말하자면 네가 성장할 무렵에는 말이야."

"응."

하고 스티븐은 대답했다.

"아버지는 무얼 하셨지?"

크랜리는 잠시 사이를 두고 물었다.

스티븐은 아버지의 이력을 거침없이 늘어놓았다.

"의과 대학생, 보트 선수, 테너 가수, 아마추어 연기자, 원외 정객(院外正客), 소지주, 소투자업자, 술꾼, 호인, 이야기꾼, 누군가의 비서, 양조회사의 무엇, 세금 징수원. 지금은 파산자로서 자신의 과거를 찬미하는 자야."

크랜리는 스티븐의 팔을 부여잡고 웃으며 말했다.

"양조장이라니 정말 멋진걸."

"또 물어볼 말이 있나?"

스티븐이 되물었다.

"현재 형편은 넉넉하니?"

"그렇게 보이니?"

스티븐은 퉁명스럽게 내뱉었다.

"그렇다면 너는 호사스럽게 컸구나."

크랜리는 깊은 생각에 잠기며 말을 이었다. 그는 이 말을 큰소리로 함으로써 마치 자기가 별 신념도 없이 그런 표현을 쓰고 있다는 사실을 상대에게 깨우쳐 주려 했다. 그가 이런 술어를 쓸 때는 항상 이런 식이었다.

"어머니의 고생을 덜어 드릴 생각은 없니? 어때?"

"될 수만 있으면. 그다지 힘든 것도 아니니 말이야."

스티븐이 대답했다.

"아니, 그렇게 해 드리라고. 어머니 뜻대로 해 드리면 되잖아. 성찬 따위는 너에게 아무것도 아니야. 너는 믿지도 않는걸. 그런 건 형식에 지나지 않아. 그것뿐이야. 그러면 어머니도 안심시켜 드릴 수 있고……."

크랜리는 일단 말을 끊었으나 스티븐의 대답이 없자 침묵을 지켰다. 그러더니 잠시 후 자기의 사고 과정을 표현해 보기라도 하려는 것처럼 이렇게 말했다.

"이 똥통 같은 구린 세상에 다른 모든 것이 불확실하더라도, 어머니의 애정만은 그렇지 않아. 어머니는 너를 이 세상에 태어나게 한 분이고, 처음으로 너를 자기 몸속에 지니신 분이야. 우리들이 어머니의 기분을 알 수는 없는 거야. 그러나 어머니가 어떻게 생각하고 있든, 적어도 그게 진실이란 것만은 확실해. 이건 틀림없다. 우리의 관념이니 양심이니 하는…… 그게 다 뭐냐? 한낱 장난거리에 불과해. 관념? 그런 건 얼치기 같은 템플도 가지고 있어. 맥칸도 가지고 있고. 여기저기 걸어 다니는 바보 등신도 제 관념은 다 지니고 있는 거야."

스티븐은 그 말의 배후에 숨겨진, 표현되지 않는 말뜻에 귀를 기울기고 있다가 시치미를 떼고 말했다.

"파스칼은, 내가 잘못 기억하고 있는지는 몰라도, 어머니에게도 키스를 허용하지 않았다는 거야. 여성과의 접촉이 두려워서."

"파스칼? 그는 돼지야."

크랜리는 강하게 내뱉었다.

"알로이시어스 곤자가(16세기 이탈리아의 예수회 회원)도 같은 의견이었다고 생각되는데?"

스티븐이 말했다.

"그렇다면 그 자도 돼지야."

크랜리는 말했다.

"하지만 성당에서는 성인으로 치부하고 있잖아."

스티븐이 항의했다.

"누가 뭐래도 문제가 안 돼. 난 그 자를 돼지라고 부르지."

크랜리는 난폭하게 잘라 말했다.

스티븐은 마음속으로 말을 잘 다듬어 가며 말했다.

"예수도 공석에서는 어머니를 대수롭지 않게 다룬 일이 있는 것 같지만, 예수회의 신학자이자 스페인의 신사인 수아레스는 그것을 변호하고 있지."

"이런 생각을 해 본 적이 있나? 예수는 보기와는 다른 사람일지도 모른다는 거 말야."

크랜리는 물었다.

스티븐이 대답이 없자 크랜리는 말에 힘을 주어 다시 물었다.

"예수는 의식적인 위선자였어. 그즈음 그가 유태인을 무어라고 했는가 하면, 흰 칠을 한 무덤이라고 했어. 더 분명히 말해, 예수는 악당이었다고 생각해 본 적이 없니?"

"그런 생각이 든 적은 없어."

하고 스티븐이 대답했다.

"하지만 나로서는 알고 싶어. 너는 나를 개종시키려는 거야, 아니면 너 자신이 배교자가 되려는 거야?"

스티븐이 크랜리의 얼굴을 보니 짐짓 의미심장한 듯 보이게 하려고 억지로 애를 쓰고 있었다.

크랜리는 갑자기 솔직하고 지각 있는 어조로 물었다.

"솔직히 말해 봐. 내 말에 섬뜩했지?"

"조금은."

스티븐은 솔직히 대답했다.

"그럼, 무엇 때문에 섬뜩했지?

크랜리는 한결 같은 어조로 그의 대답을 촉구했다.

"만일 네가 우리의 종교가 가짜이고, 예수가 하느님의 아들이 아니라고 확신한다면……."

"확신 같은 건 하지 않아. 예수는 마리아의 아들이라기보다는 하느님의 아들 같거든."

스티븐이 말했다.

"그래서 너는 성찬을 안 받으려는 거냐? 네가 그에 대해서도 확신이 없기 때문에, 성찬이 하느님의 몸과 피요, 단순히 빵 한 조각이 아닐 거라고 네가 느끼기 때문에 말이야."

크랜리가 물었다.

"그래. 그런 기분이 들기도 하고, 또 그걸 두려워하기도 해."

스티븐은 조용히 말했다.

"알았어."

크랜리가 말했다.

스티븐은 이야기를 끝내려는 듯한 크랜리의 말투에 놀라 이내 다시 토론을 시작했다.

"나에게는 두려운 것이 너무 많아. 개, 말, 총, 바다, 천둥, 기계, 밤의 시골길……."

"하지만 왜 한 조각의 빵이 두렵니?"

"이런 생각이 들어. 내가 두려워하는 것의 배후에는 뭔가 악의에

찬 것이 들어 있다는……."

하고 스티븐은 말했다.

"그렇다면 만일 네가 신성을 모독하는 그런 영성체를 한다면 가톨릭교의 하느님이 너에게 죽음을 내려 지옥에라도 보낼까 봐 그게 두려우냐?"

크랜리는 물었다.

"가톨릭교의 하느님은 지금 당장에라도 그렇게 할 수 있어. 나는 그것보다도 2천 년의 권위와 존경이 그 배후에 높이 쌓여 있는 한 상징에 대해 거짓 찬미를 올린 탓으로 내 영혼 속에 화학 반응 같은 게 일어날까 봐 그게 두려워."

하고 스티븐이 말했다.

"네가 만일 몹시 위험한 상태에 놓인다면 특별한 독신(瀆神) 행위라도 감행할 셈인가? 예를 들어, 형벌 시대(16, 17세기 영국에서 가톨릭의 의식을 거행할 때 무거운 형벌을 받았다)에 살고 있다면?"

"지난 일에 대해서는 뭐라고 대답할 수 없어. 아마 하지 않을 거야."

스티븐은 말했다.

"그럼, 프로테스탄트가 되고 싶은 생각은 없구나?"

크랜리가 물었다.

"신앙을 잃었다고는 했지만, 자존심을 잃었다고는 하지 않았어. 논리적이고 정연한 부조리를 버리고, 비논리적이고 난잡한 부조리를 취했다고 해서 그게 해방이 될 수는 없어."

스티븐이 대답했다.

그들은 계속 펨브로우크 지역의 가로수 길을 천천히 걷고 있었는데, 나무들과 근처의 큰 저택에서 비치는 불빛에 마음이 느긋해졌다. 주위에 떠도는 부유함와 안식의 분위기가 그들의 빈곤을 위로해 주는 듯했다. 월계수 울타리 너머에서 부엌의 불빛이 아른아른 비쳐오고, 식칼을 갈면서 부르는 하녀의 노랫소리가 들렸다. 그녀는 몇 소절씩 짤막하게 토막 내어 '로지 오그라디'를 노래하고 있었다. 크랜리가 발을 멈추고 귀를 기울이며 말했다.

"물리에르 콘태트(Mulier Contat. 여인이 노래한다)."

라틴어의 부드러운 아름다움이 매혹적인 감촉으로 밤공기에 부딪쳤다. 음악이나 여인의 손길보다도 한결 아련하고 설득력 있는 그런 감촉이었다. 그들 두 사람의 갈등은 사그라졌다. 성당의 예배석에 나가는 여자의 모습이 어둠 속에 슬쩍 지나갔다. 소녀처럼 작고 가느다란 몸매에, 등에 띠를 드리운 흰 옷차림이었다. 소년의 목소리처럼 연약하고 높은 노랫소리가, 최초의 가사를 부르는 여자의 목소리가 먼 성가대에서 들려왔다.

에트 투 쿰 예수 갈릴레오 에라스(Et tu cum Jesu Galilaeo eras, 너도 갈릴리아 사람 예수와 함께 있었도다).

그러자 모든 마음이 감동을 받고 그녀의 목소리 쪽을 향했다. 그 목소리는 어린 별처럼 빛났고, '갈릴리아'의 마지막 음에 강세를 주며 읊을 때에는 더욱 맑게 빛나다가 그 선율이 사리질 무렵에는 더 희미해졌다.

노랫소리가 멎었다. 두 사람은 계속 걸었다. 크랜리는 강한 억양의 리듬으로 후렴을 힘차게 되풀이했다.

> 둘이 결혼하여 살아가는 그날
> 아아, 얼마나 행복하리
> 내 사랑 로우지 오그라디
> 그도 나를 사랑하네

"이거야말로 너에게는 안성맞춤의 진짜 시로군."

크랜리가 말했다.

"진정한 사랑이 바로 여기 있다."

그는 이상한 미소를 띠고 곁눈질을 하면서 스티븐에게 말했다.

"넌, 이걸 시라고 생각하니? 이 가사의 뜻을 알겠어?"

"난 우선 로우지를 만나고 싶군."

스티븐이 말했다.

"그녀야 쉽게 찾을 수 있지."

크랜리가 말했다.

그는 모자를 깊숙이 눌러쓰고 있었다. 그것을 밀어 올리자, 스티븐은 어둠에 둘러싸인 창백한 얼굴과 크고 검은 눈을 볼 수 있었다. 이 사나이의 얼굴은 예쁘고 몸도 튼튼하고 씩씩했다. 그는 어머니의 애정을 이야기했다. 그렇다면 여성들의 고뇌, 여성의 육체와 영혼의 연약함을 느끼고, 굳센 팔로 그녀들을 지켜줄 것이다. 그래서 마음이 여자들에게로 쏠리는 것이겠지.

그렇다면 떠날 수밖에 없다. 헤어져야만 할 때다. 한 목소리가 스티븐의 외로운 마음에 속삭이며 떠나라고 명령하고, 우정이 끝나려 하고 있다고 말해 주었다. 그렇다, 헤어지자. 남과 다투는 일을 그는 할 수 없다. 그는 자기 역할을 알고 있다.

"아마 나는 떠나게 될 거야."

스티븐이 말했다.

"어디로?"

"갈 수 있는 곳으로."

스티븐은 대답했다.

"그래, 이 나라에서 네가 살아간다는 건 어려울지 모르지. 그러나 그것 때문에 떠나려 하는 거야?"

"나는 가야만 해."

스티븐이 대답했다.

"가기도 싫은데 이단자니 탈락자니 하여 자기를 자학할 필요는 없는 거야. 너와 같은 생각을 가진 신자는 얼마든지 있어. 그게 놀라운 일인가? 성당은 단지 돌로 만든 건물이나 성직자들의 교리가 아냐. 그 속에 태어난 모든 것의 집합체야. 네가 무엇을 하고 싶은가는 알 수 없지만 말이야. 하코트 역 어귀에 서 있던 날 밤 나에게 말하던 그 일 때문이냐?"

"그렇지."

스티븐은 추억과 장소를 결부시키는 크랜리의 버릇에 자기도 모르게 미소를 지으면서 말했다.

"그날 저녁에 너는 샐리갭에서 랄라스로 가는 지름길을 놓고 도허티와 30분이나 말씨름을 벌였지."

"바보 같은 녀석!"

크랜리는 멸시하듯 조용히 말했다.

"샐리갭에서 랄라스로 가는 길에 대해서 그 애가 뭘 알겠니? 말이 났으니 말인데, 그 애는 길 같은 것은 전혀 아는 바가 없는 놈이야. 멍청이 같은 녀석!"

스티븐은 한참 동안 너털웃음을 터뜨렸다.

"그 나머지 일도 생각나니?"

"암, 생각나지. 너의 정신이 아무런 속박 없는 자유에서 스스로를 표현할 수 있는 생활이나 예술 양식을 발견하겠다는 거였지."

스티븐은 그것을 시인하는 표시로 모자를 벗었다.

"자유라고 했지!"

크랜리는 되풀이했다.

"하지만 너는 신성 모독의 행위를 할 수 있을 만큼 자유롭지 못해. 도둑질을 할 수 있겠어?"

"우선 동냥을 하겠지."

하고 스티븐은 대답했다.

"소유권이라는 건 임시적인 것이기 때문에 어떤 상황에서는 훔친다는 건 불법이 아냐. 누구나 다 그런 생각에서 도둑질을 한다는 거야. 하지만 나는 그런 대답은 하지 않아. 예수회의 신학자 주안 마리아나 드 탈라베라(16세기 이탈리아 철학자)에게 묻는다면 이런 설명을 해 줄 거다. 어떤 상황에서 합법적으로 군주를 살해할 수 있는지, 또는 독약을 술잔에 타서 마시게 하는 것이 좋을지, 또는 그것을 국왕의 옷이나 안장에 발라 두는 것이 좋은가를 말이야. 차라리 나에게 물어라! 도둑질을 당해도 좋은가, 도둑질을 당했을 때 이른바 세속적인 응징을 도둑에게 가해도 좋은가 하고 말야."

"그러면 너는?"

"나 같으면 말이야, 벌을 주는 거나 도둑질을 당하는 거나 다함께 괴로울 걸로 생각해."

스티븐은 말했다.

"알겠어."

크랜리는 짧게 대답한 후 성냥개비를 꺼내어 이를 쑤시기 시작하더니 엉뚱하게 이런 말을 했다.

"너, 처녀를 범하고 싶지 않니?"

스티븐은 정중하게 대답했다.

"그거야 대부분의 젊은이들이 그런 야심을 갖고 있지."

"그래, 너의 견해는 어떠니?"

크랜리가 물었다.

'견해'란 말은 마치 덜 탄 숯불 연기처럼 스티븐의 정신을 저리게 하고 흥분시켰다. 온 머리통에 악취가 가득 밴 듯했다.

"크랜리, 너는 어찌하고 싶으냐, 하고 싶지 않으냐 하고 물었지? 하고 싶다, 하고 싶지 않다를 대답해 주겠어. 나는 내가 믿지 않는 사람에게 시중은 들지 않겠어. 그게 비록 내 가정이든, 조국이든, 교회

든 말이야. 나는 될 수 있는 한 자유롭게 인생의 어떤 양식으로써, 아니면 예술의 어떤 양식으로써 자기를 표현할 작정이야. 자신을 수호하기 위한 유일한 무기인 침묵과 유랑과 간지(奸智)를 써 가면서 말이지."

스티븐이 말했다.

크랜리는 스티븐의 팔을 잡고 리슨 공원 쪽을 향해 돌아섰다. 그러고는 멍청한 웃음을 띠면서 형처럼 정답게 그의 팔을 꼭 눌렀다.

"간지라!"

그는 말했다.

"네가 말이지? 가난한 시인인 네가?"

"하지만 고백을 시킨 건 너잖아."

스티븐은 자신이 유도심문에 걸려들었다는 사실에 새삼 놀라면서 말했다.

"그렇군, 나의 아들이여."

크랜리는 고해 신부의 말투를 흉내 내면서 자못 경쾌하게 말했다.

"너는 나로 하여금 마음에 품고 있는 공포를 털어놓게 했어. 하지만 난 네게 내가 두려워하지 않는 것도 말해 주겠어. 나는 홀로 있는 것을 두려워하지 않아. 남에게 추방을 당하는 걸 두려워하지 않고, 결국 헤어져야 할 사람과 헤어지는 걸 두려워하지 않아. 그리고 나는 어떤 잘못을 저지르는 것을 두려워하지 않아. 그것이 설마 큰 잘못이고 평생에 걸친 잘못, 어쩌면 영원히 계속될 잘못이라고 하더라도 나는 두려워하지 않아."

크랜리는 다시 정중하게 걸음을 늦추며 말했다.

"천애의 고독, 그것을 두려워하지 않는다는 말이지? 고독이란 말이 무슨 뜻인지 알기나 하니? 모든 사람과 일체 헤어지고 만다는 것뿐만 아니라, 한 사람의 친구도 없게 되는 거야."

"나는 그와 같은 위험도 무릅쓸 작정이야."

스티븐은 말했다.

"친구 이상의 존재, 이 세상에서 가장 고귀하고 진실한 친구 이상의 존재까지도 가질 수는 없다는 말이야."

크랜리의 말은 스티븐 자신의 천성 속에 숨어 있는 깊은 심금을 울리는 것 같았다. 그는 자기 자신에 대한 이야기, 즉 있는 그대로의 자신 혹은 되고자 하는 자신에 대한 이야기를 했었던가? 스티븐은 말없이 크랜리의 얼굴을 지켜보았다. 그의 얼굴에는 싸늘한 슬픔의 그늘이 있었다. 자기 자신의 심정을 말하고 있는 거다. 이 사나이가 두려워하고 있는, 이 사나이 자신의 고독을 말하고 있는 거다.

"누구를 두고 하는 말이냐?"

하고 스티븐은 물어보았다.

크랜리는 대답이 없었다.

3월 20일 나의 반항에 관해 오랫동안 크랜리와 이야기를 나누었다. 그는 언제나처럼 거만하게 굴었다. 나는 얌전히 굴었다. 어머니에 대한 사랑 문제로 핀잔을 들었다. 그의 어머니를 상상해 보려고 했으나 불가능했다. 언젠가 무심코 얘기하다가 그는 부친이 예순하나에 자기를 낳았다고 했다. 그의 아버지는 상상이 간다. 건장한 농부 타입, 바랜 작업복, 넓적한 발, 엉성하게 기른 더부룩한 수염. 아마 사냥개 품평회에 가는 길이리라. 랄라스의 드와이어 신부에게 제때 헌금은 하지만 많이는 내지 않는다. 이따금 밤이 되면 색시들과 사귀기도 한다. 그러나 그의 어머니는? 아주 젊은 편인가, 꽤 늙은 편인가? 크랜리의 말에 따르면 젊지는 않을 게다. 그렇다면 결국 늙은 편일 수밖에. 그렇기에 영감님을 돌봐 주지도 않을 거다. 크랜리의 정신적 절망은 여기서 출발한다. 지친 허리에서 태어난 아들.

3월 21일 아침 어젯밤 잠자리에서 생각한 일이지만, 너무도 몸이 나른해서 일어나기가 싫었고 생각도 산란하여 더 쓰지 않았다. 정말 지친 허리는 엘리자베스와 재카리(세례 요한의 부모)의 허리. 그러니까 그는 선구자. 그가 주로 먹는 것은 돼지 뱃살 베이컨과 말린 무화과. 이것을 '메뚜기와 석청'이란 말로 바꿔라. 그리고 그의 생각을 할 때마다 잿빛 커튼 아니면 베로니카 천(예수가 십자가를 지고 갈 때 베로니카라는 여인이 준 수건으로 얼굴을 씻자 거기에 예수의 얼굴이 찍혀 있었다)에 떠오른 엄숙한 머리, 또는 데스마스크가 회상된다. 성당에서는 이것을 참수라고 일컫는다. 라틴문 앞에서 성 요한 때문에 조금 골치를 앓았다. 내가 본 것은? 자물쇠를 비틀어 열려는, 참수당한 선구자.

3월 21일 밤 자유롭다. 영혼이나 공상이나 할 것 없이 죄다 자유롭다. 죽음으로 하여금 죽은 자를 매장케 하라. 그리고 죽은 자와 죽은 자를 결혼시켜라.

3월 22일 린치와 함께 몸집이 큰 간호사의 뒤를 쫓았다. 린치의 발상. 얄밉다. 암소를 좇는 여위고 주린 두 마리의 사냥개들.

3월 23일 그날 밤 이후로는 그녀를 볼 수가 없다. 몸이 아픈가? 아마 엄마 숄을 어깨에 걸치고 난로 곁에 앉아 있을 게다. 하지만 신경질은 좀 부리지 마라. 맛있는 오트밀은 어때? 먹고 싶지 않아?

3월 24일 어머니와 토론을 시작하였다. 주제는 동정녀 마리아. 젊은 사나이인 내가 불리하다. 곤경을 모면하기 위해 마리아와 아들의 관계 대 예수와 아버지의 관계를 들어 밀고 나갔다. 종교라는 것은 산부인과 병원은 아니라나. 어머니는 너그럽다. 내 마음이 별난 것은 책을 너무 많이 읽었기 때문이라고 한다. 이것은 당치 않은 말씀. 책은 조금밖에 읽지 않았고, 이해하고 있는 것도 보잘것없다. 그런데 어머니는, 너는 마음이 불안하기 때문에 언젠가 다시 신앙으로 돌아올 것이라고 하였다. 죄라는 뒷문으로 성당을 떠났다가 회개의 하늘문으로 돌아오는 셈. 회개할 수는 없다. 그렇게 주장하고는 6페니만 달라고 하였다. 3페니를 얻었다.

이윽고 학교에 갔다. 악당 같은 눈초리의 게지와 또 말씨름. 이번에는 놀라 사람 브루노에 관해서. 처음에는 이탈리아어로, 나중에 가서는 서투른 영어로. 그는 브루노를 가공할 이단자였다고 했고, 나는 그가 무서운 화형을 당했다고 했고, 그는 슬픈 듯이 이에 동의. 이윽고 베르가모 식 음식을 만드는 요리법을 가르쳐 주었다. 그가 부드럽게 '오' 발음을 할 때 마치 그 모음에 키스라도 하듯이 두툼하고 관능적인 입술을 내민다. 그에게 키스의 경험이 있는지? 회개는 할 수 있을까? 할 수 있겠지. 악당 같은 동그란 눈에서 두 방울의 눈물. 한쪽

눈에 한 방울씩.

스티븐스 공원, 즉 나와 같은 이름의 공원을 가로질러가면서, 크랜리가 지난날 밤 우리의 종교라고 말한 그 종교는 우리나라 사람이 창시한 것이 아니라, 그 나라 사람이 창시했다는 사실을 회상해 본다. 보병 97연대의 병사 4명이 십자가 아래 앉아서 십자가에 못 박힌 자의 외투를 빼앗으려고(그리스도가 4명의 로마 병사에게 옷을 빼앗긴 사실에 빗대어) 주사위를 던지고 있었다.

도서관으로 갔다. 평론을 한 3편 읽으려 했으나 허사였다. 그녀는 아직도 나오지 않았다. 나는 놀라고 있는 것일까? 무엇 때문에? 그녀가 이제 다시는 모습을 나타내지 않는다는 사실 때문에.

블레이크는 이런 시를 썼지.

> 윌리엄 본드가 죽을까 궁금하다
> 병세가 매우 위중하니까

아아, 불쌍한 윌리엄!

언젠가 로턴다 극장에서 디오라마를 구경한 적이 있다. 나중에는 위인들의 초상이 나타났다. 그중에는 당시 갓 작고한 윌리엄 유아트 글래스턴의 초상화도 있었다. 합창단이 '오오 윌리, 우리의 마음은 슬프도다'를 연주했다.

3월 25일 아침 악몽에 시달린 하룻밤. 이 악몽을 가슴에서 씻어 버리고 싶다.

길게 구불구불 잇닿은 화랑. 마룻바닥에서 검은 수증기가 뭉게뭉게 피어오른다. 전설의 왕들이 석상을 가득 채우고 있다. 지친 나머지 그들의 두 손은 무릎 위에 얹혀 있고, 인간들의 모든 잘못이 검은 수증기처럼 눈앞에 솟아 올라 눈에는 슬픔을 띠고 있다.

동굴에서 나온 것 같은 이상한 모양의 사람들이 앞으로 걸어 나온다. 사람만큼 크지는 않다. 각자 떨어져 있는 존재같이는 느껴지지 않는다. 얼굴에는 검은 줄이 나 있고 인광이 번쩍인다. 나를 제외한 모든 사람들이 무언가 묻고 싶은 표정이다. 그런데 아무도 입을 열지 않는다.

3월 30일 오늘 저녁 무렵, 크랜리는 도서관 현관에서, 딕슨과 그녀의 아우에게 문제를 내주고 있다. 여전히 어머니 타령이다. 어머니가 자식을 나일 강에 떨어뜨렸다. 악어가 아이를 물어 올렸다. 어머니는 돌려달라고 애원했다. 악어는 '좋다, 내가 아이를 잡아먹으려고 했는지 아닌지 알아맞히면 돌려주마'라고 했다.

이와 같은 정신 작용은 '태양의 작용에 따라 내 머릿속에서 떠오른다' 하고 레피두스(셰익스피어의 작품 《안토니우스와 클레오파트라》 2막 7장) 같으면 말할 것이다.

그러면 내 정신 작용은? 역시 마찬가지 아니겠는가. 그렇다면 나일 강 진창 속에 버려라!

4월 1일 이 마지막 문구는 취소다.

4월 2일 존스톤, 무니 앤드오브라이언의 가게에서 그녀가 차를 마시며 과자를 먹고 있는 것이 보였다. 아니, 살쾡이 눈을 한 린치가 지나다가 발견한 것. 그의 말에 따르면 크랜리는 거기에 와 달라는 부탁을 받았다고 했다. 그자는 오늘 악어를 데리고 왔을까? 지금 그자는 환하게 타오르는 등불이 되었을까? 아무튼 정체는 밝혀졌다. 확실히 알았다. 위클로우(크랜리는 위클로우 태생)의 겨 가마니 뒤에서 조용히 빛나고 있다.

4월 3일 핀들레이터 성당 건너편 담배 가게에서 데이빈과 만났다. 검은 스웨터를 걸치고 아일랜드 식 하키봉을 들고 있다. 내가 떠난다는 게 사실이냐, 그 이유는 무엇이냐고 하고 물었다. 타라로 가는 지름길은 홀리헤드를 거쳐가는 길이라고 가르쳐 주었다. 마침 그때 아버지가 걸어오셨다. 소개를 했다. 아버지는 상냥한 태도로 관찰하고 있었다. 데이빈에게 차라도 한잔하자고 권했으나 그는 모임이 있어서 가는 길이라고 사양하였다. 헤어진 뒤 아버지 말씀이 그 친구는 훌륭하며 정직한 눈을 가지고 있다고 하셨다. 왜 보트 클럽에 들어가지 않았는가, 하고 물었다. 그리고 페니피더 심장을 혼내 준 이야기를 하셨다. 내가 법학을 전공해 주기를 바라셨다. 내 적성에 맞다고. 갈수록 진창, 갈수록 더 많은 악어뿐.

4월 5일 사나운 봄날, 흩어지는 구름. 아아 인생! 어두운 늪의 소용돌이 속에 사과나무의 화사한 꽃 그림자가 비치고, 잎 사이에서 보이는 처녀들의 눈. 그녀들은 처음에는 점잔을 빼다가 이윽고 서성거리기 시작한다. 다들 금발 아니면 적갈색. 검은 머리는 없다. 홍조를 띠고 있는 게 더욱 아름답다. 일품이야!

4월 6일 확실히 그녀는 옛날 일을 기억하고 있다. 린치의 설에 따르면 여자란 다 그렇다나. 그러니까 그녀는 어릴 적의 일을 기억하고 있고, 그리고 내 소년 시절의 일도. 나에게도 소년 시절이 있었다고 한다면. 과거는 현재 속에 해소되고 현재는 미래를 낳기 때문에 생명을 가진다. 린치가 말하는 여성상이 옳다고 한다면 언제까지나 가려서 덮어 싸 두어야 할 것이다. 한쪽 손은 난처하다는 듯이 몸 뒤쪽을 쓰다듬으면서.

4월 6일 심야 마이클 로버츠(예이츠의 시에 나오는 인물)는 잊었던 미(美)를 회상한다. 그리고 두 팔로 그녀를 끌어안을 때, 그는 이 세상에서 오랫동안 사라졌던 미를 껴안는다. 그것과는 다르다. 전혀 다르다. 나는 아직도 이 세상에 나타나지 않은 미를 껴안고 싶다.

4월 10일 침울한 밤하늘 아래 아무리 애무해도 느끼지 않는 지쳐버린 애인처럼, 꿈에서 꿈 아닌 밤으로 옮겨 간 밤의 정적 속에 한길을 두드리는 말발굽 소리, 다리에 이를 무렵 아련하던 소리는 더 또렷이 울린다. 캄캄한 창 밑을 통과할 때 정적은 화살 같은 경적에 찢어지고 만다. 지금은 또 저 멀리서 들려온다. 침울한 밤 어둠 속에서 보석같이 빛나는 발굽들이 잠이 든 들을 건너 어딘지 여행의 종착점을 향해 서둘러 가고 있다. 그 어느 가슴에 어떤 소식을 전해 주려는가?

4월 11일 어젯밤에 써 놓은 것을 읽었다. 망막한 정서, 망막한 언어. 그녀는 이런 것을 좋아할까? 좋아할 것으로 생각된다. 그렇다면 나 역시 좋아해야지.

4월 13일 오랫동안 턴디시(tundish)란 말이 마음에 걸렸었다. 조사해

본 결과 영어였다. 게다가 유서 깊은 영어였다. 제기랄, 학감이란 작자, 그걸 '깔대기'라나? 그치, 영어를 가르치러 왔나, 우리에게 배우러 왔나. 제기랄, 어느 쪽이든 마찬가지가 아니냐!

4월 14일 존 알폰서스 말레넌이 아일랜드 서부에서 돌아왔다. 유럽과 아시아 신문들도 기꺼이 기사를 싣고 있다. 산 속 오두막에서 한 노인을 만났다나. 노인은 눈이 붉고 짧은 파이프를 입에 물고는 아일랜드 말을 했다. 말레넌도 아일랜드어로 말하다가 나중에는 영어로 말하였다. 말레넌은 그에게 우주와 별에 관한 이야기를 하였다. 노인은 자리에 앉아 귀를 기울이며 담배를 피우다가 침을 뱉었다. 그리고 말했다.

"세상 말세에는 몹시도 기이한 짐승들이 생길 것이다."

그 노인이 무섭다. 붉게 핏줄이 선 눈이 무섭다. 오늘 밤새, 밤이 샐 때까지 격투를 해야 할 상대는 그다. 그가 죽든지 내가 죽든지 결판이 날 때까지. 그놈의 억센 목덜미를 움켜쥔 채…… 결국, 어찌 되지? 그놈이 굴복할 때까지? 아니야, 나로서는 그를 해칠 생각은 없다.

4월 15일 오늘 그래프턴 거리에서 마침 그녀와 마주쳤다. 인파에 밀려 서로 마주친 것이다. 두 사람은 우뚝 멈춰 섰다. 그녀는 나에게 왜 자기를 찾아와 주지 않느냐고 묻고 내 소문을 많이 듣고 있다고 하였다. 또 시를 쓰고 있느냐고 물었다. 누구에 관한 시를 말하느냐고 나는 되물었다. 이 말에 그녀는 몹시 당황해 하였다. 나는 아니할 말을 했구나 생각했다. 곧 화제를 돌려 단테 알리게리가 발명하여 모든 나라에서 특허를 얻은 정신적, 영웅적 냉각 장치를 열었다(단테의 《새로운 생활》에 나오는 베아트리체에 대한 시인의 플라토닉한 사랑을 언급함. 여기서는 스티븐이 에어와의 현실적인 연을 끊어 버리고 이상적 사랑의 세계를 추구함을 암시). 나 자신에 관해, 나의 계획에 관해 일사천리로 지껄였다. 그러다가 갑자기 불행하게도 혁명가 같은 태도를 보였다. 허공에 콩을 한줌 던지는 꼴이었겠지. 다들 우리를 쳐다보았다. 잠시 후에 그녀는 악수를 하고 떠나가면서, 내가 말한 대로 모든 것이 이루어지기를 희망한다고 했다.

그렇다, 오늘 그녀의 태도는 마음에 들었다. 약간, 아니면 많이? 모르겠다. 그녀가 마음에 들자 그것이 무슨 새로운 감정처럼 느껴졌다. 그렇다면 내가 생각했다고 생각한 모든 게, 내가 느꼈다고 느낀 모든 게, 여태까지의 다른 모든 게, 전부, 실은…… 오오, 치워라. 잠이나 자자!

4월 16일 떠나자! 떠나자!

완력과 음성의 매력. 하얀 팔처럼 뻗은 길, 그 굳건한 포옹의 약속과 달을 배경으로 하여 떠 있는 우뚝한 배들의 검은 팔, 그들이 말하는 저 먼 나라의 이야기들. 그들은 팔을 뻗고 다음과 같이 말한다. 우리는 고독하다. 떠나자고. 그러자 그와 함께 소리는 말한다. 우리는 너희들의 동족이라고. 그들이 혈족인 나를 부르고, 떠날 채비를 하며, 그 기고만장하고 무서운 젊음의 날개를 흔들 때 허공은 그것들로 가득하다.

4월 26일 어머니는 갓 사온 나의 중고품 양복을 고치고 있다. 내가 고국과 친구들 떠나 고독한 생활을 하면서 인간의 마음은 어떤 것인가, 그것은 무엇을 느낄 것인가를 배워 주었으면 하고 기도하는 듯하다. 아멘! 부디 그와 같이 되기를. 오너라, 오오, 인생이여! 나는 떠나련다. 현실의 경험을 몇백만 번이나 맞이하고, 나의 동족의 아직 창조되지 않은 의식을 내 영혼의 대장간에서 단련하기 위해서.

4월 27일 고대의 아버지여, 고대의 장인이여, 지금 그리고 앞으로 영원히 힘을 주소서(스티븐이라는 이름을 그로부터 따왔다고 생각하는 그리스의 공장 다이달로스에 대한 기도. 지중해 떨어지는 이카로스의 구원을 암시함).

1904년, 더블린

1914년, 트리에스테

독후감 길라잡이

❶ 내용 훑어보기

《젊은 예술가의 초상》은 총 5장으로 구성되어 있습니다. 이 소설은 유년기에서 청년기에 이르는 주인공의 정치적, 종교적, 지적 편력을 다룰 뿐만 아니라, 가정과 종교와 국가를 초탈해 버린 그가 예술가로서의 포부를 실현하기 위해 결국에는 자기 유배의 길을 떠나는 과정까지를 그리고 있습니다. 1장에서는 어린 꼬마였던 주인공이 5장에서는 대학생이 되어 자신의 자아와 해야 할 사명을 고민하게 됩니다. 결국 1~5장까지의 과정은 주인공의 성장과 자아 탐색을 그린 셈이지요. 그럼 장별로 줄거리를 훑어볼까요?

제1장은 주인공 스티븐 디달러스의 유년시절 기억으로 시작합니다. 아버지로부터 동화를 듣고, 댄티 아주머니에게 노래를 배우고 가르침을 받던 유년 시절의 이야기는 곧 클론고스 우드 학교에서 보낸 나날에 대한 기억으로 이어지게 됩니다. 여섯 살이라는 어린 나이에 이 사립 기숙학교에서 가장 어린, 기초반 학생이 된 스티븐에게는 벌써 자아의식이 싹트고 있습니다. 이 증거는 그가 지리책 앞에 "스티븐 디달러스, 기초반, 클론고스 우드 학교, 샐린즈 마을, 킬데어 군, 아일랜드, 유럽, 세계, 우주"라고 적어 넣음으로써 자신의 현주소라 할 만한 것을 모색하고 있었다는 사실입니다.

어린 시절부터 자아의식이 너무 강해 그는 학교생활에 잘 적응할 수 없었을 뿐만 아니라, 동료 학생들이나 교사들로부터 부당한 박해를 받기도 합니다. 이 점이 명료히 드러나는 대목은 스티븐이 교실에서 학감 선생인 돌란 신부에게 부당하게 매를 맞은 후 교장 선생님을 찾아가는 장면입니다. 그러나 첫 장에서도 하이라이트라 할 수 있는 이 장면이 우리에게 각별히 의미심장한 것은, 이것을 계기로 그가 학생들 사이에서 영웅으로 대접받게 되기 때문이 아닙니다. 이는 이런 일이 앞으로 있게 될 스티븐의 거부적이고 반항적인 자세를 예견하게 해 주기 때문이라고 보아야 할 것입니다.

학교생활 이외에, 그의 의식 세계에서 매우 중요한 위치를 차지해 온 것은 가정, 정치, 그리고 종교입니다. 첫 장에서부터 우리는 그의 주위 환경을 이루고 있던 종교 생활과 정치적 분위기의 일면들을 볼 수 있습니다. 예를 들면, 스티븐 디달러스의 아버지인 사이먼 디달러스와 그의 친구, 그리고 댄티 아주머니가 정치, 종교적으로 거친 논쟁을 벌이는 크리스마스 만찬 장면을 통해 볼 수 있는 것은 무엇일까요? 바로 가톨릭교회의 요구와 영국 통치로부터의 독립을 지향하는 정치적 갈망 사이의 갈등이 심상치 않다는 사실입니다. 이 두 가지 현실은 스티븐이 언젠가 자신 안에 있는 예술가적 자아를 의식하고 이를 확립하려고 마음먹는 날, 모두 버리거나 극복하지 않으면 안 될 걸림돌들이기도 합니다.

제2장은 스티븐의 부친이 파산한 어느 해 여름의 이야기로부터 시작합니다. 가을에 클론고스 우드 학교로 되돌아갈 수 없게 된 것을 안 스티븐은 동네 아이들과 전쟁놀이를 하거나 우유 마차를 따라다니거나, 찰스 아저씨와 심부름을 다닙니다. 한편 꿈속의 여인 메르세데스(《몬테크리스토 백작》에 등장하는, 주인공 에드몽과 결혼하기로 하였으나

하지 않은 여인)를 찾아다니거나 현실의 여인 에머 클러리를 만나면서 그는 자기 존재를 확인하기 위한 정신적 노력을 계속하게 됩니다. 뿐만 아니라, 스티븐은 자신의 성장을 기다리고 있다고 생각되던 '커다란 자기 몫의 역할'을 장차 담당하기 위해 남몰래 준비하기 시작합니다. 또한 자기야말로 다른 아이들과는 다르다는 생각을 하며 '자기 영혼이 그 동안 꾸준히 지켜보고 있었던 그 실체 없는 이미지'를 실제 세계에서 마주쳐 보기 위하여 마음을 가다듬어 보기도 합니다. 그 이미지와 마주치는 순간에 '연약함과 소심함과 무경험이 그로부터 떨어져 나가게 될 것'이라는 믿음이 이 무렵 그의 정신세계에서 은연중에 확립됩니다.

이런 믿음은 그로 하여금 세속적으로 중요시되곤 하는 많은 것들에 대해 손을 떼거나 적어도 거리를 두어야 한다고 생각하게 합니다. 더블린 시내의 벨베데어 학교에 입학하여 학업을 계속하게 된 스티븐은 학업 성적이 우수하고 신앙심이 돈독하다 하여 다른 학생들에게 존경의 대상이 됩니다. 하지만 그의 마음 한구석에는 자신도 모르는 새에 이단의 요소들이 싹트고 있었습니다. 이 이단적인 생각은 교실에서 영작문 선생에 의해 처음으로 지적됩니다. 또 바이런과 테니슨 중에서 누가 19세기의 대표적인 시인이 될 수 있는가 하는 문제를 놓고 그가 동료 학생들과 충돌하는 대목에서 두드러지게 표면화됩니다. 이 충돌에서 스티븐은 19세기의 전형적인 반항아였던 바이런이 대표적인 시인이라고 주장했다가 이를 이단으로 모는 동료 학생들에게 뭇매를 맞기까지 합니다.

한편, 학교의 시험과 작문에서 우수한 성적을 올린 그는 막대한 상금을 받은 후 한동안 돈을 쓰는 재미에 열중해 보기도 합니다. 그러나 이 장의 클라이맥스는 그가 더블린의 사창가에서 그 돈의 일부를 써서 창녀와 첫경험을 하는 장면이라 할 수 있는데, 이때 그의 나이는 열여섯 살입니다.

제3장에서 스티븐은 자신이 저지른 죄악, 즉 순결을 잃은 것 때문에 고민하기 시작합니다. 아이러니하게도 학생 신심회(信心會)의 회장직까지 맡게 된 그는 동료 학생들 앞에서 거짓된 역할을 해야 하기 때문에 그의 고뇌는 더욱 커지게 됩니다. 마침 벨베데어 학교에서는 성 프란시스 사비에르(방지거 사베리오)를 추념하는 피정 기간이 시작되어 학생들은 죄인이 받게 될 저주와 파멸에 대한 강론을 듣게 됩니다. 지옥의 모습 및 죄인의 처벌에 대한 아날 신부의 묘사는 어떻게 보면 이 소설에서 너무 길게 늘어져 있는 듯하지만, 그 자체로 상상된 세계에 대한 묘사문학으로는 압권이라 할 수 있습니다. 뿐만아니라 이 강론이 스티븐에게 미치는 심리적 영향의 무게를 고려한다면 이 장면을 결코 지루하게만 읽을 수는 없습니다. 스티븐은, 지옥의 처절한 정경이나 최후의 심판 날에 죄인들이 받게 될 영원한 벌에 대한 강론 신부의 생생한 묘사에 너무 큰 충격을 받은 나머지 잠자리에 들어 끔찍한 악몽을 꾸게 됩니다. 그리고 고해 성사를 하기로 결심하고, 고해 신부를 찾아가서 8개월 만에 자신의 죄(미사에 빠졌고, 기도를 올리지 않았고, 거짓말을 했고, 화를 냈고, 남을 시기했고, 음식을 탐했고, 허영을 부렸고, 불복했고, 순결을 범하는 죄를 지음)를 고백하기에 이릅니다.

제4장에서는, 스티븐이 벨베데어 학교의 교장으로부터 성직자가 될 생각이 없느냐는 물음을 받게 됩니다. 제3장에서 자신의 죄악을 고백하고 그 후 경건하게 신앙의 나날을 보내왔던 스티븐의 행동을 보면 당연한 결과라고 볼 수 있습니다. 교장은 스티븐에게 성소(聖召)의 여부에 대한 질문을 던집니다. 스티븐은 자신이 그 동안 예수회의 신부가 될 생각을 더러 해 보았음을 회상하지만 이내 그것이 "자기야말로 다른 사람들과는 동떨어진 존재라고 생각하게 하던 그 오만한 정신"을 위배하는 길이며 따라서 자신의 갈 길이 아님을 확인합니다. 오히려 그는 죄악이라는 "세상의 함정"에 기꺼이 빠져 보고 "영혼이 겪게 될 말없는 타락"까지 마다하지 않음으로써 삶의 요체를 배워보리라 마음먹습니다.

이윽고 그는 대학에 진학하게 되고 그가 아직 "그 정체를 파악하지 못하고 있던 '삶의' 목표"가 자신에게 손짓하고 있음을 보게 됩니다. 그리고 스티븐은 그 목표란 바로 그 자신이 예술가로 입신하는 것이라는 사실을 깨닫게 됩니다. 한편, 그는 자신이 그때까지 살아온 소년 시절이라는 무덤에서 일어나, 그 시절을 친친 감고 있던 죽음의 옷을 벗어버릴 것이며, 그와 같은 이름을 가진 그리스 신화 속의 전설적 명장(明匠) 다이달로스—'디달러스'라는 그의 이름은 다이달로스의 영어식 표기—처럼 "그도 이제는 영혼의 자유와 힘을 밑천으로 하나의 살아 있는 것, 아름답고 신비한 불멸의 새 비상체를 오만하게 창조해 보리라"고 마음먹습니다.

이와 같은 사명감의 의식은 이 장의 끝, 그가 바닷가에 갔다가 개울에 서 있는 한 소녀와 마주치게 되는 대목에 이르러 상징적으로 확인됩니다. 관능적인 묘사를 받고 있는 이 낯선 소녀의 헐벗고 가느다란 다리는 학(鶴)의 다리를 연상시키고 그녀의 가슴은 비둘기의 가슴을 생각하게 합니다. 그런데 이 평화롭고 아름다운 새들의 이미지는 어린 시절에 그를 위협했을 뿐만 아니라 사실상 그의 전 소년 시절을 통해 그를 예속해 왔던 독수리가 지배하는 세계, 즉 종교와 가정과 국가라고 하는 구석체들이 이루는 세계와 의미심장한 대조를 이룹니다. 이 소녀 앞에서 스티븐은 독신적(瀆神的)인 환희의 폭발을 느끼고 그의 영혼은 그녀의 눈으로부터 어떤 부름을 받고 기뻐 날뜁니다. 이내 바닷가 모래 언덕에서 잠이 든 스티븐은 꿈속에서 자신의 예술적 장래를 상징하는 듯한, 꽃처럼 화려한 빛의 세계를 봅니다.

제5장은 스티븐이 대학 생활을 통해서 부단히 현실 거부의 몸짓을 강화하고 있음을 보여 줍니다. 첫째로 그는 아일랜드라는 자신의 조국을 거부합니다. 그가 보기에, 아일랜드에서는 한 영혼이 태어나는 순간부터 그물을 뒤집어쓰게 되어 평생 날지 못하며 따라서 아일랜드는 각 개인에게 "제 새끼를 잡아먹는 늙은 암퇘지" 같은 존재에 불과합니다. 조국을 거부하는 그의 자세는 아일랜드 민족 문화 부흥 운동의 일환에서 진행되고 있던 모국어 학습을 그가 단호히 거절하는 데서도 드러납니다. 그는 또, 대학의 학감과 같은 실리적이고 실용적인 지식을 숭상하는 교육자들에 의해 대표되는 불모의 교육에 대해서도 환멸을 느낍니다. 뿐만 아니라 혼란의 극에 빠져 있는 아일랜드의 정치적 현실 및 국제 평화를 위한 캠페인 따위를 외면함으로써 그

는 애타주의를 모르는 개인주의자라는 비난을 받기도 합니다. 한편 그는 "어둠과 비밀과 고독 속에서 자아의 의식을 되찾는 박쥐 같은 영혼"을 가진 아일랜드의 여성들에 대해서도 환멸을 느끼면서 어린 시절부터 알아왔던 에머 클러리에 대한 그의 애착을 미련 없이 떨쳐 버립니다. 또 부활절에 성찬을 배수하라는 어머니의 요구를 거부함으로써 그는 자신의 의식 속에 깊이 뿌리박고 있던 종교를 거부하는 한편 종교와 가정생활을 통해 그에게 꾸준히 압력을 가해 오던 어머니의 애정마저 거부합니다.

이리하여 정치와 종교와 가정을 모두 떨쳐 버린 그는 토마스 아퀴나스의 철학을 근거로 한 자기의 예술가적 신념을 이론적으로 확립한 후 이를 실천하려는 결의를 다집니다. 이 결의는 스티븐이 썼던 일기 중 다음 구절 속에 잘 요약되어 있습니다.

나는 내가 믿지 않는 사람에게 시중은 들지 않겠어. 그게 비록 내 가정이든, 조국이든, 교회든 말이야. 나는 될 수 있는 한 자유롭게 인생의 어떤 양식으로써, 아니면 예술의 어떤 양식으로써 자기를 표현할 작정이야. 자신을 수호하기 위한 유일한 무기인 침묵과 유랑과 간지(奸智)를 써 가면서 말이지.

이렇게 선언한 후 그는 "내 영혼의 대장간 속에서 아직 창조되지 않은 내 민족의 양심을 벼리어내기 위해" 조국을 버리고 자기 유배의 길을 나섭니다.

❷ 작품 분석하기

(1) 구성과 플롯, 기법에 대하여

작가 제임스 조이스는 이 자전적 소설에서 자기 자신을 스티븐 디달러스라는 가명으로 등장시킴으로써, 자신의 이야기를 서술할 때 작가가 자칫 범하기 쉬운 감정적 개입을 성공적으로 회피하고 있습니다. 이를 3인칭 제한적 시점이라고 합니다. 3인칭 제한적 시점은 작중 서술자 한 사람의 중심의식이라는 제한된 시각을 통해서 독자에게 모든 정보를 전달합니다. 이 시점은 작가 헨리 제임스가 자신의 모더니즘 작품인 《대사들(The Ambassadors)》에서 처음 선보인 것으로, 제임스 조이스도 이와 유사한 시점을 사용하고 있습니다. 3인칭 전지적 시점을 다양한 문체 변형과 혼합을 통해 교묘하게 변주하고 있는 것이죠. 제임스 조이스는 자신과 자신의 소재 사이에 적당한 미적 거리를 유지하고 있습니다. 이것은 곧 작품 속에서 스티븐이 주장하는 예술 이론, 즉 "예술가는 창조의 신처럼 자기가 만드는 작품의 내면이나 이면 혹은 그 위 또는 초월적인 곳에 남아서 남의 눈에 띄지 않은 채 스스로를 순화하여 사라지게 한 후 초연히 손톱이나 깎고 있는" 자세로 창작에 임해야 한다는 소신을 실제로 적용한 사례이기도 합니다. 그리고 이 소설은 조금 전 말했듯이 3인칭 소설인데도 불구하고 소설가의 관점이 신과 같은 전지전능한 입장을 취하기보다는 스티븐의 의식이라는 좁은 세계에 대체로 국한되고 있는데, 이는 스티븐이 작가 자신의 눈, 입, 귀 노릇을 하고 있기 때문이기도 합니다.

이 소설의 서술 방법에 있어서 우리의 주목을 끄는 다른 한 가지 중요한 점은, 이른바 '의식의 흐름'이라는 기법이 조잡하게나마 여기서 시도되고 있다는 점입니다. 외형상 완벽한 3인칭 소설의 형식을 취하고 있으므로 이론적으로 '의식의 흐름' 기법이 본격적으로 구사될 수는 없습니다. 그러나 이 소설 도처에서 스티븐의 의식 세계는 이 현대적 기법을 연상시키는 방법으로 표출되곤 합니다. 이러한 방법이 뒤이어 나온 제임스 조이스의 문제작 《율리시스》 속에서 본격적으로 구사되고 있음은 말할 필요조차 없습니다.

이 《젊은 예술가의 초상》은 유년기로부터 대학 시절에 이르기까지 주인공이 겪는 지적, 종교적, 예술적 갈등들을 연대순으로 기록하고 있지만, 그 기록이 고도로 선택적이기 때문에 실제로 다루어진 에피소드 수는 그리 많지 않습니다. 그러나 일단 선택된 에피소드들은 철저히 다루어지고, 더러는 '플래시백' 수법을 통해 회고되기도 하기 때문에, 실제로는 여러 날에 걸친 사건 및 장면들이 복잡하게 기록되고 있는 듯한 인상을 남깁니다.

이러한 스포트라이트 식의 서술 방법에 있어서 특히 우리의 주목을 끄는 점은 제임스 조이스 자신이 '에피퍼니(epiphany)'라고 부른 바 있는 상징적 장면들이 지닌 계시적(啓示的) 의미입니다. 《스티븐 히어로》라는 조이스의 미발표 작품 속에서 조이스는 에피퍼니를 '언어나 몸짓과 같은 범속한 방법을 통하거나 마음 자체의 기억할 만한 순간을 통하여 갑자기 정신적인 표출이 이루어지는 것'이라고 정의 내리면서 이런 에피퍼니들을 조심스럽게 기록하는 것이 작가가 할

일이라고 말했습니다. 여기서 에피퍼니의 대표적인 예로, 제3장에서 아날 신부의 지옥에 대한 강론을 듣고 난 후에 걷잡을 수 없는 죄의식에 휘말린 스티븐이 자기 침실에서 보게 되는 잡초 무성한 들판과 그 속에서 뛰노는 염소 비슷한 괴물들을 들 수 있습니다. 이 장면은 색욕에 희생된 자신의 구제받기 힘든 죄악을 상징적으로 나타내는 에피퍼니로서 이 계시적 장면을 보고 기겁한 스티븐은 곧 고해 신부를 찾아 집을 나서게 됩니다.

이런 에피퍼니적 서술 이외에 제임스 조이스는 치밀한 전략을 통해 소설을 전개해 나가고 있습니다. 우리는 번역된 글을 보는 것이기에 번역자마다 약간씩 다르지만, 원문에서 제임스 조이스는 주인공이 성장함에 따라 각기 다른 단어, 문체를 사용하고 있습니다. 제1장에서 스티븐 디달러스가 어린아이일 때는 쉬운 단어와 간단한 문장을 주로 사용합니다. 그리고 점차 제2장, 제3장으로 나아가면서 점점 어려운 단어, 길고 복잡한 문장을 사용하지요. 이것은 주인공의 정신적 성장과 문체의 발달이 함께한다는 것을 의미합니다.

제임스 조이스를 현대적 작가로 만드는 동시에 이 소설을 현대적 소설로 만드는 또 하나의 요소는 현실 파악 방법입니다. 종래의 소설에서는 그 유례를 찾아보기 힘든 새로운 방법을 찾을 수 있는데, 그것은 어린 시절부터 스티븐이 감각 기관을 통해 경험적으로 현실을 수용하고 있다는 점입니다.

심한 근시인 탓에 시각적 이해력에서 남달리 불리한 상황에 처해 있었기 때문에—어쩌면 이런 이유에서 그가 에피퍼니 같은 심상을 자주 보거나 그려 내게 되었는지도 모를 일이거니와—그는 주로 촉각, 청각 및 후각에 의한 현실 접근을 하려고 했던 듯합니다. 제1장에서 스티븐은 '가늘고 하야면서 차갑고 부드러운' 아일린의 손을 만져 봄으로써 '상아탑' 같은 성모 마리아를 인식할 수 있고, 툭, 탁, 턱, 탁 소리를 내는 크리켓 방망이 소리에서 분수대에 솟은 물방울이 낙수반(落手盤)에 떨어지는 청각적 이미지를 느끼기도 합니다. 또 제2장에서 스티븐은 마음속으로 오만과 희망과 욕망이 약초처럼 향기를 뿜어 올리는 것을 느끼기도 합니다. 이렇게 남달리 민감한 감각의 소유자였기에 스티븐이 죄악을 고백한 이후에 자신의 모든 감각 기관들을 엄격히 규제함으로써 육체적 고행을 강행하는 한편 속죄 및 파계 방지의 길을 모색하는 것도 이해할 만하지요.

이러한 감각적 현실 파악을 바탕으로 한 제임스 조이스의 산문에서 우리는 현대 문학에 있어서의 감수성의 혁명이라고 일컬어질 만한 새로운 취향의 스타일을 볼 수 있습니다. 그리고 이런 스타일은 지금까지 약술한 바 있는 이 소설 고유의 서술 기법들과 어우러져 뒷날 《율리시스》 속에서 최대한으로 활용되고 있으며, 현대 소설의 발전에도 지대한 영향을 끼쳤음을 새삼스럽게 지적할 필요는 없겠지요.

(2) 소재와 내용에 대하여

《젊은 예술가의 초상》은 주인공 스티븐이 자신을 억압하는 가정과 종교와 국가라는 구속체로부터 탈출하여, 자유로운 예술가로서의 정체성을 확립하는 과정을 다루고 있습니다. 그러므로 스티븐을 둘러

싼 환경적 요소들이 스티븐에게 어떠한 형태로 인지되는가를 파악하며 읽는 것은 매우 중요합니다.

《젊은 예술가의 초상》에서 스티븐을 억압하는 환경은, '아버지'로 대표되는 것과 '어머니'로 대표되는 것이 있습니다. 첫 번째로 아버지란, 전통적으로 권력의 상징이자 복종과 종속을 강요하는 개념입니다. 소설 전반에 걸쳐 가정에서는 친부(father)로, 학교와 종교에서는 신부(father)로, 국가라는 개념에서는 아버지의 나라인 조국(father land)으로 상징됩니다. 이 소설의 1장은 옛날이야기를 들려주는 아버지의 목소리로 시작하지만, 마지막 장은 독자성을 확보한 청년인 주인공 스티븐의 이야기로 끝납니다. 이를 보면 스티븐이 아버지의 영향, 억압을 자라나면서 거부하고 자신의 정신적 성장을 이루어 냈음을 알 수 있습니다.

두 번째로 어머니는 순종과 회귀의 개념으로서 아버지라는 개념과 형태만 달리했을 뿐, 창조적 예술가의 길을 걷고자 하는 스티븐에게는 똑같이 구속의 상징입니다. 가정에서는 친모(mother), 종교에서는 성모 마리아(Blessed Virgin Mary), 그리고 국가로서는 모국(mother land)으로 형상화됩니다. 스티븐은 이런 어머니의 개념과 딜레마를 겪으며 갈등하게 됩니다.

❸ 등장인물 알기

| 스티븐 디달러스 | 어릴 때부터 자아의식이 강하고 자신이 다른

이들과는 다르다는 생각을 합니다. 중산층 집안에서 태어나서 기독교 학교를 다닙니다. 하지만 가정과 종교와 국가를 초탈하고자 하는 마음을 가지게 됩니다. 대학에 와서까지 자신 내면의 무언가에 대해 고민하다가 결국 예술가로서의 포부를 실현하기 위해 자기 유배의 길을 떠납니다.

‖ 사이먼 디달러스 ‖ 스티븐 디달러스의 아버지. 젠트리 계급(영국에서 중세 후기에 생긴 중산 계급의 토지소유자들)으로, 중산층입니다. 그러나 파산하면서 망가져갑니다.

‖ 스티븐 디달러스의 어머니 ‖ 순종적이고 전형적인 어머니. 스티븐에게 종교적인 일을 강요합니다.

‖ 댄티 ‖ 스티븐에게 어린 시절 노래를 가르쳐 주었던 아주머니. 종교와 성직자에 대한 강한 믿음을 가지고 있습니다.

‖ 아날 신부 ‖ 스티븐이 죄악을 범한 뒤 피정 시간에 듣게 되는 지옥에 대한 강론을 맡은 신부입니다. 지옥의 정경과 죄인이 받게 될 저주, 파멸에 대해 구구절절 묘사합니다. 스티븐은 이 강론을 듣고 큰 충격을 받게 됩니다.

‖ 학감 선생님 ‖ 실리적이고 실용적인 지식을 숭상하는 교육자. 스

티븐과 논쟁을 벌입니다.

▌에머 클러리▐ 스티븐이 애착을 가지고 있던 소녀. 그녀를 위해 시를 쓰기도 하지만, 마지막 장에 이르러 스티븐은 아일랜드 여성에 대해 환멸을 느끼면서 에머 클러리에 대한 애착을 미련 없이 떨쳐 버립니다.

▌데이빈▐ 스티븐의 농민 출신 친구. 조잡한 지성을 지니고 있지만 정중한 성품을 지니고 있습니다. 전형적인 아일랜드 농민의 모습입니다. 스티븐은 그를 길든 기러기라고 부릅니다. '길든 기러기'란 영국의 통치를 감수하고서라도 모국에 머물고 싶어 하는 사람을 의미합니다.

❹ 작가 들여다보기

제임스 조이스는 1882년 2월 2일 더블린 중심에서 남쪽으로 약 4킬로미터 떨어진 라스가에 있는 브라이턴 서부 스퀘어 41번지에서 태어났습니다. 아버지 존 스태니슬로스 조이스는 지방 정부의 세금징수원이었죠. 어머니 메리 조이스는 조이스를 끔찍하게 사랑하는 사람이었습니다. 여섯 살 되던 해 예수회 학교로 널리 알려졌던 클론고스 우드 기숙학교(Clongowes Wood College)에 입학한 조이스는 남자아이들만 가득한 이곳에서 엄격한 규율 속에 감수성이 예민한 아이로 자랐습니다. 이 곳 생활과 과보호 경향을 가진 어머니, 원칙적이고 남성적인 아버지의 모습은 그의 첫 장편《젊은 예술가의 초상》에 잘 그려져 있습니다.

1891년 아버지가 실직하게 되면서 제임스 조이스의 가계는 급격하게 기울기 시작했습니다. 그때부터 시작된 가난과 추락을 받아들이지 못하는 아버지의 음주와 폭력, 아일랜드 남성 특유의 체면치레와 남성우월주의적 태도 등은 소설《더블린 사람들》에서 잘 읽을 수 있습니다. 결국 클론고스 우드를 자퇴한 조이스는 기독교 형제 학교에 입학했으며 그곳에서 폭넓은 독서를 시작했습니다. 작문에서 탁월한 재능을 보였던 제임스 조이스는 글쓰기 대회에서 여러 번 수상하는 등 문장력을 자랑하기 시작했습니다. 이후 조이스 가족은 회복할 수 없을 정도로 점점 나락으로 떨어졌지만 조이스는 탁월한 재능 덕분에 더블린에 있는 벨베데어 학교에 무료로 다닐 수 있게 되었지요.

제임스 조이스는 파산지경에 이른 가정의 혼란과 불확실성, 아버지의 음주와 폭력, 이를 신앙심으로 극복하려는 어머니 등의 모습을 매일 지켜봐야 했습니다. 그리고 그는 내면에서 솟는 알 수 없는 성적 욕망과 싸워야 했습니다.

그는 열네 살이던 1896년에 처음으로 더블린 사창가를 드나들기 시작했다고 고백합니다. 그 과정에서 일상에서 벗어나려는 해방감과 죄의식 사이에서 끊임없는 갈등에 빠지기도 했습니다. 이런 혼란 속에서 교회에 발을 끊게 되고 어머니와도 사이가 멀어지게 됩니다. 그는 주정과 폭력을 일삼는 아버지를 도리어 이해하게 되고, 아버지를 무한한 인내심으로 참아내는 어머니의 신앙심에 반발감을 갖게 되지요. 제임스 조이스는 아버지를 죄인으로서 자신과 동일시하고 어머니는 억압적인 교회와 동일시하면서 종교가 어머니를 희생자로 만들고 있다고 인식하게 됩니다. 이 과정은《젊은 예술가의 초상》에 등장한 주인공의 내면과 정확하게 일치합니다.

더블린에 있는 유니버시티 칼리지(University College Dublin, UCD)에 입학한 제임스 조이스는 영어와 이탈리아어, 불어를 공부하고 읽을 수 있게 되었습니다. 1902년 학교를 졸업한 제임스 조이스는 의학을 공부하기로 결심하고 프랑스 파리로 갑니다. 영어를 가르치면서 파리에서 지내던 조이스는 1903년 봄 어머니가 암 말기에 이르렀다는 전보를 받고 더블린으로 돌아오지만 어머니는 그해 8월 세상을 떠납니다.

1903년부터 1904년까지의 기간은 제임스 조이스의 삶에서 가장 중요한 첫 번째 전환점이 되는 시기입니다. 첫째는 제임스 조이스가 이 기간 동안 자전적 소설《스티븐 히어로》를 쓰기 시작한 것입니다. 《스티븐 히어로》는《젊은 예술가의 초상》의 토대가 된 작품입니다. 두 번째는 1904년 노라 바나클(Nora Barnacle)이란 여성을 만나게 된 것이지요. 노라는 제임스 조이스가 평생을 함께한 여인입니다. 노라는 집에서 도망쳐 나와 더블린의 한 호텔에서 일하던 스무 살의 여성이었습니다. 조이스와 노라는 1904년 조이스의 천재성을 받아들이지도 후원하지도 못하는 아일랜드를 떠나 유럽 대륙으로 건너갑니다. 조이스는 취리히와 트리에스테를 옮겨 다니며 영어를 가르치면서 생계를 유지했습니다. 1905년 아들 조지오가 태어났고, 1906년

《더블린 사람들》이 완성됐습니다. 이어《스티븐 히어로》를《젊은 예술가의 초상》으로 개작하기 시작했으며, 1907년 딸 루시아가 태어났습니다. 그 후 1909년과 1914년 사이에 제임스 조이스는 유럽 대륙과 더블린을 오가면서 집필 활동을 계속했습니다. 그러나 이 시기에 발표된《더블린 사람들》은 실제 더블린 사람들로부터 많은 항의와 삭제 요구를 받았습니다. 소설에 등장하는 당사자들로부터 끊임없는 소송제기 위협을 받은《더블린 사람들》은 완성된 지 8년이나 지난 1914년에 이르러서야 온전하게 출판될 수 있었습니다.

1914년은 조이스 문학이 정점을 이룬 시기입니다.《더블린 사람들》이 출간되고,《젊은 예술가의 초상》은 연재를 시작하고,《율리시스》 집필을 시작한 해가 1914년입니다. 이른바 '더블린 3부작'이 1914년에 어떤 식으로든 결정되기 시작한 것이지요. 1914년부터 〈에고이스트〉에 연재되기 시작한《젊은 예술가의 초상》은 1916년 출간됐습니다. 그러나 제임스 조이스와 조국의 불화가 1914년 극점에 이르렀습니다. 계속되는 항의와 무시, 소송에 대한 두려움, 자신의 문학을 알아주지 않는다는 불만 때문에 제임스 조이스는 1915년 아일랜드를 떠나 스위스 취리히로 이주하였고 다시는 아일랜드로 돌아오지 않았습니다.

1914년부터 집필을 시작한《율리시스》는 음란하다는 이유로 연재중단의 시련을 겪으면서도 1921년 완성되었습니다. 이듬해인 1922년 프랑스 파리에서 출판되었습니다. 그러나《율리시스》가 영어권 국가에서 출간되기까지는 12년 넘게 걸렸습니다. 미국에서《율리시스》는 음란 출판물 판정 등의 소동을 겪으면서 1934년에야 출간될 수 있었고, 영국에서는 1936년에 출간되었습니다.

제임스 조이스의 건강은 계속 악화되었습니다. 녹내장으로 시력이 점점 나빠지고 있었고 관절염으로 고생하기도 했습니다. 또 이가 모두 빠져 의치를 해 넣기도 했습니다. 그런 속에서 조이스는《피네간의 경야》를 쓰기 시작하였습니다. 1931년 노라와 프랑스 파리에서 뒤늦은 결혼식을 올린 제임스 조이스는 이듬해인 1932년 딸 루시아가 정신분열증 판정을 받는 등 불행을 겪습니다. 또《피네간의 경야》는 1939년 출간됐으나 독자들로부터 외면당하고 평단에서도 난해하다는 평가를 주로 받았습니다. 결국 제임스 조이스는 쉰아홉 살의 일기로 1941년 1월 13일 십이지장 수술 후 생긴 합병증에 의해 스위스 취리히에서 사망했습니다.

1882년	2월 2일 아일랜드의 더블린에서 출생.
1888년	예수회 계열의 클론고스 우드 학교 입학.
1891년	가정 사정으로 학교 중퇴.
1893년	벨베데어 학교에 수업료 면제로 입학. 성모마리아 신심회장 피선.
1898년	더블린의 유니버시티 칼리지 입학.
1900년	평론〈입센의 새 연극〉을〈포트나이틀리 리뷰〉에 발표.
1902년	현대어문학 전공으로 학위를 받고 유니버시티 칼리지 졸업. 의학 공부를 위해 파리로 감. W. B. 예이츠 등의

도움으로 신문에 서평 기고 시작.

1903년 〈데일리 익스프레스〉에 21편의 서평 발표. 더블린으로 귀환. 모친 별세.

1904년 6월 노라 바나클이라는 여인을 만나 함께 10월에 유럽으로 대륙 여행을 떠남. 벌리츠 어학연수원에서 강의 시작.

1905년 이탈리아의 트리에스테로 이주. 아들 조지오 출생.

1906년 로마로 이주. 은행에서 근무.

1907년 트리에스테로 귀환. 영어 교습으로 생계유지. 시집 《실내악》 출간.

1908년 딸 루시아 아나 출생.

1909년 두 차례 더블린 방문.

1910년 트리에스테로 귀환.

1912년 마지막으로 더블린 방문.

1913년 에즈라 파운드와 접촉 시작.

1914년 《젊은 예술가의 초상》을 〈에고이스트〉에 연재 시작. 《더블린 사람들》 출간.

1915년 스위스의 취리히로 이주. 영국 왕립문예기금의 지원을 받음.

1916년 《젊은 예술가의 초상》 출간. 영국 정부 지원금 받음.

1917년 1차 안과 수술. 미스 해리에트 쇼 위버의 후원금 받음.

1918년 《율리시스》를 〈리틀 리뷰〉에 연재하기 시작. 해럴드

매코믹 부인의 월정 급여금 받음.

1919년 트리에스테로 귀환.

1920년 에즈라 파운드와 만남. 파리로 이주.

1922년 프랑스에서 《율리시스》 출간. 영국과 미국에서는 판매 금지.

1923년 《피네간의 경야》 집필 시작.

1926년 판매 금지된 《율리시스》의 해적판이 어느 잡지에 연재됨.

1930년 취리히에서 백내장 수술. 잉글랜드와 웨일스 방문.

1931년 런던으로 이주. 노라 바나클과의 정식 혼례 거행. 부친 별세.

1932년 손자 출생. 딸 루시아가 정신분열 증세를 보임.

1933년 미국서 《율리시스》 판매 허가. 루시아 입원.

1939년 《피네간의 경야》 출간. 제2차 세계대전이 발발하자 프랑스로 이주.

1940년 취리히로 이주.

1941년 1월 13일 십이지장 천공으로 별세, 취리히에 묻힘.

❺ 시대와 연관 짓기

1801년 연합법에 의해 동군연합이었던 잉글랜드 왕국, 스코틀랜드 왕국, 아일랜드 왕국은 그레이트브리튼 아일랜드 연합 왕국으로 합병되었습니다. 이러한 합병의 대가로 가톨릭교도 장로교 교도에 대한 차별 철회가 약속되었으나 조지 3세는 이러한 약속을 파기하였습니다.

'해방자'로 널리 알려진 가톨릭교도 법조인 대니얼 오코넬은 1823년부터 가톨릭교도에 대한 정치적 차별 철폐를 주장하는 운동을 전개하였습니다. 결국 이러한 노력의 성과로 1829년 가톨릭교도에 대한 정치적 차별(공직진출 제한)을 폐지한 가톨릭교도 해방령이 공표되기에 이르렀지요. 그러나 이러한 해방령은 로마 가톨릭교회 신도들에게 여전히 아일랜드 성공회(Church of Ireland)에 대한 십일조 납부 의무를 부과하였습니다. 이때 아일랜드에서는 1831~1838년에 걸쳐 십일조 전쟁이 있었습니다. 이 '전쟁'은 아일랜드 성공회에 대한 십일조 납부를 거부하는 아일랜드 가톨릭 신도들의 산발적인 무장 봉기였고, 영국 정부는 무차별적인 무력 탄압으로 이를 진압하였습니다. 오코넬은 무효 협회를 창립하고 1801년 연합법의 무효화를 위한 활동을 하였습니다.

1845~1849년 아일랜드 대기근이 발생하였습니다. 또 다시 발생한 대기근으로 800만이었던 아일랜드의 인구는 1911년이 되자 440만 명으로 감소하였습니다. 19세기에 이르러 아일랜드에서는 민족주의 사상이 확산되었으며 초등학교가 설립되어 영어보다 아일랜드어를 사용하는 사람들의 수가 많아지게 되었습니다. 민족주의적 흐름과 병행하여 공화주의에 입각한 독립운동도 전개되었지요. 로버트 에멧이 이끈 아일랜드 청년당은 1848년 반란을 일으켰습니다. 토머스 프란시스

매거가 이끈 아일랜드 공화주의 형제당은 1867년 페니언 반란을 일으켰습니다. 이들은 모두 실패했으나 아일랜드인이 무장투쟁을 통한 독립을 추진하는 데 깊은 영향을 주었습니다.

1910년 존 에드먼드 레드먼드가 이끄는 아일랜드 의회당이 영국 하원에 진출하였으며, 이들은 1912년 자치 청원을 의회에 제출하였습니다. 이에 반발하여 영국과의 합병 유지를 지지하는 얼스터 의용군이 창설되었고, 이에 대립하여 자치를 지지하는 아일랜드 의용군도 창립되었습니다.

제1차 세계대전이 발발한 1914년 9월 영국 하원은 아일랜드의 자치를 골자로 하는 아일랜드 자치법을 의결하였습니다. 그러나 이 법의 실시는 전쟁 이후로 연기되었습니다. 레이먼드는 영국 정부의 약속을 믿고 연합국에 가담하여 동맹국과 대항하기로 결정하였습니다. 그의 이러한 결정에 따라 아일랜드 의용군에서 이름을 바꾼 국민의용군의 10사단과 16사단에서 연대를 파병하였으나 아일랜드 의용군의 핵심 세력은 레이몬드의 이러한 결정에 반대하였습니다. 전쟁이 막바지에 다다르자 영국 정부는 아일랜드의 자치를 위한 조약 이행을 위해 1917년부터 2년에 걸쳐 아일랜드 연석회의를 개최하였습니다. 연석회의는 자치가 시행될 지역에 얼스터를 포함시킬 것인가에 대한 연합파와 민족주의파 간의 이견을 좁혀지지 않아 무산되었습니다.

1916년 이후 1922년까지 계속된 아일랜드 독립운동은 결국 아일랜드 독립전쟁으로 발전하였고, 1922년 32개의 아일랜드 주 가운데

26개의 주가 독립하여 아일랜드 공화국을 수립하였습니다. 이 결과 영국은 자신의 국가 명칭을 그레이트브리튼 북아일랜드 연합왕국으로 개칭하지 않을 수 없었습니다.

《젊은 예술가의 초상》은 이렇게 19세기 말 정치적, 종교적으로 격동하고 있었던 아일랜드의 현실을 잘 보여 주고 있습니다. 제1장에서 어른들이 크리스마스 만찬을 하며 파넬과 성직자, 아일랜드에 대해 이야기하는 부분이나 제5장에서 스티븐과 친구들이 토론하는 장면에서 드러나고 있지요. 제임스 조이스는 자신의 조국을 떠나왔지만 결코 잊을 수 없었던 것 같습니다.

❻작품 토론하기

1 《젊은 예술가의 초상》에서 주인공 스티븐은 가정과 종교, 국가를 모두 거부하고 예술가의 영혼을 얻고자 유럽으로 유배를 떠납니다. 이것은 바람직한 행동이라고 할 수 있을까요? 각자의 생각을 밝히고 이유를 제시해 봅시다.

▷ 예술가의 영혼이란 억압받을 수 없는 존재입니다. 스티븐이 내면에 있는 예술가의 혼, 무엇인가 빛나는 것을 창조하려는 정신을 찾기 위해서는 그런 모든 억압들을 떨쳐 내야만 했을 것입니다. 물론 현실적으로 인간에게 중요한 존재인 가정과 종교, 국가를 거부하는

것은 있을 수 없는 일이라고 이야기하는 쪽도 있습니다. 하지만 세속적이라고 생각되는 것, 혹은 자신을 옭아매거나 생각의 자유를 침해할 수 있는 것을 모두 떨쳐 버리는 것이 예술가의 어떤 숙명이나 운명, 굴레와 같은 것은 아닐지요. 또 스티븐이 가정과 종교, 국가를 거부하고 유배를 떠나는 것은 윤리적으로 아무런 문제가 없습니다. 지탄받을 이유가 없다고 생각합니다.

▶ 하지만 당시 시대적 상황을 생각해 보십시오. 작가인 제임스 조이스는 자신의 조국, 아일랜드의 현실을 그리고자 애썼습니다. 당시 아일랜드는 정치적으로나 종교적으로나 복잡하고 어지러운 상태였지요. 마치 우리나라가 독립운동 하던 시절을 떠올리게 합니다. 이렇게 혼란스럽고 암울한 시대에 지식인이 해야 할 역할은 무엇일까요? 과연 자신 안에 있는 예술의 혼을 찾아 떠나는 것이 바람직한 일일까요? 물론 엄밀히 따져 보아 윤리적으로는 아무 문제가 없습니다만 역사적, 현실적 문제가 존재하는 고국을 두고 떠나는 것은 일종의 직무유기라고 볼 수도 있지 않을까요. 게다가 가정을 거부하고 떠난 것은 매우 무책임하게 보입니다. 일단 가정, 종교, 국가를 어떤 억압의 기제로 보고 있다는 것부터가 문제라고 생각합니다. 종교는 어떤 관점에서 보면 억압으로 볼 수도 있다고 생각하지만, 국가와 가정은 전혀 다른 문제입니다. 예술가의 영혼을 생각하기 이전에 인간으로서, 역동의 시대를 살고 있는 인간인 동시에 한 가정의 일원으로서 도피의 행동이 적절한지 생각해 보았으면 좋겠습니다. 진정한 예술이란

자신을 둘러싸고 있는 것들을 버리는 것이 아닙니다. 그것들을 함께 끌어안고 보편적인 아름다움을 추구해 나가는 것입니다.

2 제2장과 제3장에서 스티븐 디달러스는 자신이 저지른 죄악에 대해 고민하다가 피정 때 지옥에 대한 강론을 듣고 겁에 질립니다. 그 결과로 고해성사를 하게 되고, 이후 강박적일 정도로 모범적인 신앙생활을 재개하게 되지요. 스티븐이 저질렀다고 생각하는 죄악은 모두 종교적인 율법에 어긋나는 것들입니다. 종교의 잣대가 한 인간을 이렇게 겁에 질리게 할 정도로 절대적인 것일까요? 생각해 보도록 합시다.

▷ 종교를 믿는 인간에게 있어서, 종교 규율은 절대적인 것입니다. 왜냐하면 종교란 개인의 신념이 될 수 있기 때문입니다. 즉, 행동하는 기준이 된다는 말이지요. 디달러스가 죄를 범하고 죄책감에 시달리며 안절부절못하는 것은 당연한 일입니다. 자신의 마음속에 내면화된 종교의 규율에 어긋나는 행동을 했기 때문이지요. 아날 신부가 강론한 지옥의 정경과 죄인들에게 내려지는 저주들은 단순한 겁주기나 협박이 아닙니다. 그것은 우리 마음의 약속을 지키지 못했을 때 나에게 닥치는 절망과 좌절입니다. 스스로에게 내리는 벌이지요. 일종의 상징인 것입니다. 스티븐은 그렇기 때문에 죄를 씻고자, 또 그 죄를 다시 범하지 않고자 노력했던 겁니다.

▶ 저는 좀 다르게 생각합니다. 종교가 아무리 신념이 될 수 있다

한들 이렇게 강압적인 모습은 좋지 않습니다. 스티븐이 범한 죄 중 몇 가지는 우리가 일상생활에서 흔히 저지를 수 있는 실수입니다. 종교의 규율에 어긋난다는 이유만으로 한 소년이 이렇게까지 죄책감에 시달리고 악몽을 꿀 정도로 자신을 채찍질해야 할까요? 종교를 믿지 않는 나의 입장으로서는, 종교란 하나의 지표라고 생각합니다. 자신의 행동이나 마음에 기준이 될 수는 있지만, 다소 유동적이어야 한다는 것이죠. 개인의 마음속에서 종교가 절대적인 위치를 차지하게 된다면 그 개인은 종교를 가진 사람이 아니라 자신의 생각은 없는 신봉자가 될 따름입니다. 제3장 이후, 매우 신실하게 종교 생활을 했던 스티븐은 신부가 되라는 교장 선생님의 말씀을 뿌리치고, 작품 후반부에 가서는 가정과 종교와 국가를 모두 거부하겠다는 몸짓을 보입니다. 종교는 개인에게 있어서 절대적일 수 없다는 것 아닐까요?

❼ 독후감 예시하기

▷▶독후감 1 : 색다른 성장 이야기

문학적 사색의 깊이를 논하는 책은 헤르만 헤세의 《데미안》이나 《위대한 개츠비》 같은 고전문학에서 자주 접할 수 있다. 그들은 당대의 삶을 자신의 인식으로 빚어낸다. 개중에는 개인적 사상을 지니는 것도 있고, 훌륭한 이야기를 자아내는 작품도 있다. 전형적으로 전자에 해당하는 것이 바로 《젊은 예술가의 초상》이 아닐까?

스티븐 디달러스의 성장 이야기. 이것이 이야기의 골자인데, 이것으로 끝이다. 스토리가 없는 것 같다. 그래서인지 상당히 몰입도가 떨어졌다. 이야기의 정서라기보다 지식 그 자체를 즐겨야 했다. 또는 유명인이라거나 그들의 사상 자체를 즐겨야 했다. 그게 아니라면 양옆 위아래에 놓인 풍경 따위를 아련한 추억처럼 음미해야 함을 즐겨야 했다. 다행히도 유려한 그의 필체는 이런 부분들을 한껏 맛깔나게 즐길 수 있게 해 주었다.

다양성이라는 측면에서 위대한 평가를 받아 마땅하다고 생각한다. 전지적 작가 시점이라고 하기에도 모호한 표현이 인상 깊었다. 작가 제임스 조이스는 인물들, 배경, 이야기의 움직임만을 서술하고, 정작 그들이 이야기하는 곳에서는 발을 내뺀다. 그들의 사상을 최대한 존경해 주고자 하는 배려가 배어 나온다. 이것이 주는 효과는 지식 그 자체, 사상 그 자체에 몰입할 수 있다는 것이다. 그러나 역시 꼬불꼬불하게 꼬여 있는 그들의 철학적 사색을 전부 이해한다는 건 쉽지 않은 일이었다.

스티븐 디달러스는 신을 믿지는 않지만, 지옥을 믿는다. 불구덩이 속을 생경하게 묘사한 선생님의 말씀과 그의 창녀촌에 갔던 죄악이 맞물리는 상황에서 예견된 절망이 스티븐을 사로잡는다. 여기에서 불의 의미가 상대적인 사상으로 해석되어 나중에 확연이 분별된다. 즉, 인간의 행복과 고통이라는 합일적일 수 없는 두 갈래가 불이라는 물질로 통일되는 것이다. 이것은 미적 감각을 사색하는 장에서도 드러나는 대목이다. 특히 '만약 어떤 평범한 사람이 마구 조각한 나무토막의 형태가 소의 모양이라면 그것은 예술인가? 그리고 그게 예술이라면 왜 그러한가?'라고 이어지는 물음은 역시 모 아니면 도의 전일성이 띄는 심오한 문장이었다.

작품 전반적인 문체는 마치 하느님의 성령을 받은 듯했다. 모든 주제는 하느님과 지옥, 그리고 천사로 통일되어 있으며, 그 주제를 나타내는 문장 하나하나는 핏기 잃은 이성의 표현과 같았다. 제임스 조임스의 작품은 《젊은 예술가의 초상》이 처음이었다. 그의 사상을 조금이나마 알 수 있었던 좋은 기회였다.

그렇게 많이 재밌지는 않았다는 점이 흠이라면 흠일까. 진정한 예술은 동적보다는 정적이어야 한다는 스티븐의 말에 고개를 절로 끄덕이며, 이 작품 역시 그러한 태생을 타고난 것이 아닐까 생각한다. 그리고 그렇기에 비판의 여지는 없다.

학식의 향연으로 이루어진, 어떻게 보면 지루한 미를 지닌 것을 전부 흡수하는 것은 불가능했지만, 새로운 사상에 접근하는 태도와 진지하게 책을 읽어나가는 자세만은 익힐 수 있었다.

▷▶독후감 2 : 예술가의 자유를 향한 성장

아일랜드 출신의 문호 제임스 조이스는 20세기 전통적 기법과 방법론에 대한 반발로서 일어난 모더니즘 문학 흐름에 참여한 작가이다. 19세기의 정서, 지식, 정치기반 중심에 속하여 있던 전통의 굴레로부터 벗어나고 새로운 흐름을 주장하는 그의 작품은 가정과 종교 그리고 국가로부터 이상향을 실현하려는 주인공 스티븐 디달러스의 자아 탐색과 정신의 성장을 이야기한다. 《젊은 예술가의 초상》의 작품 속 주제를 찾기 위하여 작품의 분류와 인물을 이해한다면 작품의 전반을 통한 스티븐 디달러스를 다양한 이해관점에서 바라볼 수 있을 것이다.

《젊은 예술가의 초상》은 작가의 자전적 교양소설이다. 교양소설이라 함은 그 분류가 애매하지만 성장소설, 발전소설로도 말할 수 있다. 즉, 주인공 삶의 유년기부터 청년기까지를 이야기하여 주인공 내면의 성장과 발전을 통해 내면의 완성으로 나아가는 과정을 소개한다. 작품 속 주인공 스티븐의 삶과 사건들을 중심으로 다섯 장으로 이뤄져 있는《젊은 예술가의 초상》은 각 장별로 주제와 내용을 정리할 수 있다. 예를 들면, 제1장은 주인공의 어린 시절 기억을 토대로 독자는 어린 스티븐 디달러스의 자아의식의 발생과 이후의 스티븐의 반항적 기질의 자아를 미리 접해 볼 수 있게 된다. 또한 가톨릭으로 이야기되는 종교적 정신에 대한 부분과 정치적 갈망 등의 모습에서 예술가적 자아형성 과정에서의 걸림돌 또한 볼 수 있다.

이렇듯 각장은 주인공의 생을 조명하는 것이 아닌 내면의 형성과정과 발전 모습을 여러 가지 정황과 상황 그리고 관계를 보여 주면서 어떠한 영향을 받고 어떻게 나아가는지에 대한 플롯이 차례대로 소개된다. 독자는 예술가의 고뇌와 번민 그리고 자아의 깊이가 어떻게 형성되는지를 '스티븐 디달러스'의 내면의 성장을 통해서 알 수 있게 된다. 작가는 자신의 자전적 이야기를 스티븐 디달러스를 통해서 이야기하지만 자신의 감성에 치우쳐서 작품의 흐름을 전개하지 않는다. 도리어 작가는 한발 물러서서 인물을 소개하며 거리감을 둔 채로 독자에게 잔잔한 감수성을 보여 준다.

이러한 작가의 서술 방법은 '스티븐 디달러스'의 의식의 흐름에 편승한 3인칭 소설이기도 하다. 유년기로부터 대학시절의 '스티븐 디달러스'의 심상을 통한 사물과 현상의 이해 정신에 대한 탐구, 이 모든 것들이 복합적으로 엮여져서 나타나는 예술가의 자아 형성은 19세기 문학과는 다른 20세기의 새로운 문학 흐름의 한 줄기이다. 기존의 세대와는 다른 예술가의 이상향을 반영하여 탄생한 이 작품이 가지고 있는 가치는 기실 작가의 '예술가의 자유'와 '관습에 대한 거부', 그리고 이상을 찾고 그것을 실현하고자 하는 행위와 노력을 독특하고 뛰어난 감수성으로 풍성하게 잘 담아내고 있다는 점에서도 돋보인다

독후감 제대로 쓰기

❶ 책을 읽기 전에

우리는 책을 통해서 지식을 쌓고 학문을 연마하게 됩니다. 또한 교양을 얻고 수양을 쌓게 되지요. 그리하여 즐겁고 보람 있는 생활을 할 수 있는 것입니다. 이러한 습관이 지속된다면 이것이 곧 나의 생활 자체가 되고, 책을 읽는 시간이 얼마나 가치 있고 즐거운 시간인지 깨닫게 될 것입니다.

독후감을 쓰기 위해서는 책을 읽어야 함은 말할 것도 없습니다. 그러나 아무 책이나 읽는다고 다 좋은 것은 아닙니다. 특히 중학생은 아직 양서를 구별할 만한 충분한 지식을 갖추지 못했기 때문에 선생님 혹은 부모님, 그리고 선배들이 권하는 책이나, 이미 국내적으로나 세계적으로 잘 알려진 명작이나 명저를 찾아 읽는 것이 바른 방법이라고 볼 수 있습니다. 예컨대 사회적으로 존경받을 만한 사람들의 일대기를 그린 위인전이나 자서전 같은 것은 읽을 가치가 있으며, 명시 모음집이나 명작 소설, 특정한 분야의 관찰기, 평론집 같은 것도 좋은 읽을거리가 될 수 있습니다.

그럼 효율적인 독서를 위해서 유의해야 할 점을 알아볼까요?

첫째, 본문을 읽기 전에 책의 앞부분에 있는 머리말이나 해설하는 글을 먼저 정독합니다. 그러면 책을 쓰게 된 동기나 평가 등에 대하여 잘 알 수 있게 되죠.

둘째, 목차를 잘 살펴봅니다. 목차에서 그 책의 내용이 어떻게 전개될 것인가에 대해 미리 파악할 수 있기 때문입니다.

셋째, 본문을 읽기 시작하면, 그 중에 잘 모르는 단어나 문구가 나오기 마련입니다. 그런 것은 곧 사전을 찾아 뜻을 알아두어야 합니다. 그런 것을 무시했다가는 자칫 전체를 이해하지 못하는 오류를 범할 수 있거든요.

넷째, 각 문단별로 소주제가 무엇인지를 파악하고, 그 줄거리를 요약하는 습관을 길러야 합니다. 특히 필자가 표현하려는 것과 그 뒷받침되는 내용이 무엇인지 알아내는 것이 필수겠지요.

다섯째, 글의 배경은 무엇인지, 앞뒤 맥락이 어떻게 이어지고 있는지를 잘 생각하면서 읽어야 합니다. 그리고 소설일 경우에는 주인공과 등장인물들의 성격이나 특성을 파악해야 하지요.

여섯째, 다 읽은 다음에는 줄거리를 만들어 보고, 전체적인 주제가 무엇인지 정리하는 작업도 필요합니다.

❷ 책을 감상하는 방법

책을 읽을 때는 내용을 진지하게 파고들어 가며 읽어야 합니다. 즉 자기의 현재 생활과 비교해 가며 생각의 폭과 사고를 넓히는 것이 중요하답니다. 그리고 작품의 문체·제목·주제·논제 등도 염두에 두고 읽으면 독후감을 쓰기가 좀더 수월해집니다.

그리고 저자가 강조하고 있는 내용과 사건들이 현재 우리 사회에 어떤 의미를 가지고 있으며 어떻게 발전시켜 나가야 할 것인가를 생각하며 읽습니다. 더불어 저자가 작품에서 강조하려고 하는 것이 무엇인가를 파악하며 읽을 필요가 있습니다. 그렇다고 굉장한 부담을 느끼면서 책을 읽을 필요는 없습니다. 책 읽는 것 자체를 즐긴다면 그리 깊게 생각하지 않아도 작가가 말하려는 바를 깨닫게 될 테니까요.

그렇다면 각 문학 장르에 따라 어떤 점에 유념하여 책을 읽어야 하는지 알아볼까요?

▌소설▐ 작품의 주제를 파악하고 작중 인물의 성격과 배경을 생각하며 주인공이 어떻게 변화되어 가고 있는가를 염두에 두고 읽습니다. 자신의 생각이나 현실과 결부시켜 보는 것도 재미를 배가시켜 줄 거예요.

▌시▐ 선입견 없이 그대로 느낌을 받아들이며 읽습니다.

▌희곡▐ 무대 상연을 전제로 하여 쓰여진 것이기 때문에 시간적·공간적 제약을 받는다는 것을 염두에 두어야 합니다.

▌역사 소설▐ 인물·사건 등을 작가가 상상력에 의존하여 구성한 글로서, 항상 계몽사상이나 민족의식 고취 등 어떤 목적이 들어 있는지를 파악하며 읽어야 합니다.

▌역사▐ 역사는 역사 소설과는 구분지어야 합니다. 이것은 정확한 기록으로 글쓴이의 주관적 해석이 들어 있을 수 없으며, 시간의 흐름에 따라 사건을 나열한 것임을 생각해야 합니다.

▌수필▐ 지은이의 인생관이 들어 있습니다. 심리적 부담감이 적으므로 편안한 마음으로 읽을 수 있습니다.

▌전기문▐ 인물의 정신, 자취, 시대적 배경과 사회적 환경을 먼저

파악해야 합니다.

| 과학 도서 | 미지의 세계에 대한 탐구심, 합리적 사고력 배양, 지식과 정보의 입수, 창의력을 기르는 데 도움이 되므로 평소 이에 대한 흥미를 갖는 것이 중요합니다.

❸ 독후감이란 무엇인가?

독후감은 말 그대로 어떤 글이나 책을 읽고, 그에 대한 느낌이나 생각을 쓰는 것입니다. 좋은 책을 읽고 그것을 정리해 두지 않는다면 곧 그 내용을 잊어버려, 독서를 한 만큼의 가치를 얻지 못할 수도 있으니까요. 그러므로 한 권의 책을 읽으면 곧 그 책의 내용을 정리하고, 느낌이나 생각을 적어 두는 것이 좋습니다.

독후감은 느낌이나 생각을 거짓 없이 써야 하나, 그렇다고 아무렇게나 써도 되는 것은 아닙니다. 즉 독후감도 글이므로 수필의 형식으로 쓰든, 논술의 형식으로 쓰든, 정확하게 읽고 주제와 내용에 맞게 써야 함은 물론이죠. 아무리 좋은 글이나 책이라도, 잘못 읽어 실제와 맞지 않는 생각이나 느낌을 쓰면 좋은 독후감이라고 할 수 없거든요. 그러므로 좋은 독후감을 쓰려면 독서를 잘해야 한다는 것이 전제됩니다. 독서를 잘하는 방법은 따로 있는 게 아니라, 그저 많이 읽다 보면 요령이 생기고, 이해도 쉽게 되며, 능률도 오르게 되는 것입니다.

❹ 독후감은 왜 쓰는가?

독후감을 쓰는 목적은 독후감을 작성함으로써 독서하는 능력이 향상되고 글 쓰는 훈련을 할 수 있기 때문입니다. 그러므로 독후감을 쓰기 위해 책을 읽으면 보다 깊은 생각을 하면서 책을 읽게 됩니다. 또한 책을 통해 생활을 반성하며, 책에서 얻은 지식과 감명을 음미하여 자기 생활에 적용시킬 수 있습니다. 문장력과 논리적 사고가 향상되는 것은 물론이고요! 그럼 독후감을 왜 쓰는지 다음과 같이 정리해 볼까요?

1. 읽은 책의 내용을 되살려 다시 음미해 볼 수 있습니다.
2. 감동을 간직하고 책 읽는 보람을 얻을 수 있습니다.
3. 책을 통해 지식을 심화시킬 수 있습니다.
4. 책을 통해 자신의 문제를 연관지어 볼 수 있습니다.
5. 글을 써 봄으로 해서 생각을 깊이 있게 할 수 있습니다.
6. 독서 목표를 확실히 할 수 있습니다.
7. 작품에 대한 비판력과 변별력을 기를 수 있습니다.
8. 생각을 조리 있게 쓸 수 있는 작문력을 향상시켜 줍니다.
9. 사고력과 논리력, 추리력을 기를 수 있습니다.
10. 바르게 책을 읽는 습관을 형성할 수 있습니다.

❺ 독후감을 쓰기 전에 생각하기

독후감은 수필의 형식이든 논술의 형식으로든 쓸 수 있다고 했는데, 사실 이 둘의 차이는 모호합니다. 다만, 수필이 자유롭게 붓 가는 대로 쓰는 것이라면 논술은 논리 정연하게 쓴다는 점이 다르다고 할 수 있습니다.

붓 가는 대로 자유롭게 수필의 형식으로 쓰는 독후감이라도 글의 앞뒤가 맞지 않는다든지, 주제가 통일되지 않으면 좋은 평가를 받을 수 없습니다. 논리 정연하게 쓰는 독후감이라면, 서론·본론·결론으로 나누어 서술해야 함은 물론이구요.

서론에 해당되는 부분에서는 그 책에 대한 소개나 쓴 사람의 생애, 또는 특기할 만한 일화 같은 것을 적는 것이 일반적입니다.

본론에 해당하는 부분에서는 그 책을 읽고 특별히 다루려는 내용을 체계적이고 구체적으로 써야 합니다.

결론에서는 본론에서 다룬 내용을 요약하거나, 자신이 읽은 후의 감상, 그 책의 좋은 점, 나쁜 점 등을 들어서 마무리를 해야 합니다.

독후감은 짧게 쓰는 것이 상례이므로, 작품 전체를 거론하기보다는 특정한 주제를 잡아서 쓰는 것이 좋습니다. 보편적으로 다룰 수 있는 몇 가지 주제를 제시해 보면 다음과 같습니다.

첫째, 작가의 의식이나 주인공의 언행, 성격과 연관지어 주제를 구현시키는 방법입니다. 문학 작품이라면 주제가 애정이나 애국, 의리나 배반일 수 있으므로 이러한 점에 초점을 두고 써야겠지요. 또한

과학에 관계된 것이라면, 그 발명의 의의나 연구자의 노력과 관련시켜 서술해야 하겠지요.

둘째, 저자의 이념이나 생애, 업적에 관심을 두고 쓰는 방법입니다.

그 작품을 통하여 알 수 있는 저자의 철학이나 사상 또는 저자가 그 작품을 남기기까지의 역경이나 작품을 쓰게 된 동기, 작품의 가치나 다른 작품에 미친 영향 등 작품과 연관시켜 쓰는 것이지요.

셋째, 작품의 내용을 중심으로 기술합니다

예컨대, 작품 속 주인공의 성격을 분석하거나 다른 사람과 비교해 볼 수도 있고, 그 작품의 사건이나 시대적 배경을 논의하거나, 작품의 구성 같은 것에 초점을 두고 이야기할 수도 있습니다.

이와 같이 작품을 읽기 전에 먼저 어떤 점에 중점을 두고 독후감을 쓸 것인가를 염두에 둔다면, 그렇지 않은 경우보다 훨씬 이해가 쉽고, 나중에 독후감을 쓰는 데도 도움이 될 것입니다.

❻ 독후감의 여러 가지 유형

1. 처음에 결론부터 쓴 다음 왜 그러한 결론이 도출되었는지 감상을 자세하게 쓰거나, 감상을 먼저 쓰고 결론을 씁니다.
2. 책을 읽게 된 동기부터 설명하고 글 중간에 자기의 감상을 씁니다.
3. 저자나 친구에 대한 편지 형식으로 감상을 쓰거나 주인공에게 대화 형식으로 씁니다.

4. 시(詩)의 형태로 감상문을 씁니다.

5. 대화문(對話文) 형식으로 씁니다.

6. 줄거리부터 요약한 다음 자기의 느낌이나 생각을 씁니다.

❼ 독후감을 구체적으로 쓰는 방법

어렵게 쓰겠다는 생각은 하지 말고 쉽게 써야겠다는 마음가짐을 가져야 좋은 글이 나올 수 있습니다. 그리고 무엇보다 감상문을 쓰기 전에 무엇을 어떻게 쓸까 조목별로 골자를 먼저 쓰고, 이 골자에 살을 붙이는 방법으로 쓰려고 노력해야 합니다. 이때 의도적으로 아름답게 잘 쓰려고 하지 않는 것이 좋습니다. 자, 그럼 더 자세하게 알아볼까요?

1. 먼저 제목을 붙입니다.

2. 처음 부분(머리글)을 씁니다.

- 책을 읽게 된 이유나 책을 대했을 때의 느낌을 씁니다.
- 자신의 생활 경험과 관련지어 써 봅니다.
- 제일 감동받은 부분을 씁니다.
- 지은이나 주인공을 소개하는 글을 씁니다.

3. 가운데 부분을 씁니다.

- 자기의 생활과 견주어 씁니다.
- 주인공과 나의 경우를 비교해서 씁니다.

- 시시비비를 분명히 가려야 합니다.
- 가장 극적이었던 부분을 소개합니다.

4. 끝부분을 씁니다.
- 자신의 느낌을 정리합니다.
- 자신의 각오를 씁니다.

독후감을 쓴 다음에는 다음과 같은 추고의 과정이 필요합니다.

첫째, 쓴 글을 다시 한 번 읽으면서 맞춤법이나 표준어 규정에 어긋나는 것은 없는지 살펴봐야 합니다.

둘째, 문장이 잘 구성되어 있는지, 또 문단이 잘 짜여져 있는지 알아보아야 합니다. 한 문단에는 소주제문과 보조문들이 있어야 하는데, 그런 점이 잘 지켜져 있는지 유의해야 합니다.

셋째, 글 전체의 구성이 잘 이루어졌는지 살펴봅니다. 예를 들어 서론에 해당하는 부분이 지나치게 길다든지, 결론에 해당하는 부분이 너무 짧다든지, 전체적인 구성이 균형을 잃고 있다면 다시 고쳐 써야 하겠지요.

우리가 시간을 들여 열심히 책을 읽고 난 후 독후감을 잘 쓰기 위해서는 책을 읽고 있는 동안의 느낌을 잊지 않고 글로써 표현할 줄 알아야 하며, 책을 읽고 가장 감명받은 부분을 기억하고 있어야 합니다. 또한 다른 사람들은 어떻게 독후감을 썼는지 남의 것을 읽어 보고, 자신의 것과 비교해 보며 자주 글을 써 보는 것이 중요합니다. 그렇게 하다 보면 자신만의 개성 있는 필치로 독특한 감상문을 쓸 수 있게 되지요. 학교에서 아무리 독후감 숙제를 내주어도 부담없이 즐거운 기분으로 끝낼 수 있을 겁니다!

❽ 그 밖에 알아두면 유익한 것들

독후감 쓰기 10대 원칙

1. 자신의 수준에 맞는 책을 선택합시다.
2. 독후감 쓰는 형식이 있기는 하지만 너무 거기에 구애받을 필요는 없습니다.
3. 자신이 작가라면 어떻게 글을 이끌어갈지를 생각하며 읽어 봅시다.
4. 평소 음악 평론이나 영화 평론을 많이 읽어 봅시다.
5. 읽으면서 마음에 와닿는 것이 있다면 따로 적어 둡시다.
6. 현대 사회의 문제점과 비교하면서 읽어 봅시다.
7. 모르는 것이 있으면 적어 두는 습관을 기릅시다.
8. 신문 사설이나 칼럼을 스크랩해서 필요할 때 사용합시다.
9. 요약하는 데에만 집착하지 말고 제대로 책을 읽읍시다.
10. 읽은 후에는 꼭 독후감을 직접 써 봅시다.

책을 읽는 10가지 방법

1. 아주 어릴 때부터 책과 친하게 지내는 습관을 기릅시다.
2. 너무 속독하려 하지 말고 담겨진 내용을 충실히 읽는 습관을 기

릅시다.

3. 항상 작품이 나와 어떠한 상관 관계가 있는지 체크를 해 가며 읽읍시다.
4. 무조건 책장을 넘길 것이 아니라 시시비비를 가려 가면서 읽읍시다.
5. 매일매일 조금씩이라도 책을 읽는 습관을 들입시다.
6. 책 속에 담긴 뜻을 음미하고 되새기면서 읽읍시다.
7. 너무 자신의 취향에 맞는 책만 읽지 말고 다양한 장르의 책을 골고루 읽도록 합시다.
8. 책 속에 담겨진 교훈을 깊이 생각하고 생활에 적용시킵시다.
9. 책에 따라 읽는 방법을 달리하는 습관을 들입시다. 모든 책이 만화책은 아니기 때문이죠.
10. 바른 자세로 앉아 눈과의 거리를 30cm 두고 밝은 곳에서 읽읍시다.

⑨ 원고지 제대로 사용하기

제목 및 첫 장 쓰기

1. 제목은 석 줄을 잡아 둘째 줄 가운데에 씁니다.
2. 1행 2칸부터 글의 종별을 표시합니다. 가령 수필이면 '수필'이라고 씁니다. 간혹 글의 종별을 비워 두는 경우가 많은데 이는 적는 것을 잊었거나, 원고지 사용법에 무관심하기 때문입니다.

3. 제목을 쓸 때에는 마침표를 찍지 않고, 물음표와 느낌표는 붙이지 않는 것이 좋습니다.

4. 제목에 줄임표는 사용하지 않는 것이 상례입니다.

5. 이름은 넷째 줄 끝에 두 칸 정도를 남기고 씁니다. 특별한 경우에는 서너 칸을 남겨도 됩니다.

6. 성과 이름은 붙여 씁니다. 다만, 성과 이름을 분명히 구별할 필요가 있을 경우에는 띄어 쓸 수 있습니다.

예) 임채후 (O), 남궁석 (O), 남궁 석 (O)

7. 본문은 여섯째 줄부터 쓰는 것이 좋습니다. 단, 특수한 작문인 경우는 넷째 줄부터 본문을 시작해도 상관없습니다.

8. 학교 이름이나 주소가 길 경우에는 세 줄로 쓸 수 있습니다.

9. 주소는 보통 표제지에 기재하고 원고지 첫 장에는 제목과 성명만 간단하게 적는 것이 상례입니다.

10. 성명의 각 글자는 시각적 효과를 위해 널찍하게 한두 칸씩 비워 써도 무방합니다.

11. 학교 앞에 지명을 기입할 때는 학교명을 모두 붙여 써서 지명과 학교명의 구분을 명확히 해 주는 것이 좋습니다.

첫 칸 비우기

1. 각 문단이 시작될 때는 첫 칸을 비우고 씁니다.

2. 대화체의 경우는 첫 칸을 비우고 씁니다.

3. 인용문이 길 때는 행을 따로 잡아 쓰되, 인용 부분 전체를 한 칸

들여서 씁니다.

4. 첫째, 둘째, 셋째 등으로 이야기를 전개해야 할 때는 시작할 때마다 첫 칸을 비울 수 있습니다. 단, 그 길이가 길거나 제시된 내용을 선명하게 하고자 할 때 비워 둡니다.
5. 시는 처음 두 칸 정도 줄마다 비우고 씁니다.

줄 바꾸기

1. 문단이 바뀔 때는 줄을 바꾸어 씁니다.
2. 대화는 줄을 새로 잡아 씁니다.
3. 인용문을 시작할 때는 줄을 바꾸어 씁니다. 단, 그 길이가 길 때 한해서입니다.
4. 대화나 인용문 뒤에 이어지는 지문은 글이 다시 시작되는 것이므로 한 칸을 들여 씁니다. 단, 이어 받는 말로 시작되는 지문은 첫 칸부터 씁니다.

문장 부호 및 아라비아 숫자, 영문자

1. 문장 부호는 한 칸에 하나씩 넣는 것이 원칙입니다.
2. 아라비아 숫자는 한 칸에 두 자씩 넣습니다.
3. 한자(漢字)로 쓸 때는 띄어 쓰지 않습니다. 그러나 한자와 한글이 함께 쓰이면 띄어 쓰기를 합니다.
4. 마침표(.)와 쉼표(,) 다음에는 통례상 한 칸을 비우지 않으며, 느낌표(!), 물음표(?) 다음에는 통례상 한 칸을 비웁니다.

5. 행의 첫 칸에는 문장 부호를 쓰지 않습니다. 첫 칸에 문장 부호를 써야 할 경우는 그 바로 윗줄의 마지막 칸에 글자와 함께 씁니다.
6. 영문자의 경우, 대문자는 한 칸에 한 글자, 소문자는 한 칸에 두 글자씩 넣습니다.

⑩ 문장 부호 바로 알고 쓰기

1. 마침표 : 문장을 끝마치고 찍는 문장 부호로 온점(.), 물음표(?), 느낌표(!)를 이르는 말입니다.
2. 쉼표 : 문장 중간에 찍는 반점(,) 가운뎃점(·) 쌍점(:) 빗금(/)을 이르는 말입니다.
3. 따옴표 : 대화, 인용, 특별어구를 나타낼 때 쓰는 문장 부호로 큰 따옴표(“ ”)와 작은따옴표(‘ ’)를 씁니다.
4. 그 밖의 문장 부호 : 물결표(~)는 '내지(얼마에서 얼마까지)'라는 뜻에 씁니다. 줄임표(……)는 할말을 줄였을 때와 말이 없음을 나타낼 때 씁니다.

⑪ 마 치 며

초등학교나 중학교에서는 독후감이라는 말을 사용하지만 고등학교에 가게 되면 독후감이라는 말보다는 아마 논술이라는 말을 더 많이 쓰고 더 많이 듣게 될 것입니다. 논술이란 말 그대로 어떠한 논제를 가지고 논리적으로 서술하는 것을 말하는데, 이는 하루아침에 이루어지지 않습니다. 다양한 분야의 많은 것을 폭넓고 깊이 있게 알고, 주관을 뚜렷이 할 때만이 논술을 잘 쓰게 되는 것이지요. 그러기 위해서는 중학교 시절부터 많은 책을 읽어 보고 스스로 글을 써 보는 훈련을 하는 것이 중요합니다.

실제로 고등학교에 가면 교과목 공부에도 시간이 모자라 제대로 책을 읽을 시간이 없거든요. 무엇을 알아야 글을 쓸 것이고, 자신의 주장을 피력할 것 아니겠어요? 그러니 중학생 시절부터 좋은 책을 많이 읽어 보고, 생각해 보며, 글을 써 보는 노력을 하는 것이 여러분의 미래를 더욱 밝게 해줄 것입니다. 아마 그렇게 한 사람은 그렇지 않은 사람보다 10리쯤 앞서 나가지 않을까 생각되는데 여러분 생각은 어떠세요?

▌성 낙 수▐
한국교원대학교 교수, 연세대학교 졸업, 동 대학원에서 석사·박사 학위 받음
▌오 은 주▐
서울여고 교사, 현재 한국교원대학교 대학원 재학, 국민대학교 졸업
▌김 선 화▐
홍천여고 교사, 현재 한국교원대학교 대학원 재학, 강원대학교 졸업

중학생이 보는
젊은 예술가의 초상

초판1쇄 인쇄 2012년 1월 20일
초판1쇄 발행 2012년 1월 30일

엮 은 이 성낙수 · 오은주 · 김선화
지 은 이 제임스 조이스
옮 긴 이 신현규
펴 낸 이 신원영
펴 낸 곳 (주)신원문화사

주 소 서울시 영등포구 당산동 121-245 신원빌딩 3층
전 화 3664—2131~4
팩 스 3664—2130

출판등록 1976년 9월 16일 제5－68호

* 잘못된 책은 바꾸어 드립니다.

ISBN 978－89－359－1583－5 44800
ISBN 978－89－359－1582－8 (세트)